天地会

浪翻云 著

江苏凤凰文艺出版社
JIANGSU PHOENIX LITERATURE AND
ART PUBLISHING, LTD

图书在版编目（CIP）数据

天地会 / 浪翻云著. — 南京：江苏凤凰文艺出版
社，2018.8
ISBN 978-7-5594-1202-7

Ⅰ. ①天… Ⅱ. ①浪… Ⅲ. ①长篇小说－中国－当代
Ⅳ.①I247.5

中国版本图书馆CIP数据核字（2017）第246421号

书　　　名	天地会
著　　　者	浪翻云
责 任 编 辑	黄孝阳　王　青
文 字 编 辑	韩小霖
出 版 发 行	江苏凤凰文艺出版社
出版社地址	南京市中央路165号，邮编：210009
出版社网址	http://www.jswenyi.com
印　　　刷	天津旭丰源印刷有限公司
开　　　本	700×980毫米　1/16
印　　　张	16
字　　　数	261千字
版　　　次	2018年8月第1版　2018年8月第1次印刷
标 准 书 号	ISBN 978-7-5594-1202-7
定　　　价	42.00元

（江苏凤凰文艺版图书凡印刷、装订错误可随时向承印厂调换）

楔子

目　　录

目　录

楔 子

九镇，位于长江中游，洞庭湖西，五河交汇之处，十万大山中的一片蛮荒之地，自古以来穷山恶水，王法不及，镇上男子除了安守本分捕鱼打猎之外，只有两条出路，一是做杀人的匪，二是当杀匪的兵。

明末清初，天下大乱，狼烟四起，如此局势之下，各种军用民用物资极度缺乏，货物流通也随之变得异常重要。而九镇地处中国南北水路中心，堪称野心家的必争之地。各方势力鱼龙混杂，也因此让小小九镇迎来了一片热火朝天的畸形繁荣。但底层百姓依然贫穷困苦，民不聊生。对于美好生活的强烈追求，丛林法则的横行无忌，没有了秩序约束的人们，各展其能，努力成为乱世当中的强者。

失学少年、破产手工业者、无业游民、捞偏门的流子和寻生计的外乡人，洞庭湖畔到处都是焦虑和病态的身影，致命的危机隐藏在繁华的街市和错综的小巷中。

这是一个乱世，也是一段传奇的开始。

巫毒、虫蛊、赶尸匠的传说尚未远去，土匪、苗家女、捕蛇人的故事仍在流传，而新时代的枭雄即将登场。

故事开始的那天，陈骖刚好十八。

"平生不识陈近南，便称英雄也枉然"这句话，也还根本不曾出现。

连 环 失 踪

四月二十五日，那一天，很冷，清明刚过，谷雨未到，正是南方山区最为难熬的梅雨季节。连续十多天没有停过片刻的大雨让整个九镇变得泥泞不堪，就像是一位风烛残年的老妇的身体，阴冷潮湿中透着一股衰败糜烂的霉味，令人很不舒服。

屠夫陈永华坐在自家肉档后面，摇着蒲扇，时不时驱赶一下肉案上的苍蝇。肉案前方，摆着两大桶粥。

今年，北边的战事越来越激烈，无数难民纷纷南逃，一时之间，就连小小的九镇街头，都出现了一大批衣食无着的可怜人。镇上的那些大户人家，隔三岔五地都会出来请个戏班摆个善场，给难民们发点粥饭衣物等。

陈永华没有那么丰厚的家底，也办不起那么大的排场。但是自从去年入冬以来，每天肉铺开门之后，他都会在店门口摆上两桶粥接济难民，要喝的就自己来取，不收一文，取完为止。

可奇怪的是，同样是行善，那些大户人家的老爷们早就在人前人后被吹捧得上了天，可喝他陈永华粥的人不少，却从来没有人喊过他一声"善人"。

当然，陈永华并不计较这些。他每日施粥，也不仅仅只是为了行善，更是为了积阴德。

平心而论，陈永华的性子其实很温和，这辈子从来都不曾与任何人红过脸，更别提吵架打架，可他还是一个朋友都没有，甚至，连动物都不愿意靠近他。

住在陈永华家不远处的猎户张麻子，养了一条叫作"夜叉"的大黑狗，极为凶猛，张麻子只要上山打猎，就必定会带着它。别说什么野鸡野兔这样的小动物，就连和牛犊一样大小的野猪，都照样被这条狗咬死过。平日里，这狗看家护院也同样是一把好手，无论是什么人，只要敢靠近张家，它就扑上去一口咬住，如果张麻子不作声，就打死也不松口。可是，这样一条猛犬，只要一见到陈永华，尾巴就立刻夹到了屁股里面；假如陈永华再走近点，那狗马上就浑身发抖，趴到了地上，连跑都不敢跑，不管张麻子怎么叫怎么喊，都没用。

对于这样反常的事情，陈永华感到非常无奈，却也没有什么办法。

因为，他知道为什么。

很久很久以前，当陈永华还是个孩子的时候，就曾经有人告诉过他一句老话："杀生不过百，过百鬼见愁。"

这句话的意思是，如果一个人杀了一百条以上的生命，那么，不管他手底所杀的是人还是畜生，这个人的身上都已经有了杀气，连鬼见到了都要远远躲开。

陈家祖祖辈辈都是靠着屠宰为生，每一代的长子，都要从六岁开始杀生，先杀鸡鸭，满一百之后，再杀狗羊猪，等狗羊猪的数量也分别过了一百，这个孩子差不多也就长大了。那个时候，陈家长辈才会让他主刀宰牛。

初次杀牛的那天，陈家的大人会送给晚辈一把刚打的新刀。然后，用童子尿、无根水、乌鸦血、黄牛乳、蛇果等物配酒，分别喷洒于天、地、刀刃之上，礼毕之后，这把刀才可以见血。

对于陈家人来说，男丁第一次杀牛，叫作"掌刀"，是个极为隆重的大日子，代表着孩子正式长大成人，可以自立门户了。

陈永华今年正好四十岁，从十八岁掌刀那天开始，至今为止，在他的手下，"黄水奶牝牯耕犊"各色品种的牛，他已经杀了八百零八头；宰掉的猪狗羊等牲畜，数目更是多到连他自己都记不得。所以，经过这无数条性命累积下来，如今的陈永华虽然比不上那种铁甲钢刀"杀人过百是为雄"的真正大人物，但在他的身上，也早就有了远别于常人的杀气。

杀气如刀，鬼神辟易，人畜不近，也就是理所当然的事了。

天色已经渐渐黑了下去，石板路上，除了几个蜷缩在街角喝粥的流浪汉之外，已经没有什么人了。

一天的生意，也终于到了可以关张的时候。

陈永华收拾好一切，关上店门，牵起门口那头用来宰杀的大牯牛，拿着一个两尺来长的麻布包裹，在一阵"叮当叮当"清脆之极的牛铃铛声中，走入了沉沉夜色。

那个包裹里面，放着一把崭新的屠刀，这是陈永华送给儿子的礼物。

不知道是从哪一代的陈家祖宗开始，传下来了一个规矩：

牛是人间善物，光天化日之下杀牛，有伤天和。所以，举行掌刀礼，必须是午夜，阴阳交替的时候，才能行事，以求孩子能够侥幸逃过因果。

今天午夜，正是陈永华的儿子陈骖年满十八，掌刀之日。

只不过，在此之前，陈永华还要再做一些准备。

怀着心事的陈永华实在是太过专注，当他走过街角时，并没有发现身旁那几个蜷缩在角落里的流浪汉子看向自己的眼神。如果他看见的话，一定会觉得非常熟悉。因为，每次当他举起手中屠刀的时候，他的眼中也是同样神采。

只可惜，这个世界上，从来就没有如果。

历史的改变，在这一刻，已经注定。

雨终于停了。

皮幺儿放下锄头，拍了拍手上的泥巴，从怀中掏出一袋旱烟，点燃，心满意足地深深吸了一口。产自塞外的莫合烟，入嘴之后绵长醇厚，香气四溢，带有一种极为独特的桂子味，被那些懂得享受见过世面的达官贵人称之为"焦桂"。

从来没有人知道皮幺儿喜欢抽烟，更没有人晓得他居然抽得起这种堪称精品，绝不是寻常山区小镇百姓所能享用到的焦桂。

就像，同样没有人知道，皮幺儿到底是谁。

想到这里，皮幺儿实在是有些忍不住得意地笑了起来。

皮幺儿是一个裁缝。

父亲皮七在世的时候是镇上出了名的地痞，欺男霸女，偷摸拐抢，样样都来。母亲是镇上老裁缝的女儿，有天去河边洗衣回来太晚，路上被喝多酒的皮七糟蹋了，本分人家没有办法，顾全名声只得将女儿送入火坑，嫁给了皮七。

女人忍辱偷生地过了几年日子，生下皮幺儿之后，一次实在没忍住皮七的暴打，将皮幺儿送到外公家，在饭菜里下了砒霜，夫妻二人双双赴了黄泉。

皮幺儿和他父亲不同，从不惹是生非，平日里看人也都是低眉顺眼的，外公过了之后，就接下了外公的那门小手艺，做起了裁缝。一个忌双喜单，棉麻丝白绫罗绸样样拿手，却唯独从来不做缎面衣物的裁缝。

因为，缎面意味着"断子绝孙"，从来都是往生者的大忌。

皮幺儿不裁活人华服，只缝死人寿衣！

九镇附近方圆几十里地，人人皆知，皮幺儿随了他外公的性格，为人本分，不仅价钱最公道，缝制寿衣的手艺也最好。

然而，这并不是真正的皮幺儿，或者说，这只是一部分的皮幺儿，除了白事裁缝之外，暗地里，他还有另外一门不为人知的手艺：

鬼媒。

湘楚多奇山，自古以来就是巫蛮之地，民风之离奇诡谲，远别于中原江南，而地处十万大山深处的九镇，更是有着一种流传千年的独特习俗——结冥婚。

谁家少男少女如果过早夭亡，没有试过人间烟火，黄泉之下难免就会心怀怨愤，导致家宅不安。所以，家中老人长辈会设法寻找一个异性死者，送去"鹅笼""酒海"等物为礼，举行结婚仪式之后，将两人合葬在一起，以慰亡魂。

皮幺儿第一次接触到结冥婚的行当，是两年前的一个傍晚。

那天，皮幺儿的裁缝铺里突然进来了一个看上去普普通通的中年男客，开口就说要做一套顶尖的苏丝寿衣。

在两人交谈中，那个来自上游沅陵府的男客，终于遮遮掩掩地找皮幺儿打听起了九镇附近有没有过世不久的黄花闺女。恰好镇西头村子里前两月才死了一个十四五岁的小女孩，家里大人也是找皮幺儿做的寿衣。当时，皮幺儿也没多想，就照实说给了那个沅陵客。

没想到，第二天，那个沅陵客再次上门，才给皮幺儿说了真话。

原来，沅陵客是个专门替人拉阴缘结冥婚的鬼媒，这次搭帮皮幺儿，又做成了一单大生意。最后，沅陵客二话不说，扔给了皮幺儿一笔钱，说是这行的规矩，哄鬼不骗人。还说沅水上游那边的人都信这个，需求大，皮幺儿的消息也广，如果愿意的话，希望能够搭上伙，一起发财。

当天晚上，关了铺子之后，皮幺儿拿着那笔当得上自己两个月收入的银子，足足数了一整夜。

刚入行的时候，皮幺儿还算是本分，也就是上家要货，他就去附近夭亡了儿女的家里游说，再转手供给上家。有些时候，实在是没有新死的，就算是一副去世多年的枯骨也能够卖不少的银钱。

直到半年前，那个沅陵客再次上门，甩手就给了皮幺儿一锭亮铮铮的银元宝，说是遇见了一个什么祖辈为官的豪客，要替亡子寻妻，不过要求很高，不但要新死未过头七的，还必须有几分姿色。

而且，沅陵客告诉皮幺儿，东家财雄势大，十天之内，只要能把事办好，钱不是问题，事成之后，还可以再给他一锭。

皮幺儿实在受不住钱财的诱惑，当场就满口答应了下来。

接下来，皮幺儿整整找了七天，几乎跑遍了方圆五十里，不巧的是，这段时间偏偏一个过世的都没有。皮幺儿山穷水尽，按行规，期限一到，他不仅要十倍奉还定金，还终生不能再做这门极其讲究哄鬼不骗人的无本生意。

从小，外公就教皮幺儿，要当个守信用的人，皮幺儿一直记在心里，做裁缝，他没误过事，没坑过钱。

做鬼媒，他也不想违约背信。

于是，第八天清晨，就在沅水河边上，皮幺儿杀死了有生以来的第一个人——隔壁豆腐店里那个一见到人就笑的哑巴女儿。一回生二回熟，那之后，皮幺儿就越来越老练了，一个月前，镇外荷花堰，他杀掉了第七个年轻女子，初夏。

初夏是一个寡妇。

三年前，丈夫被突然发狂的耕牛活活踩死在了自家田地的烂泥里，当时初夏正在河边洗衣，等她听到消息赶到时，那个平日连风寒都从来没有得过的壮实庄稼人，已经变成了一具死不瞑目的尸体。

寡妇门前是非多。丈夫死后，难免会有些闲汉痞子就动了花花心思，时不时地言语挑逗一下，想要在这个可怜女子的身上讨点便宜。

闹得最邪乎的一次，是个喝多了酒的地痞，三更半夜摸上门，对着窗户上扔石头，如果不是初夏拿着家里唯一的剪刀要拼命，还不晓得会闹成什么样。

可就算是如此，日子一长，在那些闲着没事做的长舌妇嘴里，还是生起了初夏和公公有染的闲言碎语。

这个日子，初夏过得小心翼翼，如履薄冰。

除了出门忙活之外，其他时候，初夏永远都是大门不出，二门不迈，待在屋里本本分分地伺候公婆。为了避嫌，整整三年，她甚至连娘家都没有回去过一次。

这次初夏的哥哥生了儿子，娘家托人带信给她，想她回去一趟，向来视初夏为自己女儿一般心疼的公婆也都再三劝她，让她回去看看爹娘。

几番思考之后，初夏实在是耐不住那份对家人的思念，也就点头同意了。

天刚蒙蒙亮的时候，初夏带了两件换洗衣服，拎着自家养的大公鸡和平日里攒下来的一点散碎银钱，在公婆的千交代万叮嘱之下，走出了家门。

那天，初夏穿上了丈夫死后再没穿过的碎花布裙，公婆看见了苦命的初夏三年来的第一次微笑。

从此以后，这个世界上就再也没有人见过初夏。

寡妇初夏成了小小九镇上，近一年半之内，第七个无故失踪的年轻女子。

现在风声渐渐过去，今夜，正是起尸之时。

九镇东头的神人山下，有一片芭茅丛生的荒地，里面枯坟密布，埋的尽是些短寿夭亡、伏法强徒、暴毙流子等命薄之人，草席一裹，扔到坑里浅浅盖上一层浮土了事，别说后人祭拜、两节上坟，大多数甚至连墓碑都没有竖上一块。

据星子官的天师们说，这里水走青龙头，是积怨聚秽的至阴之地。平日里，就算是艳阳高照，九镇本地人都宁可绕路上下山，也不愿意走这里。

然而，这个阴气森森的乱葬岗，却是皮幺儿的一块私家宝地，不仅可以让他偷尸，还能让他藏尸。他杀的每一个人，在运走之前都是埋在这个地方，从来没有见过鬼，也从来没有遇过人。

所以，当他坐在那个刚刚挖出的穿着碎花裙的小寡妇尸体旁抽烟的时候，万万不会想到，居然能听见牛铃铛的响声。

然后，就在越来越近的"叮当"声中，乱葬岗前那片漆黑的芭茅丛里，出现了一头慢悠悠走过来的牯牛。牯牛旁边，有一个赶牛男子，朝着皮幺儿咧嘴一笑，黑暗中，皮幺儿看不清男子面目，却看见了两排森森白牙。

九镇第八位失踪者，也是唯一的男性，皮幺儿。

二

秉刀成人

陈永华家住在镇东两里外的观音寺，房前有一块半亩左右、夯实了泥巴的土坪子，陈家人杀生，都在这里。

此刻，土坪子上已经成堆成伙地挤满了好几十个正在伸长脖子、等着看热闹的人。

寻常屠夫如果要宰杀牛马这样的大型牲畜，通常都是三四个人，偶尔有力气大的，至少也需要两人帮忙打下手。

但是陈家人从来不用，只要陈家人一刀挥出，多壮实的牯牛都会立即倒地毙命，挣扎不得半点，由不得旁人不服。

这些年来，不知不觉中，看陈家人杀牛，已经成为九镇百姓贫乏闭塞的生活中一个天大乐趣，而今晚陈家这一代独子陈骖的掌刀之礼，更是值得期待。

陈骖今年十八，在家里排行第二，上头还曾经有过一个幼年早夭的姐姐。

出生那天，他母亲做梦梦见一匹通体发红的高大骏马沿着家门外的那条道路左边飞奔而至，进了家门。于是，星德山上星子官的张道会张真人用"道左之马"为意，替他取了一个文绉绉的名字，叫骖；又因为当年刚好发大洪水，所以小名又叫洪二。

洪二像他父亲，生性温和，平时少言寡语，却又天生力大无穷，从十岁开始，他就能够一人背起百十来斤重的半边猪肉，满大街跑着给父亲送货了。

所以，在左邻右舍的瞩目之下，经过了这么多年的磨炼与试刀之后，今天终于轮到了洪二的掌刀礼，整个九镇，但凡没点正经事做的闲汉，都已经早早来到了陈家屋外的坪子上，生怕错过这场好戏。

陈家屋内，陈骖正有一口没一口地吃着晚饭。

加入一个鸡蛋，细细擀至半指来宽的面条煮熟入碗，青翠碧绿的小葱切碎，和着蒜末、辣椒一起放在面条上，小勺滚烫茶油淋下，嗞嗞爆响声中，奇香扑鼻，闻者垂涎。

这就是陈家父子二人，每日都万万离开不得的那碗葱油面。

每天晚上，陈骖被父亲逼着伏案夜读的时候，母亲总会端上这样一碗亲手所做的面给他消夜。然后，母亲就那样安静地坐在一旁，也不说话，满是浅浅笑意地看着陈骖狼吞虎咽吃完。

今天也是一样，面已经吃完，母亲帮儿子擦去嘴角油腻之后，也就心满意足地端走空碗，收拾家务去了。

她并没有发现，自己儿子的书案上，居然一个字都还没有写。

"养儿不读书，不如养头猪。"

这是父亲陈永华每天都会给陈骖说的一句话。

靠着祖传的屠宰手艺，在小小九镇上，陈家虽然过得还算相对宽裕，但也绝不是什么大富大贵书香传世的人家。可不知道为什么，那个满身油腻肉腥气的父亲，却偏偏从陈骖记事开始，就请了上街里的梁老夫子教他读书。

陈骖很聪明，贪玩是贪玩，功课却一直念得很不错。

记得头一年去梁老夫子门下拜师的时候，除开学费之外，父亲还专门提了三斤上好的猪肉和一斤红糖当酬谢，爱理不理的梁老夫子这才松口答应。但仅仅只是一年之后，已经将陈骖视为生平最得意弟子，可以继承衣钵，梁老夫子就心甘情愿一文钱学费都不肯收了。

可是纵然如此，陈骖心中却一直都想不明白，自己明明就是屠夫的儿子，从小父亲就逼着他学屠宰，长大之后也注定会是一个屠夫，读那么多书，又有什么用？尤其是今天，再过半个时辰就是他的掌刀礼了，礼毕之后，他就再也不是一个孩子，而是一个可以扛起门楣的成年人。可眼看就快午夜了，父亲却还像没事一样，一个人躲在后院那间摆放祖宗牌位的小房子里头，窸窸窣窣地也不知道做些什么。

想到这里，陈骖心中一阵烦闷，站起身来推开窗户，正想看看屋外的坪子，可他刚一开窗现身，坪子里那帮早就等得不耐烦的看客立马就爆发出了一阵巨大的喧闹躁动。

陈骖吓得赶紧关好窗子，坐回了书桌前，却再也无心读书，索性拿出一把锉刀，轻轻锉起了本就已经修剪整齐的指甲。父亲说过，手上有汗、指甲过长都会影响下刀的准确度和速度。

今天，陈骖决不能让自己出现半点失误。

他试图让自己静下心来，可是脑海里偏偏各种杂念此起彼伏，不知不觉间，就突然想起了今天早上发生的那件事。

这些日子以来，每天早上，陈骖都会帮父亲一起，拎着两桶粥去自家肉铺开门，今天也是一样。当父子二人拎着粥桶出现在店铺的时候，外面街道上早已经站了一二十号人在等着。

当时，有一个极为脸熟、经常过来喝粥的外地男人，在桶里舀了一瓢之后，对着陈骖父亲说："东家，这个粥越来越稀，喝不饱，我们都是可怜人，没得办法了，你这么大的家业，别太舍不得嘛。"

刚开始，陈骖父子俩并没有意识到什么，陈骖还亲耳听见父亲笑嘻嘻地回答那个男子：

"我一个杀猪的，有什么鬼家业？每天的这两桶粥也都是从自己嘴巴边上攒下来给你们的，将就点，把这段日子熬过去就好了。"

谁知道，那个男子却并不罢休，一边用手里的瓢在桶里来回搅着，一边指着挂在档铺上的几片肉说：

"我们命不好遇上了打仗，跑出来之后就没尝过肉味了。东家，你也莫要看不起我们这些苦命人，你家里肉多，拿点肉给我们肚里过过油吧，吃不穷你的，人再有钱也不能黑了良心。"

这个男人一挑头，后面好些位也是经常在陈家喝粥的难民也就跟着起哄。

陈永华是个好人，就连每一次杀牛的时候，嘴里都要念念有词地说"牛儿牛儿你莫怪，天生盘里一碗菜"这样的话。但陈永华也是个犟脾气，天生的吃软不吃硬，听着这帮难民不知好歹阴阳怪气地说话，也就当场把脸拉了下来，一把就抢过了领头那个男子手里的瓢，往桶里重重一放，毫不客气地说了一句：

"你吃就吃，不吃就走，肉是卖的，老子自己也舍不得吃。莫说没肉，有肉老子也不给你。"

当时，说完这句话之后，陈永华就忙着去招呼其他人了，并没有注意太多，可是在一旁的陈骖却清清楚楚地看到了接下来那一幕。

他看见，那个向来都是一副可怜兮兮模样、曾经也像只绵羊般温顺卑微的干瘦男子眼中，瞬间就冒出了一种从来没有见过的陌生神采，冷漠而残忍，阴沉地盯着自己父亲看了半晌，就像是一头被逼上了绝路的恶狼。

然后，那个男子手一挥，带着好几个同样熟悉的面孔，连粥都不喝就一言不发地转身离去。

说实话，男子当时的那种眼神，让陈骖感到极为害怕。他也想过告诉父亲，可少年人的心思总是太敏感，当着那么多人的面，又担心父亲责怪自己大惊小怪、胆小懦弱，所以，终归还是将担忧放在心里，紧紧闭上了嘴。

然而这一整天以来，早上的事却时不时地浮现在陈骖的脑海里，每次只要一想到那个男子的双眼，陈骖就有些心惊肉跳。

尤其是现在，掌刀礼眼看着马上就要开始了，这件事却还像一座山般压在陈骖心里，让他隐隐约约有种说不清道不明的感觉。

他总觉得会出什么事。

想到这里，心乱如麻的陈骖终于鼓起勇气，放下了手上的锉刀，站起身来刚准备去找父亲说说，门外却恰好响起了父亲的召唤声：

"洪二，准备开坛。"

父亲格外严肃的声音和马上将要来临的重大时刻，如同水推沙堡一般彻底摧毁了陈骖心中刚刚涌起的念头。

那一瞬间，陈骖甚至体会到了一点莫名其妙的轻松，他理所当然地放下了自己的忧虑，决定晚点等掌刀礼全部结束之后，再找机会和父亲说说这件事。

毕竟也只是一个落魄外乡人的不善眼神而已，能出什么事呢？说不定真是自己大惊小怪呢。

想到这里，陈骖自嘲地笑了一下，摇摇头，抬脚走向了门外。

那一刻，陈骖永远都不会想到，自己当时做出的这个选择，居然会导致一场再也无法避免的弥天大祸，成为一件始终纠缠着他余下的一生，却再也无法自我原谅的憾事。

陈骖长长呼出一口气，在剧烈心跳声中推门而出的时候，他发现坪子里已经不知何时摆好了一个香坛，父亲穿着一身从来未曾穿过的崭新长衫，腰背笔挺地端坐在香坛左边的椅子上，身后竖着一根竹竿，竹竿上挂着一幅威风凛凛的樊哙画像。

樊哙本是屠夫出身，跟随汉高祖刘邦东征西讨，最后出将入相，成了威名赫赫的舞阳侯。千百年来，屠夫这行都属于下九流的行当，一直被人看不起，后世的屠夫们为了给自己脸上贴金，也为了激励告诫后来人，就认了这一枝独秀的樊哙为本行的老祖宗。

"哦，洪二，杀牛如杀人，你手莫软哪！"

"洪二，你看看，这头牛，蹄子都差不多比你手还粗些了，你怕不怕？"

"洪二，哥哥我等了大半夜，就等着看你掌刀啊。"

"洪二……"

在闲汉们陡然爆发出的阵阵喧哗声中，陈骖整整衣襟，越过人群，大步走向了父亲。

"洪二，你准备好了吗？"

听着父亲威严而又带着慈爱的小声询问，陈骖再次长长吸了一口气，等到胸膛内如同擂鼓般的心跳稍微平复了一些之后，这才点点头，利落回答道：

"爹，好了！"

陈永华素来刻板呆滞的脸上露出了一丝极为少见的浅浅笑意，朝着儿子微一点头，蓦然站起，张口唱道：

"开刀为养人，无故不杀生！陈氏后人陈骖，受业期满，今日掌刀，跪樊祖……"

陈骖双膝一弯，跪倒在画像前，重重三个响头磕了下去。

陈永华转身指向拴在人群之外的那头大牯牛：

"畜道殃，人道昌，天理如此，刀送轮回两相忘！跪生灵……"

陈骖随之转身，对着牛又是三个响头，引来了旁边围观者几声不知轻重的哄笑，在一脸铁青的陈永华扭头看去之后，闲汉们这才渐渐变得安静下来。

陈永华一正长衫，昂然坐下，口中唱道：

"授业一时，正心一世。跪恩师……"

陈骖转身看向父亲，香坛上的几盏油灯映照之下，父亲脸上散发着一种从来未曾见过的熠熠光辉。突然间，陈骖就觉得自己鼻子一酸，赶在眼泪滴落之前，"唰"的一声再次跪下，重重磕起了响头。

"起身！"

磕头完毕，耳边又传来了陈永华的唱声，只不过，这一次，他的声音里居然也好像带着几许克制不住的激动和颤抖。

泪眼模糊中，陈骖抬头望去，灯光下，陈永华身躯如山，已是长身而起，拿起了放置在香坛上的那个包裹，两手一震，外面的粗布跌落，那把寒芒闪烁、找下街刘吹毛铁匠铺重金定制的崭新屠刀，在围观众人的声声惊呼中，出现在陈骖眼前。

"锵"的一声，陈永华单手握刀下插，刀刃深深扎入香坛桌面，另一只手端起旁边早就备好的酒碗，大大灌了一口专门配制的药酒之后，先喷天，再喷地，最后一口喷在了手中屠刀雪白的刀刃之上。然后，将酒碗往地上重重一扔，陈永华手腕一抖，双手捧刀，递向了依然跪在地上的儿子：

"陈骖接刀！"

热血瞬间冲遍了陈骖的全身，这一次，他发现自己的身躯居然已经开始微微发抖，而这种颤抖绝不是因为紧张和害怕，而是激动。

一种不知从何而来，却又炙热沸腾，让人恨不得放声呐喊的激动。

陈骖不再犹豫，一把抹去脸上泪水，霍地站起，双手往前一伸，稳稳接过了那把依旧带着酒渍和父亲手温的屠刀。

屠刀易手那一瞬间，耳边传来了陈永华的一声暴喝：

"牵牛……"

人群后，一个帮忙打下手的陈家熟人牵着那头极为健壮的大牯牛走了过来，将牯牛的缰绳径直递到了陈骖手中。

偌大的坪子里，鸦雀无声，人们都一瞬不瞬地看着陈骖，期待着即将到来的那场好戏。

此刻，或许是父亲眼中的信任和自豪，或是因为手中钢刀所带来的力量，陈骖的心中再也没有了半点的烦乱，就像是平日里，无人围观时，他跟着父亲早就做过千百次的那样，不慌不忙地把牛绳牢牢系在了木桩上，解下牛脖子上的铜铃铛，一手拿刀，一手端盆走到了黄牛脑袋边。

牛通人性。

也许是那头牯牛知道自己的大限将至，嘴里"哞哞"叫着，扭过头去眼巴巴地看着陈骖，在坪子里无数火把的照射下，在场众人清晰看见，牯牛两只铜铃般的眼睛里，居然流下了一串串的晶莹泪水。

陈骖毕竟还是年少，加上天性本就善良，见到牯牛这副可怜兮兮的模样，心中不禁也有了一丝黯然，弯腰将盆子放在牛头正下方的地面上，伸出左手轻轻抚摸着牛头，口中默默念叨起了往日里父亲所教导的词句：

"牛儿牛儿你莫怪，天生盘中一碗菜；牛儿牛儿你莫怪……"

在陈骖的安抚声中，牛儿居然也真的就缓缓平静了下来。

可就在此时，场中暴喝再次响起：

"开刀！"

随着陈永华的一声大喊，下一瞬间，那头浑身肌肉虬结像是铁铸一般的牯牛突然吼声似雷，如遭电击般原地跳跃起来，开始疯狂挣扎，一只在空中胡乱踢动的蹄子，猛地将身边毫无防备的陈骖踹得差点坐倒在地上，就连手中屠刀也摔到了一旁。

刹那间，人群里爆发出了哗声阵阵，各种各样喝倒彩的声音都响了起来。

其实，往常父亲杀牛的时候，陈骖也曾无数次打过下手，就算是比今天这头更大更壮的牛，他也不是没有招呼过，只要是被他一把摁住了，就别想动一下。

可现在，一时心软之下，如此重大的日子里，他却偏偏在众人面前出了丑。

又羞又愧当中，陈骖只得可怜兮兮地瞟眼看向自己父亲，希望父亲能够像往日一样，出手帮帮自己。

但是，陈永华却始终袖手站在一旁，脸色如霜，也不说话，就那样冷冷看着自己儿子。

"开刀……"

这一次，父亲的喊声依旧悠扬，中气十足，听在陈骖的耳朵里，却分明多出了几许压抑不住的愤怒。

陈骖羞怒交加，强憋着一口气，狠狠一咬牙，起身捡起那把屠刀，再次来到了牯牛旁边，微微调整了一下呼吸，伸手握住牯牛的一根牛角，用力往自己胸前一扳。

土坪子上寒光一闪即逝，陈骖手中钢刀已经飞快掠过牯牛露出的咽喉，在牯牛翻身倒地的瞬间，右脚脚尖一点，地面上的盆子准确无比地塞在了牛颈处的刀口之下。

殷红牛血汩汩而出，流入盆内。

一刀毙命！

人群中，爆发出了震天的喝彩。

二

窃天掌刑

夜已深，掌刀礼毕之后，围观的人们都心满意足地渐渐散去，半个多时辰前还热闹非凡的坪子上不见一个人影。

按照祖训，陈家男人掌刀之日，女性不得出现，所以，陈骖母亲闲着没事也早已在前屋的卧室安然入睡。

陈家后院，有一间用来供奉祖宗的小小偏房。

此时此刻，偏房内，没有点灯，唯独几支小小的线香插在墙角神龛上，散发着聊胜于无的微弱光芒。

昏暗的房间内，只有父子二人。

陈骖一动不动地跪在父亲脚下，连大气都不敢喘上一口。

从进门之后，陈永华就一直坐在椅子上，虽然没有骂陈骖，却也没有开口说过一句话，这让向来敬畏父亲的陈骖越发感到紧张害怕。

陈永华是个极好面子的人，今天的掌刀礼虽然最终算是完成了，但一个杀牛的，居然让牛把刀都踢掉了，在别人面前出了那么大的丑。

陈骖实在是不知道父亲接下来会怎么处罚自己。

就这样，在极为压抑的沉默中不知过了多久，陈骖耳边突然响起了父亲的说话声：

"洪二，从小你就一直想进这间房，我从来不让你进，你知道为什么吗？"

陈永华的声音不悲不喜，听不出任何的情感波动，却还是让陈骋暗自松了一大口气。

因为，每一次只要陈永华真正生气了，是绝对不会喊他小名的，而是直接称呼他的大名陈骋。

可刚刚，陈永华喊的是洪二。

陈骋鼓足勇气抬起头，颇为忐忑地看着今天这位出奇反常的父亲，也不敢张嘴说话，只是默默摇了摇头。

陈永华微微一笑，情不自禁地伸出一只手来，在半空中稍稍停了一下，却还是忍不住亲昵地摸了摸自家儿子的脑袋。

在陈永华的心里，他实在是爱极了这个儿子。当年儿子刚出生的时候，张天师就说过自己儿子不是凡人。虽然这些道士说的话，陈永华并不太相信，但是，这十八年来，随着儿子一步步长大，陈永华看得出来，儿子确实有着很好的资质，聪明好学，什么事都一点就通，方方面面都要比自己强太多了。

所以，这些年来，陈永华对儿子的管教始终都相当严格，有些时候，甚至严到让他自己心里都觉得有些愧疚。可他却还是咬着牙板着脸坚持了下来。因为，老话说得好，吃得苦中苦，方为人上人，他不愿也绝对不能让自己的溺爱去耽误儿子一生。

而且，儿子毕竟是陈家人，今后还要扛起那个平常人想都不敢想的天大责任，现在不对他严厉点，今后这陈氏一族的门楣，又要靠谁来光大？他陈永华又怎么对列祖列宗交代？

想到这里，陈永华再不犹豫，收回抚摸着儿子脑袋的手掌，转身站起，点燃了神龛之下的两根蜡烛。

在摇曳不定的烛光当中，陈骋举目望去，赫然察觉到，自家神龛竟然和寻常人家完全不同，一没有供满天神佛，二没有立祖先牌位。

上面孤零零摆放着的居然是一个狭长包裹。

正在陈骋诧异时，陈永华已经伸手取下包裹，也不说话，径直递到了陈骋跟前，示意让他自己拆开。

包裹入手极为厚重，外面层层叠叠缠着好几层密实的上好棉布，陈骋小心翼翼地慢慢拆开，最后出现在他手中的，居然是一把和自家杀牛屠刀差不多式样的刀。

只不过，这把刀更长更重，一眼看去，刃口处寒芒流转，也明显锋利得多。

陈骖上上下下仔细打量着，借着烛光，他能清晰望见，在刀身两侧，竟然还各有四个镏金阴刻的古篆小字。

一面所刻：窃天掌刑。

一面所刻：天王斩鬼。

陈骖呆呆地看着手中的物件，喜爱至极却又不知所措，正想张嘴询问自己父亲的那刻，耳边已经传来了父亲的说话声：

"不让你进这间房，就是因为这把刀。洪二，今天轮到我给你说说，当初我掌刀那天，你爷爷给我说过的那些话了……"

接下来，从父亲的口中，少年陈骖听到了一个连做梦都不曾想过的故事，这个故事之传奇、之曲折，就连九镇码头旁那个酒馆里说书的朱瞎子，都不见得能够编得出来。

但此时此刻，却真真实实地发生在了陈家，发生在了陈骖的身上。

原来，陈氏一门远远不是表面上的屠户那么简单。

两百多年前，大明太祖高皇帝朱元璋出身卑微，被蒙古人逼得实在是走投无路之后，只得起兵造反。刚刚加入起义军的时候，寄身在宋徽宗后裔韩林儿麾下。随着多年征战，羽翼渐丰的朱元璋野心勃勃，鹰视狼顾，试图杀掉韩林儿取而代之。

但他担心给天下人留下把柄，不能自己下手，而身边众多将领却又都念着韩林儿几分旧情，同样不愿杀他。这时，朱元璋身边一个持刀侍卫挺身而出，斩下韩林儿人头，抛尸江中，借口船沉淹死。此后，朱元璋才得以登上大位。那位侍卫也就摇身一变，成为朱元璋最为信任的御用刽子手。

而这个小小侍卫，正是陈家先祖。

朱元璋一生薄情寡恩、疑心深重、杀人无算，他命能工巧匠专门打造了一把屠刀，刀身上镏金阴刻"窃天掌刑"四个古篆，取刀名为"天王斩鬼"，赐给了陈家先祖。此后，但凡身高位重，或是不可公开斩杀之人，皆交由那个陈姓侍卫暗中处置。

于是，御用掌刑官一职也就在侍卫家里一代一代传了下来。李善长、汪广洋、李文忠、胡惟庸、蓝玉……无数公侯将相、奸雄人杰殒命陈家之手。那把天王斩鬼刀经过陈家历代后人，煞气之重，可谓是千人斩。

再后来，朱元璋驾崩，雄才大略的燕王朱棣起兵造反，杀入南京城之时，建文帝消失不见，当时的陈家家主深知自家杀孽太重，失去了靠山之后，担心遭人报复，干脆趁着兵荒马乱之际，隐姓埋名逃出京城，兜兜转转，最终落户在了天高皇帝远的山区九镇，化身成为一个屠户。

而"窃天掌刑"的家族秘密和那一手经过历代先人千锤百炼磨砺出来的杀人技艺，也在日积月累的杀牛宰猪当中，被一代接着一代悄悄传了下来。

"洪二，认祖归宗，你准备好了吗？洪二！"

陈永华的说话声，终于将如在梦中的陈骖唤回了现实。

从出生开始，陈骖就只晓得父亲是个满身油腻的屠夫。儿时，他当然也曾有过幻想，也想过自己的父亲是一位铁马金刀的大将军，或者是说书人口中白衣胜雪仗剑天涯的勇者侠士；可后来，随着慢慢长大，那些不切实际的童真渐渐泯灭，陈骖也就接受了现实，他以为，自己今后也同样只不过是个杀猪的而已。

他万万没想到，就在这个普普通通的深夜，从那位再也平凡不过的父亲口中，居然说出了这么一个非凡的传奇故事。

那一刻，陈骖心中荡气回肠、百感交集，他再次有了一种奇妙的预感。

他觉得，儿时那些横刀立马、挑灯看剑的梦想，似乎正在某一处不知名的角落里酝酿着、埋伏着，总有一天，将会喷薄而出，变成现实。

想到这里，已是浑身燥热、被满腔热血刺激到头晕目眩的陈骖无比坚定地点了点头。

陈永华看着儿子，满意地一笑，轻轻说：

"那好，等爹一下。"

神龛下，铺着一块厚厚的粗麻蒲团，陈永华举步走到跟前，弯腰挪开蒲团，又掀起了蒲团之下的地板，地板下，居然出现了一个看上去并不太大，却一片漆黑的地窖。

在陈骖目瞪口呆的注视中，陈永华迈步走了下去。

陈骖一动不动地看着那个地窖入口，只听见下面地窖内先是响起了几道轻微的挣扎撕扯之声，紧接着又传来了重重一声闷响，挣扎之声顿时消失不见。

片刻后，陈永华拎着一个五花大绑、连口中都被堵上了一根木质牛塞的瘦小男子走了上来，合起了地板。

男子匍匐在地面上，死死盯着拿刀跪在一旁的陈骖，那双浮肿无神的眼睛里，满是恐惧哀求之色。

"洪二，现在才是我们陈家男儿的真正掌刀礼！"

虽然在见到男子的第一眼时，陈骖就已经凭着天生的聪慧隐约意识到了什么，但是，当亲耳听见父亲指着瘦小男子说出这句话的那一刻，他还是只感到自己双手一软，手中刀"当啷"一声就掉在了地上，冷汗瞬间从全身上下每一个毛孔里面冒了出来。陈骖张开嘴想要说话，却只觉得自己喉咙里面又苦又涩，嘴巴嚅动了半天之后，用尽全身力气才憋出一个字来：

"爹！"

陈永华走过去，将陈骖缓缓扶了起来，又弯腰捡起了地上的"天王斩鬼"刀，伸到儿子跟前：

"洪二，接刀！"

陈骖本能地听从父亲话语，伸手握住了刀柄，却只觉得这把刀仿佛重若千钧，根本连提都提不起来，就在刀差一点再次脱手的时候，五根手指紧紧摁在了他握住刀柄的手背之上。

陈永华和蔼却又坚定地看着自己儿子，盖在陈骖手背上的那只手掌，温暖有力，不容置疑。片刻之后，待到陈骖全身剧烈的抖动稍稍有些平息，陈永华又伸出另一只手，轻轻拍了拍自己儿子的肩膀，口中喃喃说道：

"不忠之人，杀！不孝之人，杀！不仁之人，杀！不义之人，杀！不礼不智不信人，无一不可杀！皮幺儿，明为白事裁缝，暗地行人鬼联姻，扰乱天纲之事；为财谋命，杀刘氏、王氏、章氏、哑巴小翠、寡妇初夏、暖风楼娼妓小来宝，以及外地无名无姓流民一名，共计无辜妇女七人，伤天害理，罪该万死。杀人偿命，天地至理，我陈家一门，奉旨窃天，按律掌刑，义不容辞！"

说到这里，陈永华收回双手，话锋微微一顿，陈骖抬头看去。

陈永华负手站于神龛之下，渊渟岳峙，在蜡烛的映射中，双眼精光闪烁，威严之处，不逊天神，哪里还看得出半点平时的那种粗鄙屠夫模样？

"洪二，陈家男儿，一代一代，都是这样走过来，不下这一刀，就不配当陈氏的后人。儿子，别怕，爹陪着你！"

陈永华虽然向来不善言辞，但双眼当中那种对儿子的期待和关心之情溢于言表，陈骖又如何看不出来？听过方才的那个故事之后，陈骖知道今夜父亲的行为并不算错，杀人偿命，按律掌刑，本来也就是他们陈家男儿天经地义的责任。

陈骖真的不想让自己父亲失望。

但是，这毕竟是杀人！

不管皮幺儿有多么罪大恶极，他也没有目睹；不管死在皮幺儿手下的那些女子有多么可怜，他也不曾见过。而眼下，这个可怜巴巴瘫在地上的男子，却千真万确是个有血有肉活生生的人，也有着生他养他的父母，也有着他爱和爱他的人。这一刀，少年陈骖，又如何杀得下手？

就在陈骖心胆俱裂，只觉得自己双膝越来越软，像是踏在一团烂泥中丝毫用不上劲的时候，耳边却再次响起了陈永华的低声长吟：

"先祖在上，陈家后人陈骖，不堕先祖之威，今日掌刀，陈骖，祭拜天地正气！"

陈骖浑浑噩噩地遵照着父亲指挥，取过父亲放在旁边的那瓶药酒，灌了一口，先喷天，再喷地，后喷天王斩鬼刀。

"莫与犯人交头语，不理人犯攀亲故，莫视目。斩鬼刀下是死人，寿尽阳间路……"

父亲念一句，陈骖口中就本能地跟着念一句。在父亲的严厉呵斥下，他手中的刀也不得不越举越高，越举越高，当森寒刀锋终于笔直朝天之时，词已念完，父亲双目当中的冷厉之色也越来越浓。

陈骖惨然瞟了父亲最后一眼，猛咬牙关，两滴热泪顺颊而下，双臂陡然发力，就在钢刀要落未落的一刹那，万籁俱静的午夜里，自家大门外却突然响起了"哐当"一声巨响。

院外，无数繁杂的脚步跑动声、人们癫狂的嘶吼喊杀声随之纷至沓来……

古人常说，善有善报，恶有恶报。

一直以来，陈骖都以为是真的。

但是这一个深夜，他却以家破人亡的代价，亲眼见证了这句话错得有多么离谱。

一年多以来，随着难民越来越多，九镇当地官府和好心人的些许资助已经远远解决不了问题。可难民也是人，也要张嘴吃饭，既然别人帮不了，那就得自己想办法找活路。但是，九镇的资源只有那么多，难民们要吃饭要活路，就势必会影响到本地人的饭碗。

于是，天长日久之下，当最初的同情与感恩渐渐消退，人性中的恶就被各自的求生本能彻底激发了出来，逃难流民与九镇本地人之间的矛盾和冲突也就随之日益尖锐频繁。

陈骖掌刀那天晚上，一大帮走投无路之下黑了良心的难民，在一个叫作"穿天猴"的男人带领之下，冲入了九镇几个有钱人的家里，陈骖那位并没有什么钱的父亲却因为长期施粥给难民的善举，居然也被不幸划入了有钱人的范围。

在这漫长的一夜里，九镇血流成河，当地人和难民都死伤无数。但那几户真正有钱的人家，因为家大业大，院墙修得高，又都请了看家护院的保镖打手，全都侥幸逃脱了性命。

唯独可怜的陈家两口子，在暴乱当中，被蜂拥而至的难民砍得面目全非，双双身亡，就连那个小小的院子也被一把火烧了个干干净净。

事发之时，陈永华在出去试图拯救自己妻子之前，不由分说地将已经目眦欲裂、要跟随父亲一起出门救母的陈骖打瘫在地，和那把刀，还有皮幺儿一起塞回了地窖中。

几个小时后，当尘埃落定，眼看着火起火旺，最后被浓烟熏晕过去的陈骖悠悠醒来，等他再次走出地窖的时候，一切都已经太迟了。

他再也没能见到自己的父母和自己的家，他看见的只有一堆冒着青烟的废墟和好几具扭打在一起、被烧到再也分不出谁是谁的恐怖尸体。

就在那堆废墟里面，年少的陈骖肝肠寸断，号啕大哭，那一夜，他流干了一生中所有的泪水；然后，他锯下了想要趁乱逃跑的皮幺儿的头，完成了父亲临死前交给他的最后一个任务。

只可惜，悲痛欲绝的他，却再也无法听到父亲将那个未完的故事讲完。

其实，这个世界上，从来就没有过什么"杀生不过百，过百鬼见愁"。

这根本就是陈永华自己编的。

猪狗牛羊，灵智不开，茹毛饮血低贱之物，就算杀得再多，也不会产生半点杀气；唯有杀人，杀这大奸大恶、天道不容之人，方能杀气如刀、鬼神辟易、人畜不近。

陈永华半生，杀猪狗无数、牛八百单八。

人，三十有二。

"杀人不过五，过五鬼见愁。"

这才是陈骖爷爷当年教给他父亲的话。

那一天，很冷，陈骖度过了人生中最为悲惨的一天，在命运残酷的摆布之下，他终归还是遵循着祖辈的足迹，此生亲手杀掉了第一个人，掌刀成人。

但是，他并不知道，就在同一天，这个世界上遭逢剧变的悲惨之人却并不仅仅只有他一个。千里之外的北京城里面，有一位同样是家破人亡的男子，穿着龙袍以发遮面吊死在了煤山的一棵老槐树上。

陈骖更加无法预料的是，这个陌生男子的死，居然会在接下来的几十年里，彻底改变他的一生。

那一天，是公元一六四四年四月二十五日，崇祯十七年，大明灭亡。

四

难民暴动

　　陈骖父母死后的第二天，在九镇那几户同样受到冲击的大户人家强力干预之下，官府开始彻查缉拿凶犯。

　　起初，那帮戾气深重的难民并不配合，不仅相互包庇隐瞒，有些胆大包天杀红了眼的甚至还纷纷啸聚在一起，与官兵发生了好几次不大不小的流血冲突。最后，得知消息的官府老爷担心事态失控，下令当场斩杀了二十几位领头闹事者之后，难民们这才纷纷老实了下来。

　　可是，由于事发当晚参与抢杀的人实在太多，所谓法不责众，官府也总不能将难民全部诛杀。于是，在领头人纷纷或伏诛或入狱之后，这件事也就大事化小小事化了，渐渐平息了下去。

　　不过，千古以来，以暴制暴的手段，都只能是在绝对实力的保证之下才能奏效。一旦这个绝对实力开始被动摇，那么平静的日子就注定维持不了多久了。

　　九镇的寒冬，很快就将来临。

　　陈骖父母下葬之后两三个月，陈骖在恩师梁老夫子的帮助之下，心中恨意虽然依旧浓烈似火，但生活也渐渐安顿下来，愈发刻苦地埋头读起了书。

　　与此同时，九镇上却再次源源不绝地涌来一波接着一波的难民，而更坏的消息，也接二连三纷纷随着这些难民一起到达。

先是李自成攻入京城，当今圣上煤山自缢，大明正式灭亡；后来，又有李自成杀父夺妻，辽东总兵国之栋梁吴三桂吴将军冲冠一怒为红颜，挥师入关，与李闯决战；再后来又传来了吴三桂降清，关外满人大败李自成，马踏中原的惊天消息。

总之，整个北方现在已经是狼烟四起，打成了一锅粥。

本来九镇的老百姓对于这些难民的话还将信将疑，可慢慢地，人们却发现风声的确是越来越不对了。先是九镇那几家大户人家，胆小利落的已经纷纷开始举家或者往南或者往四川迁徙；胆大想要观望一下的，虽然自己留下来守着家业，却也都接二连三不约而同地把自己的老婆孩子送往了外地。

再接着，就连九镇当地那位向来自诩为诗画风流、喜好狎妓的官老爷，在送走自己的两位公子和夫人之后，也不再天天往新码头上的窑子跑了，而是整日整夜地逼着一帮民夫衙役不是修葺城防，就是练兵磨刀。

最后，站在九镇的码头边上，老百姓们不分日夜都能看到一艘接着一艘的军船往洞庭湖的方向驶去，船上，满满当当全都是身穿盔甲的兵丁。

一时之间，九镇市面流言四起，百姓们人心惶惶，明面上，大家虽然都刻意装糊涂避开不说，但每一个人的心底却都明明白白。

这个天下，真的开始大乱了。

可是话说回来，就算天下再乱，有钱有势有本事的人家还可以逃亡，普通老百姓却往哪里逃呢？自家的媳妇孩子在这里，赖以吃饭的几亩薄田在这里，祖宗的坟山，自己的根也在这里；再说，见过了这么多北边难民背井离乡的悲惨模样，不是真到了硝烟四起的时候，谁又愿意过那样的日子？

于是，慢慢地，时间一个月一个月地过去，九镇本地人固守不动，南下的难民却越来越多。人一多势就众。

难民少的时候，官府和当地乡绅大户们凭着本乡本土多年经营下来的雄厚势力，还能够压制住他们。可现在，难民人数一多起来，动不动都是几十上百地聚在一起，所散发出的气势就再也不是往日能够相比的了。那种井水不犯河水，九镇人在上、难民在下的表面均衡也就随之变得一天更比一天脆弱起来。

所谓穷生奸计，富长良心。

人如果真正走到了穷途末路的时候，什么良心道德，什么仁义人性，就已经全都不值钱了，唯一只有活下去才是最重要的。

那些一无所有，看不到半点希望的难民为了求生存，为了让自己的老婆孩子爹妈吃饱穿暖，已经彻底红了眼；而本来就民风彪悍，祖祖辈辈都在山路水路上当惯了土匪的九镇人，为了保护自己的家园和饭碗，也越发针锋相对，寸土不让。

一时之间，小小的九镇，已经是暗流涌动、危机四起，就像是一个装满了火药的木桶般，只需要一颗小小火星，就会彻底爆发开来。

而就在一个多月前，刚刚入冬的时候，一道政令，彻底引爆了这只火药桶。

当时，九镇上先是疯传起了一个消息，说兵部尚书史可法史大人在南京城内，拥立福王为帝，竖起了抗清大旗，号召天下豪杰起兵勤王，一时之间，各路人马纷纷前往投靠，声势极盛。

而九镇所属的常德府知府老爷向来就是一个长袖善舞精于钻营的人，闻听消息之后，立马第一时间就抛下自己的管辖之地，变卖家产招了上千号人马，奔赴南京，美其名曰找史大人述职，实际是讨官去了。走之前，只留下了一纸公文，号令所属各地官员整兵备战。

知府一走，群龙无首，九镇的那位芝麻官老爷平日里的确是个荒唐放纵的人，没想到国难当头了，倒还偏偏表现出了一些读书人的忠义。他倒是恪守职责没有走，但不知道真是水平有限呢，还是报国心切，他居然真的拿着鸡毛当令箭，扯起知府留下来的那道命令，做出了一件万万不该做的蠢事。

九镇地方小，驻兵本来就不多，这段日子以来为了备战，不但官兵衙役民夫全部上阵，就连官老爷自己家和镇上几位大户人家养的私兵护院们也都被征召进了军营。可纵然这样，城防、治安、筹粮等一系列的事情下来，还是把官老爷忙得焦头烂额，深感人手不足。

现在好了，有了知府的明令公文，这位老爷也就立马跟着下了一道政令，他号令九镇范围内的所有成年男子，十人当中抽三人，抽中者必须全部参军。如果不愿意参军的，那么交上粮食三担，或者纹银二两充作军饷也可以。

要是换作江南、广东等其他没有被战事波及的地方，国之将亡匹夫有责，为了保家卫国，官府方面未雨绸缪这样干也没什么错。

但关键这里并不是其他地方，这里是九镇，是战火即将烧到，而且还挤满了外来流民的九镇！

官老爷拍着脑门的这道命令一下，短短一个月内，就让九镇本已是危机四起的局势，立马开始走向了彻底糜烂。

九镇这个地方虽然谈不上富庶，毕竟也是处于"两湖熟，天下足"的膏腴之地，本地人祖祖辈辈在这里繁衍生息，除了极少数实在是太过贫困的之外，大多数人家里多多少少都还是拿得出或粮食或银钱来让自家男丁免除兵役。

可那帮难民就惨了。

本来就是抛家弃口，为了躲避战乱才逃到这里，身上当然是不名一文，现在交不上银钱，就还是要被逼着上前线，而且保卫的还不是自己家乡。

那当然没人愿意。本地人卵事不管，老子提刀上阵，凭什么！

所以，命令刚刚下达，难民们就开始闹起了事。

九镇这位老爷本就不是一个灵泛人，要是真灵泛，他就像知府一样去南京讨官去了，万万不会留在这里干这些吃力不讨好的事情。他自以为是给了这些家园被毁、无所事事的难民一个复仇雪恨、立功报国的大好机会，谁知道这帮人却不争气，不但不听话，还和他对着干了起来。这让本来就已经有些心力交瘁不堪重压的老爷，更是火冒三丈。

满人还没打来，大明子孙世受皇恩，不图报国，倒是先窝里反起来了，那还得了！于是，当难民又一次聚众抗命之后，老爷一气之下，再次照搬上了小半年前陈骏家人被杀时的戡乱经验，命令手下兵丁当场就诛杀了好些名敢于暴力拒服兵役的难民。

结果没想到，越乱越出错，这一杀，却杀出了一场天大的祸事。

在被杀的那些人当中，有一个叫作张金福的老者。

张金福本来是山西平遥一位有家有业的乡绅，世代为商，张家得势之时，张金福广为行善，在当地颇有一些名声。后来，李闯王入京，路过山西抢了张家一回，好不容易才刚刚缓过气来，满人又提着麻袋到了。实在无奈之下，这才带着族人举家南迁避祸，本来是想在武昌坐船，沿着长江往上，去四川投靠一个已经得势的本家亲戚，不料长江水路已经全被封锁，匹马不得出入。这才没办法转走山路，几天之前，才刚刚到达九镇。

来到九镇之后，一看这乱哄哄的局面，见多识广的张金福立马意识到这里也不是久留之地，就准备在此稍微歇息两天，继续往西走。

张家虽然没落了，但瘦死的骆驼比马大，比起那些普通难民而言，多少还是留着一些傍身的财物。前天上午，张金福带着家人来到了九镇的一家当铺，想换点散碎银子当作路上的盘缠。

结果，没想到正在当铺里换银子的时候，却刚好遇上了进来拉壮丁的官兵，这一下，露了财的张金福，立刻就被那几个官兵给缠住了。

人逢乱世，兵匪一家。于是，一来二去左推右搡之下，可怜的张金福也就被扣上了违抗军令的罪名当场斩杀，冤枉地丢了性命。

按理说，在当下这种人命如草芥的乱世，张金福这么一个流落外乡的破落地主，杀了也就杀了，没什么大不了。

但要命的是，张金福还有一个儿子，叫作张广成。

张广成今年三十四岁，从小就文武双修，为人豪爽义气，当初努尔哈赤家族势力还没这么大的时候，他就已经常年带着家族商队出入关内外做生意。从山西往关外的那条商路，关山万重，极为凶险，长年累月下来，也就将张广成磨炼成了一个杀过响马、砍过鞑子的狠角色。

这次举家南逃，张广成本来就不愿意，叫着喊着要从军杀敌，以报国恩，如果不是自己老爹张金福拎着菜刀要和他拼命，他是绝对不会来到九镇的。

结果，满腹委屈做了流民不说，刚到这里老爹的命还没了。

目睹老爹惨死的张广成当下就要抽出刀来拼命，幸好被同家族的几位长辈给死死拦住了。

当天下午，悲痛欲绝的张广成冷静下来之后，再次来到官府门口，众目睽睽之下，下跪恳求，希望讨回父亲张金福的尸首，却被告知，父亲已被判为乱匪，要当街暴尸示众，任何人不得收尸。

据当时在场的一位兵丁事后说，张广成听闻此言之后，在满街本地围观者的哄笑嘲讽之下，一语不发，扭头就走了。

然后，从第二天开始，九镇市面就发生了一桩虽然很小，却也少见的怪事。

竹子本来就是九镇的特产之一，对于傍山靠水讨生活的普通人家来说，竹子也是生活中必不可少的日用品之一。挑担运货要用它，撑船驾排要用它，晾晒衣物要用它，冬天烤火的火笼要用它，夏天乘凉的竹床竹席要用它，编制竹箩竹筐竹扁担，也都要用它。

所以，在九镇西头的上街，那几家专做木材竹子生意的店铺，平日里生意清淡，却也细水长流，不会落到开不下去要关张的地步，也万万谈不上火爆发财。

但是，就在这两三天之内，九镇市面上所有的竹子突然被人买了个精光，把那几家竹子店的老板乐得整天都合不拢嘴。

其实，很多人都知道买竹子的正是那帮难民。竹子铺老板知道，街道上与大帮抱着竹子的难民擦肩而过的路人们知道，守卫城墙看着难民进城出城的官兵们也知道。

人们有些疑惑，有些诧异，有些嘲讽，但却并没有谁会真正往深了去想，没有人会在乎难民，正如没有人会在乎一条野狗。只要自己还能过下去，还能活着，难民也好野狗也罢，他们是死是活，又关自己什么事？

于是，也就没有一个人意识到那场即将到来的大劫难。

平凡而麻木的人们依旧带着对难民的厌恶和抵制，过着他们自己的生活。

他们万万不会想到，就在张金福惨死的当天晚上，在九镇本地人毫无防备的情况之下，决定以死相拼的张广成已经在镇外老君观悄悄纠结起了自己的山西同乡和同族之人。很快，这个消息又在难民当中一传十，十传百……本来就受尽委屈、满腹怨气却没处发泄的各地难民，也纷纷自发地投奔了过来。

这一下，本来是群龙无首的乌合之众，在两天之内迅速变成了一股不可小觑的力量。

从张金福死后的第三天上午开始，九镇各地就接连出现了好几起流血事件，被打伤的全部都是九镇本地的官兵或者百姓。

城内小范围的骚乱被官兵迅速镇压下去之后，九镇的人们还没来得及松一口气，傍晚时分，大批手持削尖的竹竿作为武器的难民，在张广成的带领下正式展开了对本地人的血腥报复。

屠杀是从城外开始。

张广成带人沿着沅江一路从老君观直接杀向了九镇，难民们有备而来，行动极为迅速残忍，个个头戴出殡时才用的白巾，喊着杀人偿命的号子，所遇见的凡是身高超过手中竹竿且没戴白巾的成年人，无论男女，不管年龄，一概被当场斩杀。沿途所到之处，本地居民大多尸横当场，少数侥幸逃脱者也免不了一个家破人亡的凄惨下场。

一时之间，沅水岸边，乱象丛生，惨不忍睹。

太阳还没落山的时候，大批人马就已经杀到了镇西头那座小小的城门之下。与此同时，镇内居民对于镇外发生的一切都还毫无所知，如果就那样让难民直接入了城，那么，这个延续了近千年的古老小镇很有可能就会被彻底毁于一旦。

没想到，九镇那位平日里只知拈花惹草的官老爷，却在这千钧一发的重要关头救了大家一命。

大概是在张广成刚刚从老君观发兵的时候，镇内关押囚犯的监牢中，一位上午才被捉拿入狱的难民扛不住打，主动供出了难民们相约起事的惊天内幕。得到消息的官老爷大惊失色，亲自带人奔赴城门，这才在千钧一发之际，紧急关上了那扇为了防止满人兵锋、于半月之前才刚刚加固的城门。

报仇心切的张广成见到城墙上的官老爷之后，彻底红了眼，亲自提刀上阵率人强攻了大半宿，除了丢下十来条人命，让双方的仇恨越发深刻之外，一无所获。凌晨时分，终于带着难民暂时退了下去。

假如事态仅仅只是发展到这里为止，如果官府接下来的处置手段得当，一面组织人手坚决死守，一面从水路派人向州府求援的话，那么局面还并不是不能挽回。

只可惜，命运的天平却并没有倾向九镇这一边。

第二天中午，仅仅只是张广成攻城之后的几个时辰，镇内又一桩突然爆发的意外事件，彻底将整个局势推向了不可挽回的黑暗深渊。

不仅在一夜之间让九镇变成了人间地狱，也让同样身负血海深仇的陈骖，不得不卷了进来。

五

大战前夕

　　九镇码头边上，有一家米店，米店老板是一个五十来岁的九镇人，姓龚。在街坊间，龚老板的口碑不算太坏，不喝酒不赌钱，做起生意来也实诚，唯一的小缺点，就是老婆死得早，可能太孤独，所以特别喜欢年轻姑娘。

　　在不久之前到达九镇的一波难民潮中，有一个姑娘，也是从北方逃过来的，父母死在了战火中，逃难路上和唯一的哥哥又失散了，到达九镇的时候就只剩了她自己孤零零的一个人。也不知道到底是怎么回事，总之，最后这个姑娘就被龚老板收留了，在他店里帮忙打起了下手。

　　事发当天，因为前夜的难民攻城事件，九镇城内已经是风声鹤唳，大部分店铺都关门歇业，平常百姓更是能不出门就不出门。但好死不死，龚老板早先订购的一批大米碰巧就在前一天晚上到了码头，约好了上午收米。一大早，龚老板草草吃完饭就出门去了码头交接，让那个姑娘独自守着店子。

　　也许是米店早就被一些饿极了的难民惦记上了，更也许是张广成那帮人在城外闹出的声势越来越大，给城内的其他难民壮了胆。

　　龚老板刚走没有多久，店里突然就气势汹汹地冲进来了七八个难民，全都是十几岁的半大小子，一进来，也不说话，领头的小子拎着把明晃晃的牛耳尖刀将那位看店的小姑娘逼住之后，其他人直接就开始抢米的抢米，翻钱的翻钱。

好不容易才过上了两天安定日子的小姑娘，几乎被吓晕死过去，为了保命，主动说出了自己也是从北边来的难民。这一说不打紧，那几个小子顿时就更加来了精神，抓着姑娘就开始狠狠殴打起来，说她是什么不知廉耻、做皮肉生意的烂货。打着打着，有两个年纪稍大的家伙甚至开始动手扯起了姑娘身上的衣服。

已经被打到满脸是血的小姑娘哪里抵得过这些色令智昏的狂徒？推推搡搡中，被几个小子摁倒在地上，脱光了身上衣物。

就在这个时候，龚老板却正好带着几个挑米的苦力回到了店内。

店里正在望风的几个小孩，一看见龚老板等人，知道大事不好，立马赶在龚老板一行还没回过神来的当口，赶紧一哄而散。

依然是满头雾水的龚老板，眼睁睁看着几个小子与自己擦肩而过之后，走进店内仔细一瞧，在一片狼藉当中，就看见了那出让他目眦欲裂的场景。

龚老板二话不说，顺手抄起店里的一个秤砣，对着那个刚刚从姑娘身上爬起、还没来得及跑掉的畜生冲了过去。厮打中，那个小子毕竟年轻灵活，抽个空子一脚蹬开了龚老板，扭过身光着屁股就跑出了米店大门。

没想到，那几位身材壮硕、始终站在门边的挑米汉子却突然站了出来，抄起扁担狠狠几下就把这个小子拍翻在了店门口的街道上。

于是，接下来，那些无家可归只能浪迹在街头的难民，和周边民房内早就听到了动静，正在门缝中、窗户里探头探脑看热闹的居民们，纷纷目睹了令他们终生再也难以忘怀的血腥一幕。

几乎在那个半大小子刚刚被扁担打翻在地上的同时，一辈子没有和人打过架的龚老板就已经跟着出现在了店门口。他脸色铁青，气喘吁吁，身上那件蓝色布衣上还有着一个脏兮兮的脚掌印子，手中拎着一个硕大的铁秤砣，飞快朝着那个正在被几条壮汉殴打的少年跑了过去。

然后，龚老板拨开人群，高高举起手臂，狠狠一秤砣砸在了少年的天灵盖上。

一下，仅仅只是那一下！

这个一丝不挂赤裸着身体跪在地上，原本始终操着一口难懂的外地方言，一边痛哭流涕求饶，一边连连磕头的少年人，突然就停止了所有的动作。

他只是努力地仰起头，死死看着龚老板，犹带稚气的脸上满是污渍，两只本是明亮秀气的眼睛中突然就冒出了一种极为晦暗绝望的神采，嘴巴渐渐张大，渐渐张大，似乎想要说点什么，可还没等话出口，整个人却猛然往后一歪，倒在了地面上。

乳白色的脑浆混合在殷红的鲜血里面，如同一匹绣着白色碎花的红布般瞬间就从少年的脑袋下伸展出来，顺着石板之间的缝隙铺满了街面，流到了众多围观难民的眼前。

大街上鸦雀无声，一片死寂。

直到两秒之后，那位同样浑身赤裸伤痕累累、刚刚爬出米店大门的年轻女孩用尽全身力气捂住嘴巴，却依旧挡不住那一声撕心裂肺的惨叫："啊……"

其实，此时此刻，依旧还留在镇内的这些难民当中，除了少数是张广成布下的内应之外，绝大部分都是不愿意惹事，也不敢去惹事的可怜人。

所以，他们才没有参与老君观的暴乱。

他们背井离乡千里迢迢一路走来，经过了无数磨难、无数屈辱，却都咬紧牙关忍受着，只是希望自己能够继续活下去，哪怕活得像条狗，也都无所谓。

但是这一刻，当最初的震惊过后，孩子横尸街头的惨象，却彻底将他们仅有的这点希望都抹杀得一干二净。那淌满大街的殷红鲜血，让这些麻木而卑微的人终于明白了一点：

一个人，如果活得像狗一样低贱，那么，他也就一定会死得像狗一样随便。

于是，下一个瞬间，无论男女，不管老少，兔死狐悲的他们突然就集体爆发了，街道上这些并不知道具体详情的难民，如同潮水般聚集在一起，将龚老板等人紧紧围了起来。

当难民越聚越多，危机一触即发之际，一队巡防的官兵也正好闻声赶到。

最初，官兵们也许并没有包庇凶犯之意，但群情激愤的难民们又如何能信得过这些多次欺压他们的豺狼？

于是，他们推搡，他们喝骂，他们全力阻止着官兵将龚老板带离现场。

最终，当一个年轻官兵在混乱中被难民狠狠一棍敲得头破血流之后，一怒之下终于拔出了佩刀……

一场九镇历史上前所未有的大暴乱正式拉开了帷幕。

龚老板并没有被当场打死，血腥至极的屠杀中，他居然奇迹般地在那几个挑米汉子和残存官兵的保护之下，仗着对地形的熟悉，边打边退，从一条小巷逃进了不远处的九镇官衙。

很快，丧失了理智的难民们也随后从九镇的各条大街小巷中赶了过来，迅速开始冲击衙门。最初，有几个身强力壮的家伙甚至都已经凭着一腔血勇，赤手空拳地冲了进去，可还没等后面的难民跟上，就已经无一例外地在官兵利刀下变成了尸体。

接着，难民们又组织起来进行了两回厮杀，再次丢下好几具尸体之后，不敢继续冲了，却也并不愿意就此退去。只得围住了衙门，将那个孩子的尸体盖上白布摆在了衙门前的街道上，当街设了一个简易灵堂，并且把那个同样身为难民的可怜姑娘抓到了灵堂前，活生生地用石头砸成了一摊烂泥。

临死前，姑娘喊出的最后两个字是："哥哥……"

只可惜，她的哥哥不会听见。

衙门前的厮杀迅速惊动了整个九镇，好几队守在城门处的官兵以及镇内几乎所有的难民都陆陆续续赶到了衙门外。双方对峙在一起，熬了整整一个通宵，早已疲惫不堪的官老爷还强打精神出来说了话，表示一定会秉公办案，借此试图安抚人心，却不见丝毫效果。

难民们不打，也不退；官兵们更不敢打，更不敢退。

在此期间，虽然彼此都还尽量保持着克制，暂时没有爆发过激事件，但也没有一个人能够想出解决办法。

这种僵持的局面一直持续到太阳即将落山。

眼见着天色越来越黑，等到已经急得满嘴都冒出了水疱的官老爷终于下定决心，准备施以辣手，宁可血洗九镇也要尽快稳住当下局势之时，一切都已经太晚了。

城门外，再次响起了震天的喊杀声。

这一次，因为大批人手被调回守卫官衙，人手短缺的城门，在难民们的里应外合之下，被张广成一举攻破。

破城声响传来那一刻，官老爷面如死灰，仰首望天，天空中还有着几许鲜艳残霞，落在他的眼里，却仿佛化为了一片遮天蔽日化都化不开的浓烈血色。

官老爷正了正身上衣冠，缓缓扭头看向南方，那里，有着他已经远行的妻儿。

这个终日流连烟花之地、荒唐半生的风流男子，突然就感受到了一种前所未有的刻骨思念。

莫言三里地，此别是终天。

九镇东头，有条石板路，祖祖辈辈踩下来，早就已经把路面上的一块块青石打磨得油光水滑，青黑中隐隐透着铜黄。

据传，这条路是宋朝年间，一位当上了江南布政使的九镇读书人回乡丁忧时所修。为修此路，那位布政使大人亲自出面，邀请了十三位天子门生、二十六位进士二甲、五十二位贡士，以及一百零四位举人各题了一幅字。然后再从九镇旁边最高的星德山上采下一批青石，从中选出质地最佳的一百九十五块，请最熟练的老石匠将那些人的题字一一镌刻其上，为了防止磨损，还专门采用了当时并不多见的阴刻之法。

由于那些刻字的人都有功名在身，而九镇世代相传，有功名的人都是文曲星下凡。所以，石板路建成之后，与有荣焉的九镇人，取文风昌盛之意，将这条路命名为文昌阁，一直传到了现在。

文昌阁街上，有一栋不算太大，但也种植着几棵苍松翠竹，颇为雅致的小小书院，书院主人，正是陈骖的授业恩师，梁老夫子。

父母死后，家也被烧没了，在梁老夫子的主动要求之下，本来就没有去处的陈骖，这大半年以来就一直住在恩师的家里。

原本老夫子希望他能够参加下一届科举，可没想到大明朝却说亡就亡了，一时间报国无门，人却还要继续活着，还要张嘴吃饭。无奈当中，陈骖也想过接下父亲的店子，继续卖肉为生，却被老夫子死活拦住了，白天就跟着老夫子读书，晚上则被逼着抄写佛经。

老夫子说他乍逢剧变，戾气太重，佛经多少可以消解一下他心头的滔天杀意。

这些天镇里镇外的风声鹤唳，陈骖当然多少也知道了一些。可一来是老夫子的严加管教；二来是如今的陈骖经过了生死惨剧之后，心性已经变得极为深沉，面对身外之事，早就没有了青年人应有的热情和躁动。

所以，这几天以来，纵然外面闹得热火朝天，陈骖却连门都没有出过。

今天晚上，吃过饭之后，陈骖本来也在安心抄经。可是，短短一篇《金刚经》还没抄完，大概也就是天色刚黑半个时辰的样子，仅仅隔着几条街的九镇衙门方向突然传来了巨大的爆炸喊杀声。

最开始，陈骖以为是满人铁骑真的打过来了，提起刀就跑到了老夫子房里，师徒二人胆战心惊地等候了半晌，后来听着听着又不像，喊杀声虽然响彻天际，却始终都只是在衙门附近，并没有扩散。

厮杀持续了将近一整夜。这一晚，陈骖无论如何都再也无法静下心来抄经了，他无数次穿衣提刀想要出门看看，却一而再地被梁老夫子挡在了屋内。到最后，老夫子干脆搬了把凳子坐在了陈骖的卧室门前，逼着陈骖不得离开家门半步。师徒二人就这样一起大眼瞪小眼地死扛着熬到了后半夜，梁老夫子毕竟年纪大，坐在凳子上已是点头如捣蒜般昏昏欲睡了，已有前车之鉴的陈骖却依旧忧心忡忡，刀不离手，生怕有个什么闪失。

一直等到窗外的天色已经开始蒙蒙发亮，衙门方向的喊杀声才渐渐消停，全神戒备了一通宵的陈骖也稍稍放松了下来。

刚刚小寐片刻，却又满头大汗地猛然从梦中惊醒，正当他一边伸展着僵硬疲惫的身体，一边准备去叫醒恩师回房睡觉的时候，却突然听见院子外面传来了一阵急促而熟悉的喊门声："洪二、洪二，开门，是我，严烟。"

严烟，又叫作"烟娘子"。

从小眉清目秀，皮肤白嫩得如同女子。有一年元宵节，严烟去逛灯会，偶然遇见了一位外地来的有钱少爷，少爷喝多了酒，一看见严烟，顿时两只眼睛直放绿光，死缠烂打着一口一个娘子，非说他是女扮男装不可，严烟怎么解释都不相信，大怒之下两人差点打了起来。最后幸好是少爷的一位本地朋友认识严烟，这才解了围。但从此之后，"烟娘子"这个外号，却也在九镇的年轻人中间不胫而走，流传开来。

严烟和陈骖同年，三四岁还在穿开裆裤的时候，彼此就已经相识，是陈骖最为要好的两个朋友之一，后来又曾一起拜入梁老夫子门下读书。严烟虽然面目俊秀像个姑娘，但是脾气却极为火暴，只要与人一言不合，就立马敢拔刀开干，而且打起架来，下手又狠又毒，从不知道轻重；而陈骖少年老成，力大无穷，虽然从不惹事，却也决不怕事，从小到大，不晓得替严烟擦了多少屁股，平了多少祸事。

所以，一直以来，严烟天不怕地不怕，却唯独对陈骖服服帖帖，"烟娘子"这三个字，只要别人敢提，他就敢玩命；唯独陈骖一口一个烟娘子，他却偏偏若无其事，满口答应。

严烟的父亲是一个狱卒，前年初患了肺病，无法再继续当差，官老爷念他多年劳苦，一纸令下，让本也无心读书的严烟顶了父亲的班。大半年前，陈骖家那场飞来横祸之后，正是领了俸禄的严烟和另外那位叫作宁爽文的好友一起倾囊相助，这才帮着陈骖妥善安排了父母的后事。

这段日子以来，世道大乱，战事日近，公门当差的严烟也变得异常繁忙起来，平日里除了当值之外，还时不时地要被官老爷抽去做些修葺城防、整兵待训的杂事；而陈骖突逢剧变，终日除了读书念佛，也根本无心玩耍。不知不觉，两人已经有好几个月不曾见过面。

所以，当严烟破天荒地在黎明时分突然找上门来时，陈骖已经预料到一定是出了什么事。只不过，他还是万万没有想到，事情居然会是如此重大。

严烟是个很爱整洁、很注重形象的人，平日里，头发梳得一丝不苟，走路说话不紧不慢，身上的制服更是永远笔挺熨帖，别说污迹灰尘，就连皱褶都难得找到一丝。

但是这个清晨，当陈骖刚刚拉开门闩，严烟猛然推门而进的时候，借着黎明时分的微微天光，陈骖却看见，眼前这位好友居然披头散发，浑身上下满是烟熏火燎之气，不仅衣服上有着好几处撕扯开的破洞，手中提着的那把制式雁翎刀上，赫然更是血迹斑斑。

大惊之下，陈骖一把扶住了脚步有些跟跄的好友，刚要发问，耳边却率先响起了严烟犹自带着粗重喘息的说话声：

"穿天猴跑了……"

五个字！

当最初的这五个字传到陈骖耳中的一瞬间，整个世界仿佛突然就变成了一出荒诞诡异的默剧。

近在咫尺的严烟，两片薄如刀削的俊俏嘴唇仍在飞快开合着，恍恍惚惚当中，陈骖意识到严烟好像还在继续说着话。但是，说的究竟是什么，他却已经完全不晓得，也不在乎了。

他只是突然之间就无比清醒地察觉到了一件事。原来，自己和老夫子都错了！

父母死后近一年的时间里，陈骖选择听从老夫子的命令，整夜整夜地誊写佛经，以求让自己备受仇恨与怨毒煎熬的内心能够平静一些。曾几何时，他一度认为真的产生了效果，他的内心似乎真的宁和了很多，每夜，只要抄完一卷经文，他也的确能够勉强入睡。

但是，这一切努力，在几秒之前那五个字骤然传入脑海里面时，就已经彻底变成了一场自己骗自己的荒唐闹剧。

那一刻，抱着陈骖的严烟清晰地感觉到，当自己那句话刚刚出口之后，陈骖的整个身体瞬间变得僵硬，唯有两只手掌却剧烈抖动了起来。

不过，陈骖却并没有意识到自己身体的异常。

他只晓得，某些被深埋在心底最黑暗的角落里，甚至让他自己都感到害怕的东西，已经再也不可遏制地彻底爆发了出来。

父母死后这些日子以来，人们知道他的悲伤，明白他的痛苦，也理解他的仇恨；他们带着善意前来，安慰他，劝解他，陪伴他，试图走进他的内心，分担他的痛楚。对此，陈骖报以深深的感激。可是他却从来没有向任何一个人真正打开过自己的心怀，哪怕亲近如梁老夫子和严烟、宁爽文等人，也是一样。

因为，他不敢！

他有着一个绝对不能让任何人知晓的秘密。

平日里，陈骖全神贯注地读书，夜以继日地抄经，人们都以为他只是借此来缓解这个悲催的生活带给他的所有痛苦。但其实，并不是这样。

他只是在逃避，如履薄冰地逃避那种抛开了所有的仇恨悲伤与怀念之后，最为真实也最为危险的感觉。

杀人的感觉！

那个清晨，雾霭如同往常一样冰凉清冷，丝丝缕缕地从群山中升起，飘浮在九镇的上空，在晨光的映照下，就像是一根根半透明的乳白色丝带。但是，在这些美丽的丝带下方，一片焦黑的瓦砾当中，几具被焚烧得已经收缩成一团的尸体，用一种诡异而畸形的姿势，彼此粘连着搂抱在一起，就像是肉案上一条条刚被烧光了毛的猪狗。

长时间的焚烧过后，明火已经熄灭了，可有的尸体上依然冒着一缕缕似有似无的黑烟，随风飘散，空气中带着一股明显的脂肪燃烧过后的焦臭味。

陈骖张着嘴巴，他想哭，耳中听见的却只是自己干哑的喉咙里发出的阵阵低沉浑浊的怪声。他一次又一次地抬起衣袖，擦拭着眼中的泪水，好让自己能够看得更仔细一点，更清楚一点，看看这些沦落到猪狗不如地步的尸体中，哪一具是自己的爹，哪一具又是自己的娘。

终于，在两具依旧保持着扭打姿势的尸体当中，他从那把熟悉之极的杀猪刀上认出了自己的父亲，他跪倒在父亲的身边，伸出手去，试图将父亲拉起来，将他拉到自己的怀里，可当他握住父亲的手腕猛一用力，父亲的尸体一动不动，他却一屁股坐在了地上。

他低下头，看着自己的手，留在手心里的，居然是一片掺杂着粉红、焦黑、蜡黄的烂肉。

然后，陈骖突然就忘了痛苦，忘了时间，忘了自己，也忘了外界的一切。

接下来的那段时间里，他到底做了什么，已经完全记不起来。他只是隐约觉得自己好像一直都在继续拉扯着父亲；又好像是在放声大哭；更好像什么都没有做，只是呆呆坐在那里流泪。

生命中的这个片段，就那样奇迹般地从他的记忆中完全消失不见。

再次将他唤醒过来的，是那个早就已经被他遗忘的皮幺儿。

被五花大绑的皮幺儿，靠着顽强的求生意志，硬生生蠕动着爬出了地窖。他努力地在一片狼藉中爬着、爬着，任凭身体被砖瓦碎石划出了一道又一道的血口，这个既做裁缝又做鬼媒的干瘦男人，却始终咬紧牙关，没有发出半句痛苦的呻吟。

如果他能够一直都这样无声无息，那么，也许他就能靠着自己的坚忍毅力逃出生天，消失不见。只可惜，当他爬过一张已经被烧成了焦炭的桌子旁边时，他蠕动的双腿不小心碰倒了放在坍塌桌面上的一样东西。

镜子！

一面同样被烧成黢黑，却不曾毁坏的铜镜。

铜镜从桌面上跌下，发出了"当啷"脆响。

在脆响声中，皮幺儿看见，几米开外，那个始终如同石雕般瘫坐在地面上的青年，背影虽然依旧一动不动，却已经缓慢而僵硬地扭动颈部，回头看了过来。

陈骖默默看着那个五花大绑的男人，他足足看了一炷香的时间。

慢慢地，他开始回想起一切，他想起了这个男人的身份，想起了这个男人的恶行，更想起了父亲临死前交代他完成的最后一件事。于是，在潜意识的呼唤之下，陈骖近乎机械般缓缓起身，望着皮幺儿，一步一步地走了过去。

其实，他并不知道接下来自己应该做什么，又会做什么。

他只是毫无目的地朝着这片瓦砾当中，除开自己之外的唯一活物走了过去，然后，就在皮幺儿的脚下，陈骖看见了那面镜子！

每天清晨入夜，娘都会对着梳头的那面镜子。

这面镜子里，有着娘从年轻到衰老的容颜，有着他赖在娘怀里的温暖，也有着爹帮娘梳头的柔情。而现在，这面镜子却变成了一个又黑又破、被随意扔在地上的垃圾，再也不会有人擦拭，再也不会有人珍惜。

"啊……"

那一刻，悲痛过度的陈骖终于哭出了声！

冲天而起的哭声中，他感受到了一种刻骨的悲凉与冲天的愤怒。

他赫然举起了手中钢刀，不再手软，没有怜悯。

但是他也并没有想起平日杀牛屠狗时的技巧与经验，他只是凭着本能，在愤怒与悲凉的驱使下，挥刀砍了下去。

所以，那一刀砍偏了，斜斜嵌在了皮幺儿的脖子上。

陈骖想要拔刀，坚硬的骨头和湿润的皮肉却紧紧钳住了刀锋，刀身纹丝不动，陈骖无师自通却又毫不犹豫地蹲了下去，摁住皮幺儿的头，来回抽动着刀刃，用一种类似于锯木头的手法，生生锯下了皮幺儿的脑袋。

极近的距离下，陈骖听到了金属切过骨头时所发出的那种令人牙酸的摩擦声，听见了皮幺儿被堵住的嘴里发出的一连串诡异之极不像人声的低号；也看见了皮幺儿明亮的双眼中，从痛苦到绝望到暗淡，再到彻底死气沉沉的灰白的整个变化过程。

然后，一切都归为了平静。

再然后，人们开始纷纷赶了过来，老夫子、严烟、宁爽文……一张张熟悉或不熟悉的面孔在他的眼前晃动不休，变来变去。

人们以为陈骖悲伤过度，入了魔怔。

然而，人们永远都不会知道，在那一刻，陈骖心中感受到的却是平静！一种背负万斤重担疲惫之极，终于放下之后的发自内心的平静。

从那个清晨之后，陈骖再也不曾有片刻忘记过那种平静。

无论他怎么做，无论他将自己折磨到何等的精疲力竭，每每夜深人静，或者一人独处之时，那种平静感都会像一个纠缠不休的怨鬼一样，时不时地浮现在他的脑海里，萦绕着他，诱惑着他，呼喊着他。

六

恶鬼人间

当两边肩膀上传来的猛烈摇晃，将陈骖再次唤回现实的时候，小院里面一片安静。身旁的严烟紧紧抓着他的双臂，不知何时已经闭上了嘴，两眼当中满是关切和忐忑，默默与他对视。

已经赶到两人身后的梁老夫子，原本板着脸又要开口训人的话也被硬生生地吞了回去，两只眼睛里面冒出了与严烟一样关切的神色，静静地站在原地一动不动。

陈骖茫然地看向四周，一时之间，竟然不知自己身在何处，时间又已过了多久。

直到看见严烟仍在剧烈起伏的胸膛，听到阵阵如同牛吼般的喘息声之后，他这才真正回过神来，意识到了刚刚所发生的一切。

于是，他首先扭过头，尽可能地对着恩师露出了一丝僵硬的笑容。

这一笑，陈骖是不想让恩师太过担心，但是落在梁老夫子的眼中，居然看出了满目的萧索与决绝。

然后，陈骖将好友的双手从自己的肩上轻轻拿下，用一种再平淡不过的语气问道："烟娘子，怎么了？那帮流民干的？"

"是的！洪二，我们实在是抵挡不住，他们人太多了……"

天色已经越来越亮，陈骖看见，在说这段话的时候，不知为何，严烟的情绪好像又开始激动起来，甚至连眼眶里面都已经隐隐泛起了红色。

陈骖伸出手来拍了拍自己好友的肩膀："烟娘子，不急，慢慢讲。"

严烟深深吸了口气，待到自己情绪稳定了一些之后，这才缓缓开口，说出了事发前后经过。

张广成果然不是一般的难民。

在他出现之前，衙门前的那帮难民虽然已经表现出了强烈的怨恨与敌意，但所有冲突的焦点都还仅仅只是针对导致了那个少年惨死的杀人犯龚老板而已，事情的性质也只是一场外来流民与九镇本地人之间蓄积已久的矛盾爆发。

但是等到傍晚，当深负血仇的张广成终于攻破城门，带着人赶到衙门前面之后，也不知道他究竟是如何办到的，在他号召与带领之下，难民本就激愤的情绪被彻底点燃，开始主动向官兵挑衅。

很快，局面就彻底失控，组织起来的难民们对官府展开了真正的全面攻击。大概是五更天，同样与官府只是隔着几条街的牢房重地，也终于受到了波及。

一帮难民骤然发难，开始劫狱，本就只有几人把守的监狱大门，在猝不及防之下，几乎瞬间失守，难民们冲进来之后，直接就开始放火。等到四处火起，狱卒们手忙脚乱的情况下，难民打开了全部的监牢，牢中犯人们全部四散而逃，一个不剩。

事发当时，严烟等健壮狱卒曾经试图阻挡抵抗，无奈敌我人数实在是悬殊，几番搏斗之后，别说抓住逃犯，就连一部分忠于职守的狱卒，也不幸丧生在了刀棍与火海之中。

"洪二，我尽力了，我们都尽力了。我试过把那个杂种抓住，或者是当场杀了他。但是，真的不行，那帮狗杂种人实在是太多了。洪二，我真的尽力了，我们没有一个孬种，真的……"

说到这里，严烟尽量控制着声音中的颤抖，但发红的眼眶当中，两行热泪再也忍不住流了下来。

陈骖伸手轻轻抹去了好友满是污迹的脸上那两道被泪水冲刷而成、显得有些滑稽的白色印子，轻轻问道：

"他跑哪里去了，晓得吗？"

"太混乱了，我没有看见。但是，洪二，就是张广成那帮人干的，我听到有人喊他名字了。那帮犯人肯定都去衙门口投靠了张广成，不然，他们也没地方走了。我来就是先告诉你一下，做个准备。你等我，我再去摸摸情况，现在就去。"

说完，严烟擦了下双眼，提着刀转身就要走，却被陈骖一把抓住了衣衫：

"算了，烟娘子，你这个样子，回家先好好休息下。我们是兄弟，我就不多谢你了。"

严烟一愣，眼神复杂地看着陈骖，并没有马上开口，直到半晌之后，才缓缓说道："老李和我父亲一个班，一起在牢里面干了三十多年。这三十多年里，偷蒙拐骗，奸淫掳掠，无数的犯人进来，有的被剁了脑壳，有的坐几年就出来了。但不管是放还是杀，他们毕竟都走了，都离开了牢房。可老李却走不了，这一辈子，他待在牢里的时间比待在自己家还多。后来，我顶了班，老李就做了我的师父，第一天去的时候他就给我说，我还年轻，找到机会了趁早别干这行。因为，这座囚牢里面，关的不是犯人，犯人只是过客，关的是我们，我们才是真正的囚犯。每当这个时候，我都会劝他，再熬两年，等年纪一到，就可以洗手不干，好好过几年舒服日子了。可是，就在两个时辰前，那帮狗杂种冲进来的时候，老李刚好就站在墙边撒尿，手里没有拿家伙，我亲眼看着他下跪求饶，又亲眼看着他被人像杀条野狗一样乱刀剁成了一团肉泥。"

说这段话的时候，严烟语气里再也没有之前的激动和哽咽，平淡得就像是在给陈骖说着一个与他无关的故事。

只是，等到说完之后，严烟一手握刀，另一只手却缓缓伸向了陈骖，再次开口道："洪二，我知道你想干什么，血债血偿天经地义！我不劝你，你也莫劝我，要不要得？"

陈骖呆呆站立着，默然无语地与好友对视，几秒之后，猛地扯住严烟手掌往自己怀里一拉，两人相拥的那一刻，严烟耳边响起了陈骖同样平淡的说话声：

"去吧，我等下先去办点事，中午，我们在东门的那间酒铺见。"

"唉……"

几米开外，梁老夫子一声长叹，所有的话语都被吞回了腹中，默默转身走回了屋内。

知徒莫若师，陈骖心志之坚定，性格之倔强，身为老师的梁老夫子如何不知！事已至此，就是天意使然，再也不是人力所能变改。

既然多说无益，那就任他去吧。

转身那一刻，梁老夫子心如死灰，那道本就清癯的背影，落在陈骖、严烟二人眼里，仿佛转眼之间就越发苍老枯槁了许多。

天色已经大亮了，经过了整夜的喧闹之后，古老的九镇清晨，居然又奇迹般地恢复了往常的那种宁静，远处，甚至还隐隐传来了不知哪户人家的鸡鸣狗吠之声。

严烟走后，陈骖就默默站立在了恩师的卧室门前。

但老夫子的房门始终紧紧关闭着，屋内没有半点动静，老夫子似乎真的已经睡着。

陈骖知道恩师的心意。

这些年来，九镇人都不太喜欢恩师，觉得他虽然读过两天书，有着一般百姓没有的学问，但为人太过清高古怪，谁都看不起，毕竟也只是个穷酸教书匠而已，没什么大不了。

可他们不知道的是，恩师年轻的时候，也是一名才华横溢、满腹壮志的书生。因为没钱，在科举的时候，就接受了常德府一个富家公子的资助，代价是替那位公子代考。那一考，就考中了进士，可谁知道，舞弊之事却被人揭发了。公子家大业大，花钱打点，倒是成功消灾。反倒是恩师，当场就被判监三年，更惨的是剥夺功名，此后终身不得录用。

出狱之后，恩师万念俱灰，满腹怨愤，却又无处发泄，只得终日以书酒度日，这才变成了如今的模样。

再后来，恩师垂垂老矣，却遇上了惊为天人的陈骖，不但将满身学问倾囊相授，更是将心中多年以来仍未熄灭的一番豪情壮志全部寄托在了陈骖身上。

恩师只希望陈骖能够考个功名，他日也好封将入相，一振这大好河山。

陈骖不想让恩师失望，父母死后，凶犯被捉拿入狱，自有王法惩戒，陈骖自然也就淡了这份复仇之意。

于是，他安心读书，只等着有一天，战事底定，科举重开。

无奈天意弄人，严烟清晨登门，却带来了这样一个消息。杀害父母之仇，历历在目，犹如昨日，陈骖身为七尺男儿，又如何能够无动于衷！

穿天猴！

正是当初那个每日来喝他家粥，却最先率人冲入他家，亲手杀死了他父亲的外地男子。这大半年以来，陈骖没有片刻忘记过那个男人在粥桶旁找父亲讨肉吃，却被拒绝之后，望着父亲的那两道恶毒眼神。

无数个日日夜夜里，他都会被这个眼神在梦中凝视，然后惊醒，再也不敢入眠。

现在，既然王法已经惩戒不了他，那就让陈骖自己来做个了断吧。

窃天掌刑，本是陈家男人应尽之分！

"先生的大恩大德，陈骖今生今世，恐怕再也无以为报。唯愿先生福寿绵长，身体康泰！学生走了，先生，您自己多多保重！"

面对着紧闭的房门说完这句话之后，陈骖再不犹豫，一转身，踏着黎明晨光，走向了几米远处的院门。

当他走出院子，转身关上那两扇油漆斑驳的木门之时，从门缝之间，陈骖清晰听见，屋内，老梁的声音悠然响起：

"一年老一年，一日没一日，一秋又一秋，一辈催一辈。一聚一离别，一喜一伤悲。一榻一身卧，一生一梦里。寻一伙相识，他一会咱一会，都一般相知，吹一会唱一会……"

歌声苍凉古朴，隐约透着一股无穷无尽的哀怨悲伤，回旋在九镇上空，悠悠扬扬，连绵远去……

镇东，神人山。

枝头上的叶子早就已经落光了，原本郁郁葱葱的树林中，只剩下了一棵棵光溜溜的树干，无数根如同鬼手般干枯虬结的树枝彼此纠缠交叉在一起，在树干顶上结成了一张密密麻麻的网，每当寒冷的山风夹杂着雪花从这张网中呼啸而过的时候，树林中就会响起一阵又一阵呜呜咽咽如同厉鬼夜泣般的惨淡怪声。

树网挡住了光线，让本就铅云密布的冬日下午更加昏暗。就在树林内的最昏暗处，有一座坟山，坟山上黄色的泥土在岁月的风吹雨打之下，已经渐渐泛出了一种如同朽木般的浅褐色。

坟头上，枯黄的杂草丛生，杂草间还长着几棵盘根错节的不知名灌木，灌木前方，立有一块石碑，一只通体漆黑的乌鸦站在碑上，如同雕塑般一动不动，冷冷看着那位跪在坟前的年轻男子。

男子的膝前放着一把刀，刀旁边还有着一些燃烧过的香蜡纸钱等物，上面已经积起了一层薄薄的白雪。

看样子，男子已经在这里跪了很久，如此寒冷的天气里，他露出来的手脸都已经被冻得通红，却依旧丝毫没有起身要走的意思。

他只是沉默而空洞地盯着那块石碑，眼神悠远绵长，无悲无喜，整个人都仿佛已经陷入到了某个沉痛而悠久的回忆当中。

打眼看去，石碑并没有什么独特之处，用的也只是采自九镇旁边星德山上的青石，这种石材在九镇极为普通，铺路搭桥或是寻常百姓为先人立碑都是用的它。

石碑上并列刻着两排漆上了红漆的大字：

"故显考陈氏永华，故显妣陈胡氏之墓。"

转眼之间，父母离去已有大半年。

但是，陈骖却从来没有忘记过那一夜的大火。

不知道是岁月太绵长带走了记忆，还是火势太猛烈欺骗了眼睛。

每次回想起来，在他的印象里，都觉得那不像是一场火，而是一道从天而降的蓝色瀑布，遮天蔽日，倾倒在了自己家里。那是陈骖第一次知道，原来火焰燃烧到顶点的时候，颜色是蓝的，蓝得就像是一片美丽而幽深的海。

可就是这片美丽的幽蓝，却带走了不苟言笑、总是喜欢抚摸他头的父亲，带走了每天黄昏对镜梳头、总是会在深夜读书时为他煮上一碗葱油面的母亲，也带走了他在这个世界上曾经拥有的、爱过的一切。

那天之后，陈骖就变了。

当初那个少言寡语，却也文质彬彬、秉性纯良的少年，在那场大火中已经随着父母一起死去；本就不爱说话的他，如今更是变本加厉，正当意气风发的年纪却像个老人一样阴沉内敛，常常一整天一整天地不和人说一句话，哪怕偶尔开口，也是惜字如金。

父母死后的第二天，陈骖在恩师梁老夫子和几个儿时好友的帮助下，费尽心思将父母的遗骸清理出来，埋葬在了九镇旁的神人山上。

　　今天并不是父母的忌辰，也不是扫墓上坟的节日，陈骖却依旧来到了父母的坟前祭拜。这已经是陈骖在不知不觉中养成的一个独特习惯。

　　一个孤儿，无父无母地活在乱世，当然难免会受过一些常人受不了的苦，遭过一些常人遭不了的孽，可无论多痛苦多难熬的日子里，陈骖都再也不曾流过一滴眼泪。

　　只不过，不流泪，不代表不痛苦、不想念。

　　无数个清冷寂静的午夜，当陈骖从噩梦中醒来，拥被而坐之时，都会产生一种奇怪的错觉，他总觉得这一切都好像不是真的，他好像还是坐在自家那张温暖宽阔的床上，而门外几米之隔的另一个房间里，父母也正相拥而眠，酣然入睡，只要他张开嘴轻轻一声呼喊，就马上能够听到父母的回应。

　　然后，他就总是那样在半梦半醒真假不分的状态中，一个人独自坐到天亮。

　　每一次度过这种难熬的夜晚之后，第二天陈骖都会来到父母的坟前坐一坐。

　　因为，他担心自己真的会变成疯子。只有坐在父母的坟前，看着眼前这一块真真切切刻着父母名字的墓碑，他才能确定，夜里发生的那一切都只不过是一场再也回不去的梦。

　　昨晚那硝烟四起的漫长一夜中，仅仅只是在老夫子床前小寐了片刻的陈骖，又梦见了父母。一缕袅袅青烟升起，坟前的香蜡终于燃尽了。

　　陈骖伸出手，轻轻拂拭着横放在膝前的那把天王斩鬼刀，手法轻柔细腻，一如当年，父亲也曾这般摩挲着他的头发。

　　只可惜，父亲音容宛在，如今指间接触处，陈骖唯一感受到的却已只是金属独有的刻骨冰凉。

　　刀依旧，人已渺。人生至痛，莫过如此。

　　当刀身上的积雪终于被一一抹拭干净之后，陈骖弯下腰，恭恭敬敬地对着坟墓磕下了三个响头："爹娘，这次一去，就不晓得还能不能再来祭拜你们了。不过，万一真是再来不了，那也未必不是好事，至少，我们一家人能在地下团圆。"

　　说完之后，陈骖再不犹豫，双手抄刀，长身而起。

　　转头离去那一刻，寒鸦惊飞，他面如寒霜，眉宇间，已是满满一片肃杀之色。

今天陈骖来父母坟前祭拜，和往日的理由并不相同。

往日他来父母坟前，一是为了陪陪父母；二是担心自己思念太深，悲伤太过，想要提醒自己继续好好活着。

但是今天，他来这里，却是为了告别，他怕再也没有机会了。

因为，再过几个时辰，陈骖将会去做一件生死难知，却又不得不做的大事。

他，要杀一个人。

天色越发阴沉了，一层又一层的乌云重重叠叠挤在一起，就像是一个巨大的深灰色锅盖，罩住了这一方天地，也罩在了每一个人的心头。

陈骖快步走在尚算平静的镇东官道上，身边来来往往的除了一队队兵丁之外，还有小部分三三两两聚在一起衣衫褴褛难民模样的人，就算偶尔有两三个熟悉的九镇面孔，也无一例外都是像他一样，随身佩带了刀枪棍棒之类的武器。

这条路是从九镇通往常德府的唯一旱道，平日里，车载马拉，商贾如云，一派繁忙热闹的升平景象；如今只是短短一夜之间，居然就已变得像是末世一样萧条冷清，杀意重重。

祭拜完父母之后，从神人山下来的这一路上，陈骖就已经明显察觉到了飘荡在空气里面的紧张气氛。

往常，当他走过难民身边，那些人要么是一副可怜巴巴的模样上前乞讨，要么是低眉顺眼，唯唯诺诺地生怕惹上祸事。但是现在，当陈骖走过他们中间之时，他却觉得自己并不是走在熟悉的九镇石板路上，而是独自身处一片荒漠上的狼群中央。

陈骖知道，假如不是自己手中的那一把长刀和路上兵丁的话，此时此刻，也许他已经被这些恶狼给撕成了碎片。

不过，陈骖的心中却并不害怕，一点都不。

相反，他始终都在竭尽全力地克制着自己。

不要拔刀！

昨夜，九镇城门被破，暴乱流民如同山洪喷泻般涌入城内，一路势如破竹，靠着镇西沅江边的小半个镇子几乎在瞬间就陷入了一片刀山火海。

周记绸缎铺老板周八爷为了保护店铺，被暴民浑身裹上绸缎，生生闷死，绸缎铺付之一炬；龚记米店所有存粮被抢劫一空，老板龚三毛侥幸逃入官衙；望月楼大门被锁，做得一手好饭菜的老板张茂夫妻被活活烧死在楼内；香浓阁老鸨红婶被拖入大街，乱石砸得遍体鳞伤，险些丧命，阁内七位姑娘连带红牌小白眉，惨遭奸淫之后，人人下体皆被插入竹签，当街捅死示众；大户王员外，主动奉上万贯家财但求活命，依旧举家被屠，上下十六口无一幸免；杏林馆郎中林老先生，生平医人无数，曾经屡次施救暴病流民，却依然在自家店前那口杵药的大石缸内，被人杵成了一团肉酱……

红了眼的难民们一直杀到了位于镇东的官衙门口，如果不是围聚在衙门口的大队官兵和自发赶来支援的九镇当地青壮联合起来拼死抵抗的话，只怕整个九镇都要在一夜之间彻底毁灭。

可纵然如此，无论是难民，还是九镇人，双方都已是血流遍野、死伤无数，就连镇上那位父母官老爷，也都被匪首张广成亲自斩杀在了衙门外的大街上。

一夜之间，整个九镇已经彻底变成了一个修罗地狱，身在这片地狱里的人，无论流民还是官兵，不管男人还是妇女，大家都已经彻底泯灭人性，变成了一个又一个凶残至极的嗜血恶鬼。

此时此刻，这些恶鬼，都在舔着自己的舌头，磨着自己的爪牙，静静地躲藏在暗处，窥视着外界的一切，但是他们每一个都深深知道，当厮杀最后来临的那刻，他们唯一要做的事，就是杀死对方，杀死身边所有能够杀死的人！

陈骖从来都没有想过要成为那样的恶鬼。

曾几何时，他也有过很多的梦想，在这些梦想里面，有浪漫，有激昂，有光荣，有飞扬，甚至也会有着死亡与牺牲。

但是，在所有的梦想中，陈骖都是一个好人，他也发自内心地想做一个好人。

直到昨夜，好友严烟找上门来，说出了穿天猴越狱的消息；直到片刻前，他跪在那座干枯粗陋、已经变成了褐灰色的孤坟旁，再次看见了石碑上那两个无比熟悉、曾经鲜活的名字。

这一幕幕冷酷却真实的生活，让陈骖在这个寒冷的冬日里，如同醍醐灌顶般想明白了一个道理：

那些平凡而幸福的日子真的过去了，再多的留恋，再多的追忆，也都永远不会回来。如今的他已经千真万确地活在了一个乱世，而父母的死已经证明了，乱世当中，好人是活不下去的。

能够活下去的，只有恶鬼，他陈骖，也不能例外。

恶鬼，终须恶鬼磨！

那一天的陈骖，带着满腔愤怒与怨毒，他以为自己的人生即将从此刻发生转变。

直到很多很多年以后，当陈骖这个名字早已不复存在，当"陈近南"三个字已经彪炳天下，那个时候，他回首前尘，这才蓦然发现，其实，早在故事开始的那一天，当他对着皮幺儿砍下了当头一刀之时，就已经变成了一个恶鬼。

一个可以在这风云际会的乱世当中如鱼得水的恶鬼。

七

兄弟连心

九镇东门边的道路旁，有一间小小的酒铺。

铺子非常简陋，几根木柱子上面搭着两三层晒干的茅草遮风挡雨，门上挂块布帘，插了一面写着"酒"字的小旗，仅此而已。

酒铺里卖的是九镇当地特产的一种土烧酒，叫作"朝天吼"。

朝天吼酿法简单，价格极为便宜，镇上稍微有点闲钱的人家都不会喝。但在这条直通往州府的官道上，平日里来来往往的基本都是些出劳力卖苦命的贩夫走卒，本来也没有那么多的讲究，一路上累死累活地拖着东西刚刚进城，正是满身大汗情绪松懈的时候，突然闻到酒香，难免忍不住掏出几文散钱买碗酒解解乏。再加上老板高老七是出了名的老实人，卖酒分量足不掺水。所以，这间铺子虽然开在城门边，但不知不觉间，生意一做就是二十多年，老板高老七全家人也就靠着这间小小的酒铺活了下来。

这二十多年来，无论刮风下雨，除了过年那几天歇业之外，高老七没有一天不是勤勤恳恳地坐在店子门口迎客。

可是，今天，坐在店门外的却不是他，而是他的儿子，高壮，一个名如其人，壮硕敦实，二十出头的年轻后生。

高老七永远都不会再来了。

懂事之后，高壮就很少来这个酒铺里面，更是从来不曾帮自己父亲卖过酒。

他嫌丢人。

在镇上一起长大的这些朋友当中，高壮家是最穷的，陈骖家顿顿有肉吃，宁爽文就不用说了，有一个好哥哥，从小就跟着哥哥走南闯北吃香的喝辣的，他更是没法比；而其他的孩子，哪怕过得不算太好，至少逢年过节总会穿上一套新衣裳，拿着一个新玩具。

可是高壮家，除了朝天吼猛烈而刺鼻的劣质酒味之外，什么都没有。这些年来，在高壮的心底，他一直都有些恨自己的父亲，恨他没有用。

所以，他才会不听父亲的劝告，在十五岁那年就死心塌地地跟着宁中大哥一起闯了江湖。

从此之后，他和父亲的关系也就越发冷漠，两人之间除了争吵打骂，高壮甚至连一声"爹"都不愿意再喊。

昨天晚上也是一样，他也是在父亲的破口大骂声中，狠狠一脚踢翻了家里的酒缸，气冲冲地夺门而出。

穷人的孩子早当家。

穷人的孩子也早懂事。

懂人事！

在其他孩子都还真的只是个孩子的时候，高壮就已经做了男人，有了相好。

关于他和下街徐寡妇之间的闲言碎语，在九镇其实早就已经不是什么秘密，甚至就连徐寡妇自己都曾经劝过高壮，说他还年轻，没有成家，不想坏了他的名声。

可是，高壮完全无所谓。

高老七一辈子没干过坏事，人人都说是个好人，一辈子到头来又得到了什么？而高壮拜的龙头大哥宁中，心狠手辣出了名，堪称声名狼藉，可走在镇子上，哪个人不是点头哈腰地喊一声"中哥"？就连那位官老爷不也要和中哥推杯换盏，时不时喝上一顿吗？

名声一点都不重要，这个世道，重要的是够狠，够狠了才能有钱有势，有了钱有了势，也就什么都有了。

更何况，高壮毕竟是个血气方刚的年轻人，试过女人的滋味之后，又哪里还能忍得住？

徐寡妇一把年纪了却偏生有着一身少女般细嫩的风骚肉，每次，高壮总喜欢一边听着她骚到骨子里的叫声，一边在她白洁如玉的身子上掐出一串串的瘀青。往常，不管在做什么，只要一想到徐寡妇在床上的那个骚样子，高壮就会觉得自己小腹里有股火苗"轰"的一下蹿了上来。

但是现在，当高壮再次想到徐寡妇的时候，他的心中，却只有无穷无尽的后悔。

如果昨晚，他不去徐寡妇那里，而是待在自己家。

如果城里的厮杀声刚刚响起时，他听从了徐寡妇的建议回家去看看，而不是充耳不闻地趴在徐寡妇身上翻云覆雨，那么，高老七是不是就不会死？

他是不是就能够救回这个辛苦了一辈子，没有给他买过新衣服，却更没有给自己买过新衣服，一门心思就想着攒钱帮他娶个正经媳妇的可怜人？

高壮从来没有像现在这么后悔过去混江湖，整天东奔西跑地瞎忙，把高老七一个人丢在家里。

高壮从来没有像现在这么遗憾自己陪朋友大醉，陪徐寡妇微醺，却从来没有陪高老七喝过一杯。

高壮从来没有像现在这么清晰地发现，原来在自己的心底，居然是那样深刻地爱着高老七，眷念着高老七，依靠着高老七。高壮甚至从来没有像现在这样强烈地想要杀人，杀死所有这些衣着破烂、肮脏卑贱的流民！

昨晚，他的父亲高老七，就是被这些狗杂种活生生地用竹签捅死在了自家的酒缸里！

当心中的仇恨、愤怒、愧疚再也克制不住的时候，高壮猛地站起身来，端起碗一口喝干了余下的酒。

原来，爹酿的酒并不比外面的差！

高壮狠狠一挥手，当手中酒碗重重摔碎在店前街道之时，他抬起头，双眼中冒出了一种瘆人的寒光，看向了路面上那些零散而过的难民。

高壮反手握住了插在后腰上的那把剔骨尖刀，正当他准备朝着离自己最近的一对干瘦如柴、难民模样的母子走过去时，在道路的尽头，突然出现了一个熟悉身影。

于是，高壮下意识地停住了脚步，嘴里忍不住喃喃念叨了起来：

"终于来了，终于来了，你要是还不来，老子真的忍不住了……"

说到最后，不知道是劣酒的刺激还是怎么的，高壮蓦地就红了眼眶，他狠狠擦了一把脸，转身掀开门帘，冲着里面大喊：

"洪二来了！爽文、严烟，洪二来了！"

昏暗的屋内，一连串细小却清脆的桌椅移动声中，人影闪烁，七八个年轻人赫然站了起来。

当陈骖刚刚走进酒铺，第一眼看见严烟的时候，他大吃了一惊。

已经忘了具体是何年何月何日，他曾经在书上看到过一句话：一夜白头。

一直以来，他都以为这句话是假的，是古人为了故事好看而编出来的传奇。

可是这一刻，他忽然发现，原来这种事并不是不可能。

严烟确实没有白头。

但此时此刻，他却已经完全不再是以前的严烟。

清晨梁老夫子的书院内，严烟推门而入时，虽然浑身狼狈邋遢，但模样还是那副模样。可现在，短短几个时辰不见，严烟居然已经用一种肉眼可见的速度剧烈消瘦了，双眼中一根根通红的血丝如同蛛网密布，本来清秀好看略微有些丰腴的双颊深深地凹陷了下去，紧紧抿在一起的两片嘴唇，干燥开裂。在酒铺昏暗的光线中，整个人仿佛都在散发着森森寒气，像是一个诡异而阴冷的幽魂，哪里还有半点"烟娘子"的俊俏风采？

陈骖呆呆看着严烟，又扭头看了看屋内的其他几人一眼，还没等他开口说话，严烟已经率先用几个字回答了他的满腹疑问："我爹没了。"

话语出口，除了反常的冰凉与淡漠之外，语气中听不出丝毫的悲伤痛苦。

严烟冷静得就像是在诉说着旁人的遭遇。

可偏偏正是这种反常，却让陈骖瞬间就明白过来。

他明白，是因为他也曾有过同样的遭遇和感受。

他当然无法真正知道如今严烟需要的是什么，但他完全懂得，此时此刻严烟最不需要的，就是同情与怜悯。

所以，陈骖紧紧闭上嘴，对着严烟默默点了点头之后，走进酒铺，拉开凳子，率先坐了下去。

"洪二，严烟这个狗卵子脾气一上来就不分轻重。他不问你，老子要问！你和我们不同，老梁早就说了，我们一个个都注定没啥大出息，你是读书人，有前程的，你真想好了？"

陈骖刚刚坐下，一道中气十足的说话声立马就在小小的酒铺里面响了起来。

说话的人坐在陈骖对面，同样是一个二十岁上下的年轻后生，一眼望去，身材魁梧，皮肤黝黑，单论五官，比不上陈骖的英挺，更没有严烟的俊秀。但是，却长着一双异于常人、巨大到像是蒲扇一样的手掌，再配上布满了两侧脸颊的浓密络腮胡子，很有几分说书匠口中猛张飞、莽李逵这类人物的威猛气势。

可是，仔细观察之后，却能发现，此人在说话时，那双细长狭窄似开似合的眼睛里面，两只闪闪发光的眸子始终都在游离不定，隐隐透出了一种与外貌完全不符，也远远超出同龄人的精明老成之色。

这个人叫作宁爽文！和严烟一样，也是陈骖生命当中最好的两位兄弟之一，从穿开裆裤的时候，三个人就已经形影不离地玩在了一起。

从小到大，凭着那副虎头虎脑的憨厚长相，大部分人第一眼见到宁爽文，都会以为他是个大大咧咧、豪气干云的角色。

可实际上，完全不是那么回事。

宁爽文天生就是一个心思缜密、精明至极却又喜欢扮猪吃老虎的性格。

在陈骖、严烟、宁爽文这三个人之间，如果说性格沉稳，从不惹事却也从不怕事的陈骖是稳定军心的主帅；而性格火暴，一点就燃，凡事不喜欢过脑子，先干了再考虑后果的严烟则是冲锋陷阵的勇将的话；那么，宁爽文才是那个真正最危险，最吃不得一点亏，最能够煽风点火出谋划策的军师。

只不过，前面两人的角色一眼就能看得出来，而宁爽文却永远会把自己伪装成一副没心没肺的莽撞模样。

看着自己好兄弟满脸的关切之情，陈骖却隐约觉得有些不耐烦。他明白宁爽文的意思，但又有谁能够真正明白他？每个人都在苦口婆心地劝着他，照顾他，管教他。

可陈骖却根本就不需要这些。他只想要报仇！只想要凶猛残忍，却也酣畅淋漓地将手中长刀捅进仇人的胸膛里。

陈骖低头避开了宁爽文的目光，淡淡说道：

"文伢子，现在还说这些做什么？你觉得呢？我爹娘还在吗？"

"不是，洪二，我不是这个意思。刀不一定要你自己去拿，只要我们兄弟几人还没有死，穿天猴这个狗杂种，老子就提他的脑壳来给你下酒！真的，洪二，老子无论如何……"

陈骖再也忍耐不住心中烦躁，抬头冷冷一笑，挥挥手打断了宁爽文的话。

心思玲珑的宁爽文一见陈骖这副模样，知道再劝也没有意义了，只得闭上嘴，一时之间，气氛变得有些冷却下来。

陈骖意识到自己无意间的举动伤了这位聪慧之极的兄弟一片好意，赶紧语气转缓，主动张口问道：

"文伢子，你怎么也在这里？你家里怎么样？没出事吧？"

宁爽文闻言，立马借坡下驴，心领神会地看了陈骖一眼，脸上又浮现出了憨厚笑意，大声回答道：

"没有没有，老子屋里倒是没事，前些日子我哥就已经安排一大家人都到常德去了。"

"那你又何必蹚这池浑水？文伢子，你的一片心，我和严烟都晓得，我们兄弟都晓得，只是，人命关天，而今这是要把脑壳别在裤腰带上提刀见血的，听我一句，去常德吧，没人会说你半句不是。"

宁爽文一动不动地看着陈骖，脸上那种讨人喜欢的憨厚笑意渐渐凝固了下来，半晌过后，用一种少见的认真语气说道：

"洪二，我不像你读过书，晓得那么多，别的大道理我不知道，我只晓得，你们是老子宁爽文的兄弟，别人欺负你们了就是欺负我，我是容不得被欺负的。"

看着向来咋咋呼呼的宁爽文忽然如此平和地说出了这段话，陈骖只感到自己胸膛里突然就像是涌起了一团烈火，烧得他浑身滚烫，鼻子发酸，连忙伸手拿起杯子倒酒，好以此来掩饰缓解一下自己心中的感动与温暖，直到堵在喉咙里面的酸涩感彻底消失之后，他这才小心翼翼深吸了一口气，故作自如地开口说道：

"你哥怎么说？他不管你？"

下一秒，宁爽文又再次变回了平日的宁爽文，他狠狠揉了一把脸颊，嬉皮笑脸地说道：

"我哥！你未必不晓得他的性格啊？他幸好是不在九镇，他要是在，我去，只怕冲得比老子还快！我们宁家兄弟俩，不找别个麻烦就不错了，什么时候吃过别人这个亏！这是哪里？这是九镇！这帮狗杂种，跑到我们九镇来造了这么多孽，老子捅死他们祖宗十八代！兄弟们，有卵子的就一起把这杯喝了，就他娘的当是断头酒，今天就算是被弄死了，也都要有出息点，拉几个垫背的！平日都说我们这些跑江湖的没出息不是好人！今天这个事，兄弟们，老子给你们讲，没有哪个父老乡亲会说我们半个不字，死了也会有人给我们立碑。高壮，你哭个什么狗卵，来啊，还站在门口干什么？搞！"

当酒杯纷纷被端起在半空中的一刹那，满屋年轻人心中的热血，在这一刻，被彻底点燃。

放下酒杯之后，陈骖擦了擦淌出嘴角的酒液，对着严烟问道：

"烟娘子，那个狗杂种找到了吗？在哪里？"

一直以来表现得极为冷静，连话都不曾多说一句的严烟听到陈骖的发问，突然一愣，看着陈骖，一时没有开口。

旁边宁爽文赶紧站出来，拍了拍严烟的肩膀，给陈骖说道：

"洪二，没有找到！不怪严烟，他从你那里出来之后，我就已经先找到他了，严爹出事了。但是你莫急，先听我讲。穿天猴跑不了，最迟今天晚上，我保证一定可以让你找到这个杂种！"

陈骖闻言，先是对着一脸愧色的严烟低声安抚了一下之后，这才一脸不解地看向了宁爽文："在哪里找？"

宁爽文给杯中倒了满满一杯酒，自顾自一口饮尽，低下头去似乎整理了一下思绪，片刻过后，他这才抬眼看着自己的两位兄弟，缓缓说道：

"洪二、烟娘子，你们看看，看看店外面，往东看，看东门。这扇城门，昨晚刚刚破城之后，官府的人就已经用石头把它封死了，一个人都不许进出。为什么？就怕那帮狗杂种从这边打进来，两头夹击，那九镇就全完了。但是西门呢？昨晚被攻破之后，西门就一直开着，用屁眼想都能想到，现在进城的是些什么人？是我们本地人吗？镇子外头的本地人能跑的跑了，跑不掉的早被杀精光了！哪里还有什么人？只能是九镇附近所有正在找饭吃、听到了消息的难民！他们进来了能干什么？会干什么？洪二，我们已经没有退路了！那帮人也没有退路了！如果他们真的占了九镇，站稳了脚跟，那么，如今这个兵荒马乱的世道，他们至少还有个地盘，有个落脚点。到时候是落草为寇还是割地称王，都不好说。但是，如果他们占不了九镇，只要等到常德的官兵一来，他们除了跳河，就没有任何路走了，无论如何都是死路一条，对不对？"

宁爽文娓娓道来的话引起了陈骖在内的所有人思考，大家都在一边听一边情不自禁地微微点头。

"那么，你们看，现在的九镇是什么？高壮，你告诉我是什么？"

陡然听到自己名字，正在旁边默默出神的高壮浑身一个哆嗦，下意识地摇了摇头。

"你啊，你白跟了我哥这么多年，除了学会找那个徐寡妇享受之外，一点本事没学到，一点窍都没开，老子看你今后怎么得了！"

在宁爽文手舞足蹈吐沫横飞的批评下，高壮满脸通红，脑袋都快低到了胸膛上。

"是一座桥，一座只可以让一个人过的桥，谁想过，谁就要把对方推到水里淹死！"

当陈骖的话语刚刚落音，宁爽文就像遇到了人生知音一般，猛地一拍桌子，伸出一根手指指着陈骖，浑然不顾桌面上那些被他拍翻的杯子里面正在酒液横流，像是演戏般表情夸张地大声说道：

"你们看看，你们看看，为什么老子就服洪二？为什么烟娘子就服洪二？你们好生看看，这才是读书人啊，这才是做大事的人啊。要么不开口，开口就那么一针见血！洪二，除了你，要说还有人比我宁爽……"

"你莫放屁好不好？嗯，好不好？"

严烟说话声并不大，但是他那冷厉得像是千古寒冰一样的语调一旦响起后，宁爽文喋喋不休的嘴巴却立马就闭上了，嬉皮笑脸地瞟了瞟严烟脸色之后，这才继续说道：

"嘿嘿嘿，莫急，烟娘子，莫急，是我不好，你又不是不晓得我性格，就是嘴多。洪二说得对，而今这个九镇就是一座桥，也是一个死局！现在对我们双方来说，都已经是一个死局。一座城，两帮人，谁占了谁就活，谁败了谁就死。更关键的是，哪一方都拖不起，没得时间拖！你们看看，为什么昨天打了一晚上，可是今天从早上到现在，却一直都这么安静了？因为都在准备，都在等，等着下一仗的开始。今天晚上，衙门口必定是一场血战，那个时候，不管是张广成，还是穿天猴，这些人也绝对都会在那里，这是他们唯一的机会！"

说到这里，宁爽文突然停顿了一下，脸上嬉皮笑脸的样子彻底消失不见，异常严肃地看着屋里所有人，缓缓问道：

"所以，下一仗只要开打，就没得人有活路了，就只有刀刀见血，你死我活了！洪二和烟娘子不走，我是肯定不会走。但是你们其他人都想好，哪个不想参加的，就趁现在赶紧想办法走！到了晚上就真没半点退路了，到时候不要怪我宁老二不够兄弟，没有事先讲明白。"

屋子里一片安静，宁爽文的一番话犹如兜头一瓢冷水般，彻底浇灭了片刻前大家碰杯时的那种激情与热血，这些年轻人或是相互对视，或是低头不语，房子里，响起了一片片如同牛喘一般粗重的呼吸声。

但纵然如此，纵然大部分人的心中都难免忐忑，难免不安，却并没有一个人挪动脚步。

直到半晌之后，刚才被痛骂了一顿的高壮，突然胸膛一挺，昂首说道：

"没什么，要死卵朝天，不死当神仙。我长这么大都对不住屋里的老倌子，他而今走了，我至少也要让他晓得，没有白养我这个儿！"

说到后面一句话，高壮脸上已经是泪如雨下，泣不成声。一时间，屋里所有人，就连阴沉冷酷的严烟都不禁血红了眼眶。

在一片压抑而悲凉的啜泣声中，一道犹自镇静沉稳的说话声响了起来，陈骖一瞬不瞬地望着宁爽文，缓缓问道：

"好，文伢子，最后一个问题，你怎么晓得就一定是今晚？"

向来伶牙俐齿的宁爽文在陈骖的问话过后，下意识地马上要回答，却好像突然又意识到了什么，硬生生吞下了口中话语，脸上出现了明显的同情之色，欲语无言地看向了红着双眼的严烟。

严烟一动不动地坐在位子上，整个人都好像被点了穴道一样，唯有摊在桌面上握住杯子的那只手掌，本就白皙如同女人的皮肤因为极度用力，越发显出了一片青白之色。

始终都在用尽浑身力气克制着自己的严烟终于还是忍不住缓缓闭上了双眼，当两行泪水顺着眼角流下的那一刻，他用一种极为沙哑的怪异声音缓缓说道：

"我和文伢子赶到的时候，杀我爹的那帮人里面，还有两个没走！我们……我们……"

亲身见证了那一幕的宁爽文，一把握住了已经说不下去的严烟放在桌上的那只手，接着说道："我们抓住了那两个畜生，他们亲口说的！今天晚上，张广成会继续攻打衙门，决一死战。只要守在那条街上的官兵全被打散了，他们也就真的赢了。烟娘子，你，你要哭就哭，别憋着，会憋出病的……"

宁爽文的话说完之后，其他人再也无法继续接下去，大家都默默看着始终闭着双眼、胸膛却在抽搐不停的严烟。

陈骖示意高壮再去打了一壶酒，站起身来，亲自给严烟的杯中满上，递到了严烟手里，柔声说："烟娘子，喝了它，男子汉大丈夫，血债血偿，不要哭，不要让人看笑话。"

严烟接过酒杯，一口喝干，半晌之后，他睁开双眼，任凭清泪长流，但语调中却已经恢复到了一贯的冷漠冰寒，缓缓说道：

"我杀了那两个人，七十七刀，前前后后我总共砍了七十七刀！老李和我爹都对我说过，在狱中，对付最伤天害理的那种坏人，有一种刑罚，叫作肉上雕花，一共就是七十七刀。但是他们没有来得及教我，我还没有时间学会。我只记住了这个数，所以，我砍了七十七刀。不过，洪二，我不过瘾，我还在恨，恨得我心里堵，真不好过！我要杀了这帮畜生，我要一个个全部把他们杀死！"

陈骖微微点头，几乎是一个字一个字地从嘴里挤出了一句话：

"要死卵朝天，不死当神仙，我陪你！"

要死卵朝天，不死当神仙。

以前，每当父亲说出这句口头禅的时候，陈骖都会觉得有些粗鄙不雅。事到如今，当他也脱口而出的这一刻，仔细想想，却发现，大丈夫生逢乱世，确实不过如此而已。

那一刻，他听见在自己耳边，同样的说话声接二连三地响了起来：

"要死卵朝天，不死当神仙，烟娘子，我也陪你。"

"要死卵朝天……"

"……不死当神仙！"

那天，当这些身负血仇、被愤怒冲红了双眼的年轻人走出那间破陋的酒铺时，宁爽文曾经在陈骖的耳边小声说了这么两句话：

"洪二，你想过没有，这一仗如果我们不死，我们也就不是以前的我们了？"

"什么意思？"

"因为，从此之后，九镇就会是我们的九镇！"

陈骖、严烟、宁爽文……对于这个房间里的某些聪明人来说，当时的他们或许已经隐约意识到了，这次会谈的结果将会改变他们所有人的命运。

但他们依旧年少青涩，只因不曾领略过世情如霜，所以万万不会想到，就在这间酒铺里，这一次甚至连当事人都没有意识到是会议的会议，不仅仅只是改变了他们本身。它所产生的影响，更会像滔天巨浪一般，一波接着一波，在之后的几十年间，撼动整个天下。

而且从某种意义上来说，也正是这个会议，直接宣告了人类有史以来最为庞大、最为神秘的地下帮派，终于开始发芽。

长街一没

雪越来越大。

临近黄昏的时候，大雪曾经停过一段时间，原本乌云密布的天空上甚至还隐隐约约地出现了几许晚霞。没想到，当夜幕正式降临之后，雪花居然以更浓密的姿态再次降落了下来。

长街上，空无一人，家家户户都紧闭着门窗，除了各家屋檐下，一排排如同犬牙交错、择人而噬般的冰柱，在月光的辉映下闪耀出点点寒芒之外，街道上一片漆黑，甚至连往日那种万家灯火的景象都已经彻底消失不见。

整个世界，静得可怕，没有风，连风都好像已经被冻住。

但在这如同坟墓一般的死寂当中，如果凝神倾听，却又仿佛有着某种隐隐约约、极为细微极为缥缈的神秘响动，像是夜半无人时男女之间的窃窃私语，又像是荒野深处的冤鬼呜咽，从不知名的远处传来，窸窸窣窣地飘荡在每个人的耳边。

在街角的一片暗影处，陈骖静静地靠着身旁那棵老树，插在袖管里的双手紧紧握在一起，机械而重复地相互摩挲着。

这是十二岁那年的冬天，他第一次杀羊的时候，父亲教给他的诀窍，如果想要握紧刀柄，那么就要时时刻刻保持手掌的干燥和柔软，僵硬的双手握不住刀，杀不了羊，更杀不了人。

等一下，陈骖将要杀人。

他不知道具体会是什么时候，他又要挥动多少次钢刀，但他知道，肯定不会太久，肯定不会只有一刀。

所以，在这个漫长的夜晚里面，他一定要让自己的双手更加柔软更加灵活。

陈骖对面的一栋民房下面，严烟身形笔挺，如同一根标枪般站在原地，脖子直直伸出，凝视着街角方向，任凭酷寒冰冻着脸颊，任凭雪花从领口飘入，在背脊上融成冰水。

这种姿势很不舒服，无论是谁，在这样的寒夜里，用这样的姿势站着都会不舒服。

严烟当然也一样。

但是，他却始终保持着这个奇怪的样子，一步都不曾动过。

因为，他只想要提醒自己一点，不管他用怎样难受的姿势站着，不管他被冻得有多惨，他都一定要比父亲和老李舒服得多。

父亲和老李都是好人，却都无缘无故地死去。

一个死在了冰天雪地的泥泞中，而另一个则死在了自己刚刚屙出来还冒着热气的尿液里。死去的那刻，他们无一例外，都是蜷缩着身体，圆睁着双眼，伤痕累累，满脸血污，就像是两条卑贱肮脏死不瞑目的野狗。

严烟默默伸出手，拧断了前方屋檐下的一根冰凌，另一只手扯开衣领，将冰凌放进了怀中。

当阴寒刺骨的冰凌刚刚贴上胸膛的那一瞬间，严烟浑身上下的皮肤立刻就冒出了一层又一层的鸡皮疙瘩。

冰凌在体温的融化之下，化为一股股细小水流，很快就浸透了严烟的内衣，胸口皮肤已经被冻到隐隐作痛，但他还是没有半点反应。

严烟只希望自己可以遭更多的罪，受更多的苦。

只有这样，才能让他减轻一点内心的悲伤和愧疚，才能让他克制着自己不被满腔的怒火彻底吞没，才能让他不至于一把扯掉自己的衣裳，跪在地上放声大叫。

只有这样，才会让他的头脑更加清醒。

今夜，他要无比清醒地看着手中钢刀捅进仇人的身体。

距离严烟十几米开外，最靠近街口的一栋民房二楼。

房子里没有点灯，却生着一盆火。木材燃烧的"噼啪"声中，火苗跳跃不停，在宁爽文的脸上投下了一道道变幻莫测的阴影，让他那张原本颇为憨厚的面容变得有些恐怖诡异起来。

宁爽文舒舒服服地斜靠在一张躺椅上，在他的脚下，放着几只大小不一的瓦罐，瓦罐里面装着几个时辰前，他们从官兵手里领到的火油。

正如难民们为了求生和仇恨已经抱成一团那样，几乎所有的九镇人也因为同样的理由站到了一起。

以官兵布防的衙门口为中心，整个镇东范围内，此时此刻，每一条大街小巷上，都已经守满了全副武装的九镇人。

这里是衙门附近一条狭长的街道，而今晚，他们兄弟领到的任务就是守住这条街。

宁爽文斜斜瞟了一眼脚下的火油罐，伸出手指，轻轻弹了弹放在膝盖上的那柄长刀，发出了两道轻微的"叮叮"声。这种刀是民风彪悍的九镇特产，在当地人口中，有一个专门的称呼，叫作"管杀"。

管杀的刀面极宽，差不多有一尺，拿在手里像是一小块门板，刀锋被打磨得薄如纸片，刀背却又几乎有砧板那么厚。

空旷的地形下，只要将木棍插进刀柄上的空心圆管，就是一把大开大合所向披靡的大刀；而在狭小空间里贴身肉搏时，只要拆掉刀柄，又立马变成了一把非常适合劈剁的砍刀；加上泡过桐油的杉木刀柄极为坚硬，刀棍相交，能攻能守，非常好使。

不管是谁，只要被这种刀劈在了身上，都绝对不会好受。

所以，九镇人还有一句话形容这种刀，叫作"管杀不管埋"。

这是宁爽文堂哥宁中手下那帮悍匪最喜欢用的武器。

虽然宁爽文打小就跟在堂哥屁股后面混，也入了帮会，也曾打过无数次大大小小的架，可宁中却从来不允许他用管杀。

因为，管杀不是用来打架，而是用来杀人。

但是今天，从来不曾杀过人的宁爽文却悄悄从堂哥房里取出了一把管杀。

宁中不在，再也没有人能够管住他了。

在宁爽文的心中，他并没有如同陈骖和严烟那样的怒火，他也不是非杀人不可；不过，他也有着一个异常虔诚的坚持，无论如何，他都不会丢哥哥的脸，不会丢九镇的脸。

今晚，如果有一个人敢走上这条街，他就要杀了这个人；如果有一只脚敢踏上这条街，他就要砍了那只脚。

这是他的城市，是他的九镇，无论谁，都绝对不能在他的地盘上横行霸道。

张广成，也不行！

夜越来越深，高挂虚空的明月照着雪花一片片地飘然而下。南方的雪不似塞外一般磅礴万千，但它飘飘悠悠，缠绵宛转恍若无数精灵降落凡尘，又似前世今生的片片回忆，绕上心头……在明月的映照下，古老的九镇一片雪白，苍凉而宁静，就像是亘古以来的无数个平凡雪夜。

突然，就在这万籁俱寂的时刻，不知道从路边的哪间屋子里面，猛地传来了一声婴儿尖厉的啼哭，刺破了天地间的宁静。

哭声刚起，却又立刻停止，孩子的嘴显然已经被大人死死堵住。

陈骖停下了摩擦的双掌，严烟背脊越发挺直，宁爽文飞身从椅子上弹了起来。

空气中，一股看不见摸不着却又真实存在的压抑气氛，瞬间就笼罩在了每个人的心头。

一条毛都已经脱落大半的老狗，夹着尾巴，从黑暗的墙角处钻出来，探头探脑地走上了长街，走向了道路尽头一堆无人打理的垃圾处。

对于身外世界正在发生的一切，老狗浑然不觉，专心致志地低着头，用爪子在垃圾堆上仔细翻找着，嗅探着。

终于，它翻出了一坨已经被冻得像石头一般僵硬的臭肉，它试图撕咬，可口中那所剩不多早已松动的几颗牙齿却无论如何都咬不动，老狗只能伸长舌头，一遍又一遍地舔着舔着……

正当老狗好不容易才舔下了第一根肉丝，却还没来得及吞下的那刻，街道尽头的黑暗深处，骤然传来了极轻微的一声脆响：

"叮……"

老狗顿时吓得浑身一抖，飞快跳出了几米开外，死死盯着声音传来的地方，任凭肉丝在口边晃动不休。

世界仿佛已经完全凝固，再也没有任何声响传来。

然而，老狗终归还是舍不得那块臭肉，一步三抬头小心翼翼地再次走了回来。

就在它刚刚叼起那块肉，要转身还没转身的一瞬间，长街上凭空响起了"嗖"的一声异响，一支削尖的竹签闪电般划破夜空，深深穿透了老狗瘦骨嶙峋的身体，将它死死钉在了地上。街角尽头，几道人影如同幽灵般，无声无息地从黑暗深处浮现出来。

"咚咚咚咚……"

陈骁听见自己胸膛里面传来了一阵前所未有的巨大心跳声，他那双刚刚从袖管里面抽出来、原本干燥而柔软的手掌，瞬间又变得僵硬起来，掌心中间一层层的冷汗不由自主渗出，就像是抓着两条恶心至极的肥大蠕虫，又滑又腻。

他试图挪动脚步，好让自己站得更稳。但那双明明踩在坚硬路面上的脚掌，却偏偏又酸又麻，仿佛陷入一团湿乎乎软绵绵的烂泥当中，完全用不上力。

几个月前的清晨，他第一次杀人的时候，整个人都处于恍惚状态，完全是出自本能的极度愤怒，才挥出了砍向皮么儿脑袋的那一刀。

等他回过神来时，一切都已经结束了。

所以，当时的他感受到了一种类似于彻底解脱般的平静。

但今夜，却已经是完全不同的另一种情况了。

此时此刻的陈骁保持着绝对清醒。

他能够无比清晰地判断出，转眼之后，他和他的兄弟们就会与人展开一场刀对刀、枪对枪，骨头碰血肉的真正厮杀，在这个过程里面，他有可能杀死别人，也同样有可能会被别人杀死。

以前，每每怨恨攻心，在脑海中幻想起这种亲手报仇的场景之时，陈骁都会感到爽快和兴奋。可是，当事情真到了眼前，陈骁才猛然发现，无论是哪种结果，都足以让依旧年少的他体会到一种前所未有的慌乱与恐惧。

他甚至开始不由自主地想要移动脚步，移往身后的更黑暗处，好以此躲过所有人的注意力，也躲过这即将到来的可怕场景。

很多很多年以后，名震天下的天地会总舵主陈近南，经常会在心中问自己一个问题：如果当初那个无比寒冷的冬夜，他真的躲了，甚至转身逃掉，那么今天的一切是不是都会不一样？他会不会是一个更幸福的人，过着更好的生活？

陈近南从来没有给过自己答案。

因为，他答不出来。

那个时候的他，早就已经明白了一个道理：这个世界上，从来就没有如果。

有的只是，人生如棋，落子无悔。

所以，这一年，这一夜，孤儿陈骖终归还是没有躲、没有逃。

他只是看见，对面屋檐下，一个孤独沉默，俊秀如同女子，却又笔挺像是标枪的男人已经义无反顾地大步走向了街心。

严烟！

月光如银，大雪似絮。

冰冷的长街上，两帮人相对而立，没有一个人动，也没有一个人说话。

似乎连时间都已经停滞下来。

当眼前这帮无一例外都还带着几分稚气的年轻后生突然出现，并且挡住了前方去路的时候，走在流民最前面的方先就已经下意识地停下了脚步。

再过四个月，方先就满五十岁了，一个靠着劳力给人看家护院做长工的下人能活到这个年纪，他其实已经很满足。

第一次到张家，已经是三十七年前的事，那时他才十三岁，先是跟着老爷张金福，后来又跟了少爷张广成，这三十多年间，张家没有亏待他，他也没有对不住张家人。

这次南下逃荒到了九镇，老爷不幸惨死他乡，少爷发誓要报仇，目睹了一切的方先，二话不说就跟随左右。攻城那天，连只鸡都没有杀过的他，甚至还亲手杀死了一个守城的官兵。

方先没觉得有什么不对。

这个世界上的人，是分贵贱的。

他只是一个本本分分的长工，东家让他吃饱饭，他就要替东家卖命，这本来就是天经地义的事。

毕竟，人这辈子，没有什么比活着更大的道理。

可是，不知道为什么，今天一整天以来，方先却总是有些心神不宁，总是时不时地想起那个被他杀死的年轻官兵，大概也就和眼前这帮年轻人差不多大吧，下巴上才冒出了几根连胡须都算不上的长绒毛，在意识到自己必死之后，伸长脖子痛哭流涕的样子。

想着想着，方先心里就会产生一种说不清道不明的古怪预感，他总觉得自己再也回不了山西，回不了家了。

今天晚上，其实他不想来，他知道这是一场恶战。

但是，现在的局面连少爷都已经控制不住了。那个突然冒出来的叫作穿天猴的家伙，口口声声说做就要做绝，不然让这些九镇人回过神来，就算他们这些大老爷们还有可能跑得了，但女人孩子却一个都别想有活路。

凭良心说，方先不喜欢这个穿天猴，虽然少爷也杀过人，但他总觉得穿天猴和少爷不同，少爷心还是好的，可穿天猴的眼睛里面却永远都是阴沉沉的，就像是两把能够剜到人心里去的刀子，一看就不是善类。

不过，这个家伙说得也确实对。昨天难民们杀了那么多的本地人，现在双方的仇已经结大了，就算不为自己想，也得替家里的婆娘和孩子想想。

婆娘不识字，长得也不好看，但自从跟了方先之后，就任劳任怨没说过半句怪话，关键是还给他生了一个好儿子，虎头虎脑的，连少爷都说孩子聪明，还许诺说今后一定要好好培养他。

如果可以的话，方先真想现在就丢下手里这把刀，转身带着婆娘孩子，找一个小村庄，老老实实做一名庄稼汉，陪在他们娘俩身边，一家人其乐融融，安安稳稳地活到死。

可是这个世道，连老爷那么精明的人都丢了命，少爷这么大的本事也当了匪，他方先又哪里还有能力去保护养活一个家呢？

从山西老家这一路上走下来，娘俩跟着风里雨里吃了不少苦，没睡过一个好觉，昨晚才算是在江边占了一栋房子，有了落脚的地方。今天少爷来喊他出发前，孩子已经睡了，洗得干干净净，睡着大床盖着棉被，又暖和又舒服。

想到孩子睡梦中那种幸福的笑容，方先就觉得自己不管干什么也都值了。

毕竟，人一辈子，没有比好好活着更大的道理。

少爷本来是要带着方先一起去衙门口那边的，但实在是对穿天猴有些不放心，那个家伙现在也有了自己的一帮人，并不怎么听少爷的话。所以，少爷思来想去，觉得衙门口肯定是场恶战，为了留点人手以防万一，还是分了一批从山西来的乡亲，让方先带着走了这条小路。

少爷是片好心，以为这条路上不会发生啥大事，接到差事的时候，方先也有点愧疚，总感觉好像自己临阵脱逃了，最危险的时候没陪着少爷，不够厚道，但心里其实多少也还是有点庆幸、有点高兴的。

谁不想活着呢？谁又想杀人呢？结果没想到，所有的庆幸和高兴，都在对面那帮年轻人横空出现之后，化为乌有。

方先没读过什么书，但活到这把年纪，见过的人和事多了，自然也就学会了察言观色。

这帮年轻人绝对不好惹！尤其是最先走出来那个站得笔直、长得像姑娘一样好看的后生，他那种冷冰冰的眼神就已经说明了一切。

今天，这条路，不死人是过不去的。

因为，这种眼神，方先不是没有看过，而且这几天来，他几乎时时刻刻都能看见。老爷死了之后，少爷每到杀人时，就和面前这个年轻人一模一样，两只眼睛里面好像都是灰色的，没有一点情感，冷得瘆人。

"叔，干吧！我们人多。"

方先扭头看向了身边说话的家伙，也是一个二十出头的年轻人，叫六子。

在老家的时候，六子就是一个普普通通帮张家养羊的羊倌。山西狼多，六子打小就跟着大人练出了一手打狼的手艺，方才，路口那条老狗就是他杀的，说等下回去了好给大家炖锅香肉。

方先是看着六子长大的，从小这个孩子话就不多，但很有礼貌，每次见到方先都格外亲热，叔前叔后的，是个好孩子。没想到，直到昨天攻城的时候，方先才算是真正认识了六子。

数百个难民当中，这小子居然是最先爬上城头的人，一个人拿把竹签子硬生生戳死了三个官兵，下手之狠毒，完全不把人当人，招招都往人的心窝里捅。

这个世道，真是坏了。

想到这里，方先微微叹了一口气，回头望了望身后。

方先不想杀人，真的一点都不想。

今天晚上，少爷一共让他带了二十来个人，现在走进这条街上的还不到一半，他想再等等，等着后面的人都到齐了，人多势众，兴许那些年轻人就会被吓跑。

"再等等吧。六子，站在对面的那些不是狼，也是人哪。"

严烟缓缓抽出了腰边的佩刀，站在他身边的高壮也有样学样从后腰上掏出那把剔骨钢刀，却不知为何，手一松，刀子"当啷"一声掉在了地上。

清脆的金属落地声，传遍了整条寂静的大街，也传到了每个人的耳朵里。

高壮面色铁青，呆呆看着严烟。

严烟缓缓弯腰捡起了钢刀，扭头看了看身旁那几个同样是脸色发青、面露恐惧的伙伴，问道："你们怕？"

有人低下了头，有人涨红了脸，也有人挺起了胸膛，却没有一个人回答。

唯有高壮勉强说道："还好，不怕。"

边说，高壮边伸出手想要取回严烟手里的钢刀，扯了两扯，却发现刀子依旧纹丝不动地被严烟紧紧握在手里。

"你们不用怕，真的。我爹现在就不怕了，高壮，你爹也不怕了。等下，你别急！这把刀我会给你。然后，我就会冲过去！等他们杀了我之后，再过来杀你们，到时候，我们就都不怕了。"

所有人都默默看着严烟，尤其是极近距离之下的高壮，他清晰看见，在这位和自己谈不上有多亲密的老街坊眼中，居然有着一种明显的讥讽与嘲弄。

下一秒，又羞又愧的高壮突然觉得手上一松，低头看去，钢刀已经稳稳落在了自己掌心中，当他再次抬头时，一道孤独而决绝的背影，飞快跑向了前方。

长街上，响起了严烟震耳欲聋的怒吼："杀！"

高壮瞬间就红了双眼！

几乎就在严烟长喊出口的同一瞬间，长街尽头，一栋民房的二楼，几道从天而降的火苗在夜空中划出了美丽的弧线，跌落在街面，也跌落在了默默前行的难民群中。

瓦罐碎裂声中，冰冷长街上，烈焰四起，惨叫震天。

当亲眼看见烈火突然出现，烧在了乡亲们身上，也烧断了身后退路的那一刻，方先万念俱灰，目眦欲裂。

他终于不再犹豫，不再等待，飞快抽出了昨夜才缴来的一把长刀，同样仰天吼出了那个字："杀！"

话未落音，六子一声怪叫，像头豹子般极为敏捷地迎向了对面飞奔而来的严烟。

严烟在跑，六子在跑，方先在跑，高壮在跑……站在街心的所有人都开始了各自疯狂的奔跑。

两帮人马，如同是两股汹涌而至的潮水般，向着对方狠狠冲去。

而严烟与六子，这两个年龄相仿、同样狂暴的年轻人，则像是两股潮水的浪尖，在大潮汇聚之前的瞬间，已经重重对撞在了一起。

双手握紧竹签，腰部稍微后旋蓄劲，猛然发力的同时手臂伸直往前送出。

这是一个极为简单的动作，谈不上武术，也不需要修炼，每个四肢健全、身体强健的成年人都能够做得到，但是昨晚，六子却正是用这个简单的动作杀死了三名训练有素的官兵。

因为，六子也是个简单的人。

当他决定跟着少爷造反之后，就从来没有想过还能继续活下去，他甚至都没想过杀人。

他想的只有——拼命！战场上，很少有什么比拼了命的人更可怕。

而这个世界上，真正敢玩命的人，并不太多。他六子，却绝对算是一个。

所以，当竹签对着那个俊秀男人的脖子戳过去的一瞬间，六子无比自信地认为，自己的手底下马上又要多出一条人命了。

可惜，这一次，六子错了。

没有丝毫的躲避，也完全不曾招架，面对着那根笔直戳来的尖锐竹签，严烟就好像是根本没有看见一样，他微微侧过身体，甚至还主动将胸膛往前一挺，然后，就任凭六子手中那根竹签，深深扎入了自己的肩膀。

如果六子手里拿的是一根正宗的钢铁长矛，或者是严烟胆子稍微小那么一点，有一丝丝的退缩和犹豫，那么最后的结局，都很有可能是另外一回事。

只可惜，六子拿的并不是结实长矛，是易断的竹签，而严烟却又偏偏一点都不胆小。甚至，严烟都无所谓拼命不拼命。

他只是不在乎！

痛苦、死亡、自己的命、别人的命……他都已经不在乎，什么都不在乎！

他在乎的只有两点：让自己的身体更难受，以及尽可能地多杀人。

只有这样，才能让他的愧疚平息，才能让他的心灵好受。

如果说战场上，亡命徒已经足够可怕，那么，也许唯一比亡命徒更可怕的，就是求死之人。很不幸，亡命徒六子却刚好遇到了一个。

剧痛传来的那一霎，严烟甚至连停都没有停一下，他拼尽全力飞奔而来的速度也实在太快，几乎是竹签刚刚入体的同时，严烟整个人所产生的加速度就已经瞬间逼弯了那根尖锐却纤细的竹签。

就在"啪"的一下竹签折断声中，严烟的整个身体也紧紧贴到了六子的跟前。

下一秒钟，六子突然觉得从自己大大张开的嘴巴里面传来了一种极为奇怪类似于铁锈的味道，又苦又涩。六子努力地想要低下头去看看，却发现自己的脑袋居然完全动不了了。然后，他感受到了一种刻骨的寒冷，一直冷到了心底最深处的每一个角落，冷得他整个人都情不自禁像是筛糠一样抖了起来。

仰面倒下那一刻，六子看见了他在这个世界上的最后一幕场景：他看见一把雪亮的钢刀从自己的嘴巴里面抽了出来，在刀锋和嘴巴之间，扯出了一道又一道红白交错的长丝。

红的是血，白的是涎。

透过这些红红白白的血和涎，那个面貌俊秀如同女子的男子手腕一沉，钢刀再次深深扎了下来。

男子四周，无数道人影狠狠撞在了一起……

"骖哥，走啊！骖哥，上啊！"

陈骖呆呆看着眼前血腥而恐怖的一幕幕，脑海中似乎有着无数念头闪过，却又似乎空白一片。

就在几米开外的街道上，他看着严烟一刀又一刀地捅进了一个人的嘴里，将那个人的半边下巴都几乎切了下来；又看着高壮等所有的兄弟都陷入重围，刀剑加身；他还看见，远处街口的烈焰当中，宁爽文挥舞着管杀，披头散发如同魔神出世般一路浴血，步步惊心地杀了过来。

这一刻，陈骖想不起自己梦了多年出将入相重整河山的远大前程；也忘记了父母惨死火场的刻骨仇恨；他甚至都有些搞不清楚，此时此刻自己身在何处，又为什么要来到这里。

他只是如同泥塑石雕般，一动不动，傻傻看着眼前一切。

"洪二，走啊！他妈的，烟娘子他们不行了！走啊！洪二！"

身体上传来的震动越来越明显，身旁好像一直有着某人的说话声，隐隐约约，近在耳旁，却又仿佛远在天边。

终于，陈骖一屁股重重地坐在了地上。

这一下，屁股上的剧痛让他稍微清醒，他意识到原来身体的震动是被人推的，而现在，这个人干脆将他推倒在了地上。

陈骖抬起头来，看见了小姚的脸，他不知道小姚为什么要推自己，但是这个永远跟在宁爽文身后，向来对他尊敬万分，喊他"骖哥"的小姚，此刻脸上却带着明显的鄙视与唾弃。

"没卵用！不管他了，我们上。"

一口痰狠狠吐在了陈骖的脸上，耳边传来的清晰说话声让陈骖越发明白了几分，他隐隐约约想起，自己今天是来做一件很重要的事。

但究竟是什么事呢？

茫然中，陈骖抬头看向了小姚几人远去的背影。

九

涅槃重生

小姚大喊着跑向了街心，就像是一滴小小的水珠，正在奔向汹涌的洪流。

就在他刚刚要融入到那群黑压压的人影当中的时候，突然从旁边的另一堆黑影里面也跑出了几个人，最前面的那人转眼之间就已经跑到了小姚的身边，手臂一挥，夜空中，只见寒光一闪即逝，极近的距离下，脱手而出的钢刀，深深没入了小姚的后背。

奔跑中的小姚，那原本鲜活而充满力量的身影突然就停了下来，他反过一只手臂想要拔出后背上的刀，却怎么也够不着。

于是，他只能缓缓扭过头，无比绝望地看向身后。

目光在空中相遇，陈骖猛然一抖，小姚看的居然是他！

陈骖下意识想要站起来做点什么，可还没等他完全起身，却已经看见那个甩刀的男子飞身而上，搂着小姚一起狠狠摔向地面。

那个人翻身骑坐在小姚的腰间，双手抓住了小姚头顶的长发，将小姚脑袋高高抬起，又重重砸向街面，再抬起，再砸下……

鲜红的血液如同喷泉一般飞溅而出，喷了那个人满身满脸。

地上那层原本洁白的积雪，很快就变成了一堆红红白白混在一起、乱七八糟的泥浆。

小姚死了？

小姚死了！

上街姚篾匠的小儿子，宁爽文的小跟班，喜欢喝酒，喜欢听书，还做得一手好风筝，每次见面都会喊他"骖哥"的那个小姚，死了！

他死了，爹死了，娘也死了，严烟呢？宁爽文呢？

哦，他们还没死，可他们是不是也快死了？

那么，我呢？

我为什么还活着？

我活着干什么？

因为，我还没有报仇！

当最后那个念头电光石火般在陈骖的脑海闪现出来之后，所有曾经纠缠着他困扰着他的情绪似乎都变得不再重要。

这一瞬间，陈骖的心中突然就没有了恐惧，没有了慌乱。

他回想起了与父母在这短暂十八年间的一幕一幕：第一次跟随父亲去常德看灯会，母亲温婉好听的笑声，父亲的肉档，母亲的葱油面，父亲被烧到骨肉分离的手臂，母亲那面黢黑变形的铜镜……

渐渐地，陈骖的口中就开始喃喃念起了陈家祖祖辈辈传下来的那个口诀：

"莫与犯人交头语，不理人犯攀亲故，莫视目。斩鬼刀下是死人，寿尽阳间路……"

在一串串诵读声中，陈骖摊开双掌，在棉布衣服上反复擦拭着，直到确定掌心的汗渍已经完全揩干之后，他又开始如同弹琴一样地上下活动起了十根手指……

与此同时，早就背到滚瓜烂熟的口诀，在陈骖的口中被诵读得越来越快，越来越快……当口诀骤然停下的一刹那，陈骖十指猛然握紧，再松开，反手伸向了背后长刀。

下一秒，他狂吼着冲出了路边。

长街、民房、飞雪、夜月，飘浮在空中的浓浓血腥味，厮杀成一堆的人群……整个世界如同散焦的光圈，在陈骖眼中渐渐模糊，消失。

那一刻，除了咫尺开外，那位满身鲜血、刚刚从小姚尸体上爬起来的中年男子之外，陈骖的眼中再也看不到任何其他的东西。

这是一张再平凡不过的面孔。

正当壮年，却也已经走向了生命的最后阶段：风霜在枯瘦的脸颊上，刻满了细密而深刻的皱纹；头发依旧黑亮，却已经开始稀疏；裸露的手臂依旧强壮，却已经没有了青春的光泽。

如果不是脖子上因为呐喊而暴出的青筋，和双眼中那无比癫狂凶狠的神色，这个男人，一如平日街头，那些过往路人般普通。

他有着和陈骖父亲相差无几的年纪，他也应该曾经和陈骖的父亲一样，有着自己正常的生活，有着自己深爱的妻子和儿女。或许，他也从来没有想过，会在这一夜，这一刻，出现在这条鲜血淋漓的长街。

只是，这一切，无论陈骖，还是那个男子，他们都已经没有机会去想了。

仇恨、生存、欲望、尊严，随着人们体内疯狂分泌的肾上腺素一起涌出，编成了一张无形的大网，网住了这条长街上的每一个人，容不得逃，也容不得想。

唯一留在人们脑中的只有：

杀！杀！杀！

陈骖赶到男子身旁的时候，男子才刚刚来得及转头，当手中那把已经沉寂了百年的天王斩鬼刀狠狠劈在了猝不及防的男子身上的一瞬间，陈骖看见那个血流披面的男子脸上，居然嘴角一动，露出一口森森白牙，对着自己笑了起来。

那双浑浊不堪的眼睛中，在最初一刹那的惊恐过后，就只剩下了无穷无尽的嘲讽，似乎是在嘲讽这人不像人、鬼不像鬼的尘世。

方先缓缓探出手掌，硬生生将那把嵌入了自己半个脖子里面的钢刀拔了出来。然后，在阵阵锥心刺骨的剧痛中，他用尽最后一点力气，努力地扭过身体，望向街口的那片大火。

穿过大火，出了这条巷子，就是大街。顺着大街往西走两百米，就是沅江。沅江边，有一栋昨晚才属于他的两层小楼。小楼里面，他的妻儿，应该睡得正香。

原来，自己的预感并没有错。真的再也回不到山西，回不到故乡了。

下一秒，方先身子一软，如同一个被突然倒空的米袋般瘫往了地面。

摔落在地的那一刻，方先发现，自己想起的居然不是娘子，不是儿子，而是少爷口中经常唱起的那两句古老戏文：

"五花马，大霜刀，谁家旧人葬边关，谁家新人笑；莫念乡，乡已渺，悔叫夫婿觅封侯，天涯路迢迢；男儿百战谁不死？待来年，何人又挎大霜刀……"

陈骖瘫坐在地面上，大口大口呼吸着冬夜里的冰寒空气，剧烈起伏的胸膛中就像是塞进了一口又破又旧的大风箱，随着每一次呼吸，都会发出一阵"咝咝"的闷响。

长街上的这一战已经结束了，虽然不远处的衙门方向，依然有着震天彻地的厮杀声在一阵紧接着一阵传来，但是，这一战，毕竟已经结束了。

亲手杀死了那个中年人之后，接下来的所有细节，都已经从陈骖的脑海里面彻底消失。

他唯一记得的是，自己一直都在挥刀，落下，再挥刀，再落下，再挥刀……这一切，在此时此刻的陈骖心中回想起来，都好像变成了一部黑白默片，没有哭，没有笑，没有一点声音。

陈骖很累，在经过一场生死立见的搏杀之后，无论是谁，都会很累，但同时，陈骖也很亢奋。这个夜晚，注定还很漫长。

为了完成对陈骖的承诺，性格决绝的严烟在包扎好伤口之后，就不顾阻拦带两个人跑去了衙门口探听动静。假如让他查出了那个叫作穿天猴的男人到底身在何方，那么，片刻前才经历过的杀戮，就注定会再次上演。

陈骖深深吸了一口气，抬头看天，周围人群里所发出的细碎交谈声、痛苦呻吟声，似乎近在耳旁，却又好像远在天边。外界所有的景象都变得虚无缥缈、遥不可及，唯有天上那一轮皎洁明亮的虚空夜月，和手上那把坚硬冰凉的长刀，让他有了一种突如其来血肉交融的真实感觉。

在生死立见的强烈刺激之下，在血脉偾张的杀戮过程中，当度过了最初那股源自人性本能的恐惧之后，陈骖，已经在这个深夜涅槃重生。

他忘记了书里所学的圣贤之道，打破了良知与道德赋予的重重桎梏，一次一次的杀与被杀中，他甚至都淡漠了作为人的一切准则。

但是，他也发现，自己终于再次找到了那种渴望已久的平静。

在这大战之后的短暂间隙里，心如止水的他莫名其妙地突然就想起了一个故事。

一个很久很久以前，从书上看来的故事。

那是一个寂寞而萧瑟的秋天黄昏，有位饥饿、困顿、孤独的旅人，在无边无际的荒野中赶路。突然，他发现了路边上有着一片片白骨，随后，又传来了老虎的吼叫声。旅人顿时明白了白骨从何而来。于是，他舍命奔逃。当他感觉筋疲力尽，终于支持不住准备放弃的时候，却发现了一口枯井。旅人毫不犹豫地跳了下去，在下降的过程中，看到井底居然布满了毒蛇。幸好，枯井里有一棵横生在井壁之上的树挂住了他，将他悬在了半空。旅人抓紧树枝，刚想松口气，却又听到了一阵"嚓嚓嚓"的声音，他循声看去，顿时被吓得手足酸软。原来，在树枝的尽头，有一黑一白两只老鼠，正用牙齿不断地啃咬着树枝。随着"嚓嚓"声越来越密集、越来越响，旅人和树枝的生命都已经是危在旦夕。

就在这个时候，旅人发现在他面前很近的地方，有一片树叶，和一滴粘在树叶上晶莹发亮的蜜糖。

那一刹那，旅人忘却了饥饿与恐惧，忘却了头顶的老虎、脚下的毒蛇，以及啃咬着树枝的老鼠，他凑近树枝，闭上眼睛，专心致志地舔起了那滴蜜糖……

曾经有一次闲聊，陈骖和梁老夫子谈起了这个故事。

梁老夫子问他懂不懂其中的意思，陈骖摇了摇头。于是，梁老夫子告诉他，这个故事，就是人生的真相。

旅人，就是活在尘世间的每一个人本身；无边无际的荒野就是各自孤独寂寞的人生旅途；寂寥的秋天黄昏是指人类永远都不能做到心灵完全交流，不能彼此了解透彻的孤独感；白骨，就是在人生旅途中，亲人朋友的离别；老虎，则代表着自己本身的死亡；松树，是名利金钱感情等这些东西，它们让你体验到活着，却永远都不会让你带走；挂住的那根树枝是指"会不会，到底还会不会，这次我还会不会死、会不会输"的那种自欺欺人的心态。过去的生命已经过去，未来的生命，我们却要靠着这种心态来活。老鼠，是白天与黑夜，它们每时每刻都在蚕食着人的生命；蜜糖，说的则是我们每个人的欲望。

梁老夫子最后说，那一滴蜜糖是虚无的，它的存在抵挡不了死亡与苦难的降临。所以，为这一滴蜜糖的甜蜜而忘却一切，是愚蠢的行为。

当时的陈骖，对于梁老夫子可以从一个小故事中说出如此深刻的道理，佩服到五体投地。

可是，今夜的这场血战，却已经彻底改变了陈骖。

关于这个故事，陈骖已经有了另外一番属于自己的解析。

生命是如此的痛苦和漫长，功成名就转眼已是浮云飘散，一生所爱顷刻化为黄土，就连行走在这段旅途的本身，我们都无法保证是否一定能够看到明天的阳光。

既然只能一直向前，而前面将会遇到什么、发生什么，都不可预知、不可控制。

那么，何不索性活在当下，在唯一可以掌控的当下的时间中，心无旁骛地去追求、去品尝那滴蜜糖的甜美，去享受生命在刹那间所散发出的灿烂光芒？

这就是，生命的全部希望和意义。

这个突如其来的故事，如同醍醐灌顶般让陈骖猛然意识到，其实，他并不完全像是自己一直所想的那样邪恶可怕。

曾几何时，杀掉皮幺儿之后的那种平静心态，让他万分恐惧、百般自责，他用尽一切办法禁锢着自己，生怕自己会变成一个嗜血残忍的变态杀人狂。

可就在这个寒冷的冬夜，大战方休、精疲力尽的陈骖突然明白了。

原来，他一直都只是一个悬在枯井里的人，而困扰着他、纠缠着他的那种平静，正是那一滴蜜糖。只有在那种刀刀见肉的疼痛里，生死立见的刺激下，快意恩仇的爽快时，他才能真正做到忘掉心底所有悲伤苦楚与迷茫，全心全意投入到眼前真实存在的那一刻里面。

人生如棋，落子无悔。在各自的生命旅途上，一切都已注定。

既然如此，陈骖注定会成为拔刀见血的陈骖，也只有老梁，才会成为郁郁寡欢的老梁。

"洪二，你……你没有事吧？"

耳边，好友宁爽文关切的问候，将陈骖从沉思中惊醒过来。

小姚死了，鲁大福死了，严烟肩背都见了血，其他兄弟也都或多或少地负了伤，唯有陈骖和宁爽文两人，在一场如此惨烈的搏斗之后，居然都是奇迹般地毫发无损。

尤其是宁爽文，陈骖至少还曾经被人推翻在地，额头脸上都扭打出了几处狼狈不堪的乌青，宁爽文却浑身上下干干净净，似乎连汗毛都没有掉落一根。

片刻前，一管杀劈死了那个压在陈骖身上的难民，并且将陈骖从泥地上拉起之后，宁爽文就已经仔细检查过陈骖浑身上下的每一处地方。

所以，当宁爽文再次走过来，问出上面那句话的时候，陈骖明白，宁爽文关心的，并不是他身体的伤势。

陈骖颇为感激地看了宁爽文一眼，柔声道："没事，文伢子，我蛮好。"

"洪二，你……你真的没事？我看你一个人坐在边上，话也不说。如果你心里真有什么不舒服，你就说出来啊，不要憋在心里。你……你刚刚确实有点……呵呵，洪二，我们一直都晓得严烟是个癫子，我还真没想到，你发起狠来居然比他还癫啊。但是，兄弟，听我一句，别想多了，这一架我们要是输了，这些人杀我们的时候估计还要更狠，他们该杀！"

"文伢子，是你想多了，我真没事。"

"那，是小姚和大福吗？洪二，这就是命，自己选的，这一次是他们，下一次说不定就是我，就是你。要死卵朝天，不死当神仙，出来混，本来就是各安天命。"

面对着宁爽文关切的追问，陈骖心中一阵温暖，摇了摇头，轻轻拍了拍身边地面，示意好友坐下。

两个人肩靠肩地坐在冰冷的街边，宁爽文颇为狐疑地再三打量了陈骖几眼之后，终于忍不住再次开口说道：

"洪二，虽然都是一起玩到大，但是，严烟什么时候快活，什么时候烦躁，我大概都能摸个清楚。可有些时候，我真的不晓得你心里在想些什么。今天的事，是烟娘子莽撞了，要是我，我根本就不会告诉你。你本来就是个读书的人，这些事本来就不是你应该做的，你偏生要做；我明明看得出来你怕，你真杀起来了却又比我们任何人都狠；现在我以为你心里多少会有些过不去，结果，你又告诉我你没事。洪二，你能不能给我讲一下，你这个脑壳里到底是在想些什么？"

"文伢子，没什么，我只是无缘无故就想起了很久之前，老夫子曾经给我说过的一个故事。"

"老梁？这个时候你怎么会想起他了？哪个故事？你讲讲。"

就在陈骖下意识想要把心中所想的一切脱口而出，告诉身边这位至交好友的时候，他的心底却突然响起了另外一种声音。

几乎是转瞬之间，陈骖就选择了听从这种声音的召唤，将已经冲到嘴边的话语，硬生生吞回了肚里。

他只是微微摇头，冲着宁爽文淡淡笑了一笑。

宁爽文呆呆看着陈骖，在月光映照之下，陈骖眼中那两颗本就乌黑明亮的眸子，越发显得深邃沉静，如同看不到底的深渊。

那一刻，面对着这个从小到大、熟悉无比的好兄弟，宁爽文头一次感到了某种怪异之极的陌生。

正当他准备再次开口，缓解一下这种令人尴尬的沉默之时，"啊……"一声凄厉的惨叫刚刚响起，却又戛然而止。

两人闻声看去，通往衙门口方向的那条小巷子中，一道人影以极快的速度，对着两人所处位置狂奔而来。

严烟！

"咚、咚、咚……"

方才平息了片刻的心跳，在陈骖的胸膛里，再次剧烈跳动起来，强烈的不祥预感中，他扭头看了身边宁爽文一眼，恰好宁爽文也同样扭头看了过来。

那一刻，两人都从对方的眼中看出了前所未有的慌乱与紧张。

正当他们不约而同从地上跳起，想要举步迎上去的那一刻，几米开外，严烟已经一边疯狂挥舞着手中那把鲜血淋漓的长刀，一边声嘶力竭地大喊起来：

"走！走！走！洪二、文伢子，走啊！"

"烟娘子，怎么了？"

说出这句话的同时，陈骖本能地伸出手想要搀扶一下已经跑到了身前的严烟。

他的手只伸出了一半！

就在刚刚触及到严烟衣服的那一刻，陈骖却像是被点中了穴道一样，整个人都突然停顿下来。

越过严烟的肩膀，他呆呆看着前方不远处的那条小巷，两眼越睁越大。

"走啊！全都走啊！城破了！"

擦身而过时，严烟大喊着，根本没有一点停步的打算，反而抓住陈骖的衣袖，猛地一把将他扯得踉踉跄跄跑了起来。

"不要走那边，不要走，那头也来人了，跟我来，走这边！去排帮！"

在宁爽文声嘶力竭的吼叫中，长街两头，数都数不清的敌人，如同蝗虫般纷纷涌了出来。

十

衙门兵败

　　酉水、辰水、巫水、潕水、锦水，五溪自西往东，流淌千里，在九镇西边的伢儿坟山汇聚之后，并入沅江。因此，民风极为彪悍雄健的九镇，也被外人称为"五溪之地"，而当地人则被叫作"五溪蛮"。

　　打数百年前起，在祖祖辈辈的共同努力之下，从九镇开始，上抵云贵川，下到洞庭长江，这一条漫长水路上的货物运输，几乎都被这帮五溪蛮子掌控在了手里。无论是明面上的黔贵木材、乾州柚子、安江桐油、麻阳漆器、东山茶叶，还是官府严令禁止私运的巴蜀井盐、滇边火器、川贵镖铁，乃至近二十年来隐隐开始有越来越泛滥之势的烟草鸦片，甚至是妇女幼童。

　　只要想经过这段沅水进入八百里洞庭的货物，只要能赚到钱，就没有这帮靠水吃水的蛮子不敢管、不敢干的。

　　所以，九镇的码头一向都是极为繁忙。

　　有句老话说得好，天下熙熙皆为利来，天下攘攘皆为利往。

　　九镇码头做出了名气之后，三教九流五湖四海赶过来想分一杯羹的人越来越多，渐渐地，这些人里面，也就划分出了大大小小的团伙帮派。

　　听老人们说，曾经有些年间，九镇码头上，官府的、民间的，苗人、汉人，九镇人、外地人，甚至是山匪路霸、各路神仙之间，常常隔三岔五地只是为了一船货物的运输装卸，就会发生流血冲突，不仅断手断脚是极为寻常的小事，时不时地还会出现某个帮派的带头大哥突然就失踪了，过好些天之后，才在下游某一处水缓滩浅的地方冒出一具已经被泡到发白的无名尸体。

这种混乱的局面一直持续到了五六十年前，九镇那帮靠水路讨生活的人里面出现了一个叫作胡老四的人。据说胡老四虽然没读过一天书，但天生极为聪明，手段又够狠，很快就将九镇本地那些各自为营的水上兄弟纠集到了一块儿，再经过几十年的苦心经营，死伤无数，就连胡老四自己也付出了一只手一只脚的代价之后，这才将其他外来势力驱赶得一干二净。从此以后这条水道也就变成了现如今由九镇人独霸一方，决不允许旁人染指的局面。

而这些靠着竹排在沅江上讨生活的九镇人，尝到了抱团的好处之后，彼此之间自然联系越发紧密，几十年的日积月累下来，最后终于形成了一个规矩森严的秘密地下组织。

由于他们驾排时，常年都是敞着衣服，露出黝黑结实却又瘦骨嶙峋的胸膛，所以，外人们通常称呼他们为"排古佬"。

而在他们自己的口中，则被叫作——排帮。

排帮在自己控制的九镇码头上，有两个仓库，平日里常年堆放着一些各地商家来不及马上运走的货物。现如今战事日烈，沅江上的军用民用物资运输随之日趋频繁，这两个仓库里面堆积的各种粮草布匹兵器等紧俏物资，也比往常多了很多。

有些时候，仓库里面实在堆放不下了，排帮的人甚至还会把一袋袋马上就要运走的物资露天堆放在码头上。这对于九镇街面上那些饥肠辘辘的难民而言，无疑是一种莫大的诱惑与挑衅。

不过，自从难民蜂拥而入，九镇世道开始变乱之后，排帮的人出入就已经全部都带上了刀枪棍棒等各式家伙，一直都被视为排帮总部的码头，就更是戒备森严。

所以，这大半年以来，虽然九镇已经开始四处动荡，但排帮控制的范围内，却还始终保持着相对的平安。

可是，张广成血洗九镇的前两天，排帮这一代的龙头大哥宁中受到朋友邀请，突然带着大部人马去了常德府，据说是要做什么大事。

结果，颇有头脑的匪首张广成在破门入城之后，什么地方都不去，径直率领自己的核心人马，几乎是第一时间就以迅雷不及掩耳之势攻进了九镇码头，虽然排帮留守成员竭力抵抗，码头却依然被难民们在极短时间内攻陷。

也正是因为张广成掌握住了码头上的粮草和小部分军械，投靠他的人才越来越多，声势越来越大，才最终导致了九镇官兵的勉强自保、无力还手之势。

排帮二少爷宁爽文从小就在码头上长大，对于码头上的一切，他都了如指掌。

当严烟将衙门口兵败的消息传来之后，他立马意识到，如今的九镇已经彻底沦陷成了一座死城，两道城门，西边的昨晚就已经被流民攻占，东边的则被官兵用石头彻底封死。现如今想要逃生，就必须出城，可想要出城的话，唯一的机会就是去码头，走水路。

当然，码头上的大小船只肯定已经全被流民占据。

但是，流民们不会知道：从码头前的那片空地往左，有一条六七米宽直通沅江的水渠。渠上有座小小的石拱桥，就在紧靠着石桥的一座极为普通的吊脚楼楼板底下，长年累月都捆绑着一只竹排。编制竹排所用的每一根毛竹，都是经过精心挑选之后，再用桐油浸泡过的，结实耐用，完全可以受得住十来个人的重量。

这个秘密，全九镇只有两个人知道。

一个是宁爽文；而另一个，就是当今排帮掌舵龙头，宁爽文的堂哥宁中。

这是吃惯了刀口饭的宁中为了以防万一，给自己留下的一条退路。

当长街两头突然涌现出了大批暴民之时，本来就思维敏捷的宁爽文在走投无路之下，立马就想起了这个秘密。

宁爽文有着足够的自信，只要他们兄弟能够扛到那座石拱桥下，那么凭着他多年以来跟在堂哥身后风里来雨里去纵横八百里洞庭的水上道艺，他就一定可以带着兄弟们逃出生天。

所以，在那千钧一发的关头，他才会当机立断带着大家从一条小岔道，跑向了码头方向。

喊杀声越来越远，越来越小。

在赶来的路上，陈骖兄弟几人也曾经遇到过几拨起事的难民，人数太多的，他们就悄悄避开；凡是一个两个落了单的，全都被严烟宰掉了。其中，又有三个兄弟在厮打时被冲散了，此时此刻究竟身在何方、是好是坏，没有人知道，就只能如同宁爽文常说的，各安天命了。

漆黑的巷子里，如今已经只剩下了陈骖、严烟、宁爽文、高壮四人，借着对地势的熟悉默默前行，飞快地朝着镇西已经落入暴民之手的江边码头赶去。

在到达之前，兄弟四人已经做好了一切心理准备，他们一致认为，身为粮草重地的码头上，肯定也是布置了重兵。

所以，他们并不准备硬拼。

他们只是想看看，有没有机会无声无息地潜入到那座吊脚楼里。

但是，当他们终于走到了龚记米店旁边那条正对着码头入口的巷子里，躲在暗处看向对面时，他们却看到了万万不曾料到的一幕。

码头位于镇西，从昨天开始，镇西就已经沦陷到了张广成那帮人的手中，该抢的东西抢了，该杀的人杀了，该占的房子也已经占了。按道理说，此时此刻，就算镇东还是乱象四起，但杀戮范围肯定波及不到码头这边，镇西区域应该早就已经获得了暂时的安定与和平。

可是，此时此刻，偌大的码头上，除了十来具横七竖八躺在地面上的尸体之外，居然空空荡荡的，不见一人。

战斗显然刚刚结束，随着阵阵江风吹过，空气中还能明显闻到一股极为浓烈的血腥气。

看着眼前一切，陈骖很疑惑。那些姿势各异的尸体无一例外，全都是一副衣衫褴褛、邋遢不堪的难民模样，怎么看都不像是九镇本地人。

可如果都是难民的话，那么他们是被谁杀的呢？

陈骖扭头看了看身边的三个兄弟，严烟低着头，散乱的长发遮住了他的面容，不知道是在想些什么，而宁爽文和高壮的眼中则同样都充满了浓浓的诧异和疑惑。

大家面面相觑着，一时之间，并没有人说话。

片刻过后，严烟手腕一抖，挥刀割下了一片衣角，又将衣角裁成了两块布条。

接着，他抬起头来，先用一根布条将凌乱的头发绑好；然后，再用另一根布条，缓慢而仔细地把刀柄和手掌紧紧捆死在一起。

做完这一切之后，严烟看着陈骖三人，露出了一整天内从未出现过的微微一笑，笑得极其温和，就像是以往无数个阳光明媚的春日里，他们兄弟几人一起坐在神人山顶，幻想着长大之后的种种美好之时，严烟曾经出现过的那种笑容。

然而，笑着笑着，严烟两眼当中的神色却似乎变得愈来愈冷峻，最后居然流露出了一种如铁似钢的决绝之色。

下一秒钟，严烟嘴巴张开，小巷里响起了他低沉缓慢，却又不容置疑的说话声：

"我先去，如果等下万一有事的话，我会往另一头跑，能带走多少人是多少人，你们抓到了机会，就赶紧下水。"

话音未落，严烟已经一把扯开挡在身前的宁爽文，举步走往巷口。

"严烟！"

"烟娘子！"

两声急促而低沉的呼喊几乎同时响起，靠得最近的宁爽文一把扯住了严烟背后的衣裳。

严烟背对着大家，默然站立两秒，缓缓转过身来，面带微笑看着其他三人，再次开口说道：

"衙门口被打垮的时候，我就在现场，我亲眼看到了一切。不是我们九镇的兵胆子小，实在是那帮杂种个个都不要命，就像是蚂蚁一样密密麻麻地扑了上来，怎么杀都杀不完、杀不退。死了一个再上一个。那个张广成，也的确算是有种，从头至尾，他始终都冲在最前头，喏，这一刀，就是我想过去阴他的时候，被他砍的。这帮人连自己的命都不要，你觉得他们还会在乎我们的命吗？现在九镇已经没得官兵了，没得人可以救我们了。这条巷子躲不了多久，再拖下去，我们全都会死的。如果还有人活着，至少今后逢年过节，我和我爹的坟上，还有个人帮着烧香点蜡、送点纸钱。但是我们全部都死了，那就连仇都没得人报了！

"再说，我根本就无所谓，真的！洪二，你还有大好前程；爽文，只要你哥还在，今后说不定老子的仇就要靠你们来报；就算你，老高，你不也还有一个寡妇吗？你们都有事要搞，我无所谓了，我已经杀了七个人，只要再杀两个，我、我爹、老李，我们三条命抵九条，一赔三，不亏！何况老子也不一定就真的会死，说不得运气好我就和你们一起跑了。"

从小到大，严烟就是一个话很少的人。

陈骖、宁爽文、严烟兄弟三人在一起的时候，往往是宁爽文说十句，陈骖说三句，都还不一定能够听到严烟开一次口，上一次听他说这么长一段话，已经不知道是猴年马月的事了。

但是，这一回，当严烟少有地说了一大通之后，其他两人却是面色各异，都没有作声。

倒是一旁的高壮，牛高马大的汉子居然已经红了眼眶，嘴巴张了又闭，闭了又张，好不容易挤出的短短一声"烟娘子"，语气中竟然已经带有了明显的哽咽。

"文伢子，松开！总要有人走在前头看情况的。"

宁爽文默不作声地看着严烟，抓着严烟衣服的手，却依旧一动不动。

严烟一摆胳臂，狠狠打在了宁爽文的手腕上，冷冷喝道："松开！"

宁爽文被吓得一个激灵，下意识地想要松手，却又立马反应过来，抓得更牢。

就在这时，始终沉着脸不开口的陈骖突然上前，扒开了宁爽文的手掌，连看都不看严烟，只盯着一脸不解的宁爽文说道：

"爽文，松手，让他去，菩萨不救作死的人，他自己想死，我们就莫要拦他，你拦也拦不住。"

陈骖一句话出口，不只是宁爽文、高壮，就连向来冷如冰雪的严烟都彻底呆在了原地。一时间，所有人都反应不过来，个个脸色尴尬不知如何是好。

严烟洁白光润如同女子的俊脸上，先是通红，又变得铁青，最后又换成了通红，当红色越来越浓，终于面如充血般的一刹那，严烟一言不发，扭过头，就要再次举步。

就在同一时间，陈骖的声音再次响起：

"文伢子，你和高壮怎么做，我不管。不过，我就先走了。烟娘子，你不怕死，我也不怕陪你，一起去。"

严烟刚要抬起的脚掌如同被人用钉子钉在地面一样，硬生生地停了下来。

陈骖一手提刀，一手扒着严烟衣服，边往前拖边不断催促道：

“走啊走啊，我们不是兄弟吗？你不是最听我话吗？怎么了？你是不听我话了，还是觉得我们不是兄弟，不应该一起死？走！”

严烟依旧无比倔强地站在原地不动，只不过，那颗就算是面对着竹签和钢刀都永远高昂的头颅，却不知为何渐渐低了下去。

宁爽文见状不对，赶紧上前死死掰着陈骖的手腕，挡在了陈骖与严烟之间，连声说道：“洪二，洪二，哎呀，烟娘子，你也是，你这样做，当我们是什么？洪二，你先松手，我们慢慢讲。”

“文伢子，你别管。”

陈骖松开手，在宁爽文刚刚松下一口气的时候，却又猛然抬腿，狠狠一脚端在严烟的腰边，将毫无准备的严烟端翻在地面。

然后，在大惊失色的宁爽文和高壮两人刚想过来拉劝的时候，陈骖一把推开二人，提起手中斩鬼刀，刀尖指向严烟，冷冷说道：

“从小到大，你就是这样。读书，老夫子说你不是读书的料，你就干脆不读了，怎么劝都不听。现在，这种关头，你居然还和我们摆这个狠，你狠什么？你真狠，你就杀光这些畜生，把九镇抢回来！你爹死了，老李死了，那又怎么样？偌大的九镇，现在有几家屋里没死人？我爹娘的骨头都可以拿来敲鼓了，你知不知道？

“从今天下午开始，我就觉得你不对，你就是一门心思想玩命，想找死！严烟，你好生想下，你爹养你这么大，是不是让你到这个世界上来早死早超生的？你对得起谁？你冲出去，你冲出去又怎么样？我陈骖就怕这个？文伢子就怕？我们就该不义气，看着你死掉自己跑？来，你站起来，你去，你今天好好狠给我看一回。我陈骖说到做到，今天陪你到底！”

小巷里，一片安静，长长的一段话，说着说着，陈骖突然就有些情绪上来想哭，赶紧一口气说完之后，闭上嘴巴大口大口地呼吸起来。

严烟还是一如既往地一言不发低着头。

但是，月光下，所有人都能够清晰看见，这个向来暴烈极端、决绝如铁的男子，此时此刻，两个肩膀居然在剧烈地耸动着。

宁爽文走过去，搂着严烟刚想开口安慰，严烟却手臂一挥，倔强地抬起头来，赫然已经泪流满面：

“洪二，怎么办？死也不能死，活又不让人活，你告诉我，我们到底应该怎么办？我爹还有床草席裹着，老李，连尸体都没了，洪二，我该怎么办啊……"

陈骖伸出手掌，月光从他的头顶照下，在他身体上泛出了一层朦朦胧胧的光晕。

严烟坐在地上，抬头仰视着这位生平最为信赖的好友，一时间，居然有了种如见天神般的奇怪感觉。

"起来，没有说不能死，只是要你不逞能。起来，我们兄弟一起闯过去，到这一步没什么办法想了，路就在前面，走不走得通，听天由命。要死卵朝天，不死当神仙！你们陪不陪我？"

严烟握住陈骖的手，一跃而起。

半空中，另外一只手掌也飞快搭了过来。

"那就一起死。我比你们强，家里还有一个大哥，养老送终、帮我报仇，都有人。烟娘子，你哭起来比窑子里的姑娘还好看。哈哈哈。"

友谊、义气、豪情，千古以来，这三样最能打动男人心肠，激发男儿热血的东西，在手掌相握的三人胸中翻滚激荡，六只眼睛相互对视，却再也没有一个人说话。

不必再说话。

因为，每个人心中的所有感动、所有炙热，都在这一刻坦诚无比地展露在彼此眼前。

所谓生死与共，大概也就莫过于此了吧。

身为排帮小字辈的高壮看着眼前这幕，努力克制着自己内心的激动与羡慕，一只宽厚的手掌动了又动，动了又动，却终归还是没敢放在那紧紧相握的三只手掌上面，而是默默转身，有些黯然地想要走到旁边。

"高壮，以前不熟，今天过了这一夜，你还见什么外？都是兄弟，过来吧。"

"老高，来，过来一起。"

当听见陈骖和宁爽文的先后招呼声，飞快扭过头来又看见了严烟亲切目光的那一刻，高壮并不英俊的脸庞上，瞬间就泛出了熠熠光彩。

他略有些笨拙地搓弄着自己的手掌，嘴唇嚅动着想要说点什么，话到嘴边，却又咽了下去。他知道，不用再说了，什么都不用说了。

任何话语，在这一刻，都是对于友情的轻视与侮辱。

无比的骄傲与自豪当中，高壮胸膛一挺，终于将那只已经搓得干干净净、滚烫发热的手掌搭了上去。

小巷里，严烟仔细观察着一街之隔的码头状况，身后，其他三人正在有样学样地用布带将刀柄缠死在手掌中。

高壮一边缠，一边悄悄打量了三位好友几眼，暗自一横心，开口说道：

"爽文，那个，我没什么别的意思，本来就是跟着你和中哥吃刀口饭的，出来跑江湖早晚有这一天。只是，我有个事，想要拜托三位大哥一下。"

宁爽文正在手嘴并用地给布条打着死结，头也没抬回了高壮一句：

"都到这个时候了，有什么就说吧，五大三粗的怎么像个女人？说！"

高壮出乎意料地并没马上回答，他这种怪异的反应，顿时让本来不以为意的其他三人纷纷停下各自动作，看了过来。

高壮眼神闪烁着避开了三位兄弟的凝视，那张憨厚朴实如同老农的脸上，扭扭捏捏地居然还出现了两坨娇羞无比的红晕，看得其他三人目瞪口呆，鸡皮疙瘩掉了一地。

就在高壮的娇羞如花状马上就要超出三人的忍受范围之时，他终于狠狠点了下头，似乎是给自己鼓满了最后一口气，有些闪躲却又无比诚恳地看着三人，说道："你们……你们都晓得我和徐家嫂子的事。我……我，爽文，你先别笑，真的。如果……如果等下我万一出了什么事的话，我想请三位大哥帮我给徐家嫂子带个信。我喜欢她，我是真的……真的想要娶她过门的！"

话，是好话。

情，是真情。

只可惜，说在了错误的时间、错误的地点。

高壮这突如其来如同遗言般的话语刚一出口，陈骖就皱起了眉头，严烟冷如冰霜的眼中流出了少有的柔软和怜悯，宁爽文惯有的嬉笑表情也立刻僵在了脸上。

原本好不容易轻松的气氛再次变得无比地凝重起来。

良久过后，陈骖看着眼前这位认识很久，却在今天才变得亲密的好友，用一种斩钉截铁般的语气缓缓说道：

"高壮，没人会给你带话，过了今天，你自己讲给她听！我们每个人，都要好好活着。爽文，你不是说了吗？只要活下去，我们就再也不是以前的我们了！好生活着！"

高壮闻言，只觉得喉咙里面似乎被塞进了一颗讨厌的核桃，上不去，下不来，让人鼻子阵阵发酸，却也让浑身上下的鲜血都好像燃烧起来。

身边的这些好友，冷峻酷厉、勇猛到近乎疯癫一般的严烟已经刻意扭过头，看向了别处；而向来诡计百出、连中哥都搞不定的宁爽文则正在用一只大掌揉着脸庞，好以此来掩饰情绪的异样。

看着眼前这一切，高壮突然觉得一点都不害怕了。

有了徐家嫂子，今天又有了三位不是亲生胜似亲生的好兄弟。

他高壮，这一生已经值了。

就在高壮心中百感交集、波澜万千的时候，他听到自己耳边传来了那个唯一保持着冷静的人的说话声：

"那就这样，不啰唆，走吧！"

当陈骖率先提刀跑出巷口的那一刻，看着陈骖并不算粗壮，甚至还带着点书生气的文弱背影，高壮的脑海中，无缘无故地就想起了另外一个人。

一个叱咤江湖，纵横于烟波浩渺的八百里洞庭，无人可比、无人能及的人。

这一刻，高壮发现，洪二的背影和中哥，好像！

十一

决战桥头

低垂下头，佝偻着背，连呼吸都已经被克制在了一种刚好足以维持人体需要，却又几乎不会发出任何声音的程度，用尽可能快速却又不显突兀的步伐，向着码头旁的那座石拱桥一点一点靠拢。

也许是经过了一整夜的厮杀后，早已是蓬头垢面、浑身污渍的兄弟四人看起来与难民并没有太大分别；更也许是这片码头上，确实已经空无一人。

当兄弟四人走出小巷，并且差不多已经走过了大半个街道的时候，陈骖依旧没有发现任何不妥。他小心翼翼地打量着周围，心底突然就涌现了一种强烈的不安感，浑身上下的每一根汗毛瞬间竖立起来，就在某种近乎野兽般的神秘直觉促使着他越发专注看向了码头深处那片黑暗的同时——

一道尖厉的唢呐声猝然响起。

然后，码头旁的仓库里，堆放在空地的货物后，路旁的大树下，目光所及之处，一个接着一个手持各式各样武器的人影，纷纷从各自的藏身之地走了出来。

暴民们犯了一个错误。
他们以为陈骖四人前行的目标是码头。

所以，刚现身出来的那一刻，他们并没有马上发动进攻，而是一个个带着幸灾乐祸的残酷笑容，慢悠悠地往四面八方蔓延开，想要形成合围，将四人困死在码头前的空地上。

可是，早有预感的陈骖和精明之极的宁爽文两人，却几乎同时察觉到了对手所露出的这一点细小漏洞，他们毫不犹豫地把握住了它。

从两人口中不约而同地喊出了一个"跑"字之后，兄弟四人不再掩饰，陡然加快脚步，一扭身体，笔直地跑向了码头左边的那座石拱桥。

石拱桥距离陈骖四人所处的街心位置，最多也就是十米的距离，在全速奔跑的情况之下，可谓转瞬即至。

假如事态就此顺顺利利地发展下去，那么，哪怕是已经到了这种四面楚歌的地步，兄弟四人也还是有着一线逃生的机会。他们完全可以赶在暴民们还没有反应过来，形成合围之前，就跑过石桥，砍开竹排，顺流而下，码头上的那些难民是无论如何都赶不及去阻拦他们的。

运气好的话，甚至有可能连刀都不用挥一下。

只可惜，在这个夜晚，他们的运气并不太好。

千钧一发的紧要关头，他们却偏偏遇上了一个绝不该在这个时候遇上的人。

石拱桥的旁边，有一座叫作"望月楼"的酒馆。

唢呐声起，兄弟几人趁着绝大部分暴民都还没有察觉他们目的之前，拔腿跑往石拱桥时，正好路过了酒馆的门口。

几乎同一时间，一个男人也闻声从酒馆内跑了出来。

人在逃生的情况下，往往注意力也最为集中，求生的本能，足以掩盖掉所有其他的欲望，除了逃命本身，没有人还会去注意身边任何无关紧要的细节。

所以，按道理来说，那一刻，陈骖本应该是完全察觉不到那个男人的。

甚至，就算是那个人速度够快，赶了上来，四个对一个，也几乎造不成任何影响，阻挡不了兄弟四人的行动。

千不该万不该的是，这是一个雪夜，一个有着月光的雪夜。

月光照映积雪所反射出的光芒，已经足够让人在短短几米的距离之下，看清很多东西，包括另外一个人的长相。

于是，当陈骖擦肩而过时，那个冲出酒楼的男子明显呆了一呆，瞬间过后，男子双眼睁得巨大，张嘴狂吼道：

"堵死那个卖肉的！"

这条街上，只有一个卖肉的！

当那道带着北方口音的喊声突然出现之后，陈骖脑子里面就像是凭空炸开了一道霹雳，"啪啦"一声，一直震到了他的心里，让他脑中瞬间就变成了一片空白。

他本就是个记忆力非常好的人，对于他的过目不忘，一直以来梁老夫子都推崇得无以复加。更何况，这个横空出现的口音并不陌生，大半年以来的无数个深夜里，陈骖常常会满身冷汗地被这个声音从噩梦中惊醒。

曾几何时，这个声音给他道过谢，向他问过好，父母出事那天早上，还曾经找他讨过肉。然而，在那场毁掉了一切的烈火中，在父亲的怒吼和母亲的哀号之下，同样也是这个声音，丧心病狂地大吼着："杀！杀！杀！"

找了一整天，忙了一整天，陈骖就是为了再次听到这个声音，再次见到这个声音的主人。

本来，他以为今夜应该是没有希望了。

为了九镇，为了身边的兄弟们，为了他爱的那些人和事物，陈骖顾全大局，勉强压下了心中复仇的怒火。却没想到，偏偏是在这最后关头，在他已经没抱希望之后，在这最为不恰当的时机里，这个声音居然响起在他的耳边。

苍天弄人，竟至于斯。

穿天猴不是专门在这里堵陈骖的，假若不是亲眼见到陈骖的面孔出现在自己眼前，他甚至都已经忘记了这个卖肉的年轻后生。

穿天猴并不是一般人。

他真名叫作刘九思，曾是威名赫赫的"闯王"高迎祥手下三十六营中的一员得力干将，随着闯王征战西北，战战当先，全身上下大小伤痕十多道。在河南，如果不是他奋不顾身用自己后背挡住了暗中射来的一箭，闯王高迎祥只怕还要死得更早。此后，大为感动的高迎祥更是将刘九思收为义子。

那些年间，对待义父，刘九思忠心耿耿从来没有二心，他一直以为，总有一天，义父老了，兄弟们一起浴血打拼出来的这片基业将会托付给他。

没想到，后来，却横空出现了一个"闯将"李自成。再后来，天下英雄齐聚荥阳，大会上，李自成脱颖而出，义父对此人更是推崇备至；黑水峪，义父高迎祥惨死，李自成堂而皇之接管一切，成为了新闯王。

两年前的冬月二十七，刘九思不甘居居人下，暗中联合昔日兄弟们起事反抗，却不承想，事发当天居然被兄弟出卖，那一晚，李自成血洗西安，在三十来个得力心腹的护卫下，刘九思连夜出逃。

但是，他全家上下老老小小，以及西安城内所有与他过从甚密之人，共八十三口，于一夜之间，全都被杀了个一干二净。

那天之后，万念俱灰的刘九思为了避开李自成手下追杀，化名穿天猴，混在难民潮中，一路辗转南下，这才千里迢迢地来到了九镇。

大半年前，穷途末路之下，为了始终跟随自己的一班兄弟，也为了一路前行亲眼所见的那些可怜之极的孤儿寡母，为了替大家找条活路，刘九思率领流民发动了第一次暴乱，直接导致了陈骖父母惨死，陈家家破人亡。

而这一次，趁着为父报仇的张广成起事之际，刘九思大难不死侥幸越狱，居然又在短短一天之内，就再次聚拢起了一伙人，在难民中间隐隐有了要与张广成分庭抗礼之势。

本来，按照张广成的计划，今夜暴民们的攻打重心就是衙门口，只要解决掉守在衙门口那些为数不多的官兵之后，小小的九镇也就算是被完全占领，大功告成。如果一直按照张广成的计划进行下去，九镇本地人剩下的这点力量就算能熬过今晚，两天之内，九镇彻底沦陷也是必然之事。

只可惜，人一上百，形形色色。

暴乱的流民一多，彼此之间也就同样出了问题。

到了临出发之前，在战场上厮杀了半生的穿天猴，已经看出了流民起义大势已成，这也再次唤起了他想要借着这股力量东山再起的野心。

于是，他突然带着跟随自己的三四十个人走了，说是要替难民们守着粮食，保住沅江边的码头，万一出了什么事，也算是有个退路，实则是趁着张广成无暇顾及之际，抢占了码头上的所有物资。

也正因为此，张广成为了保存实力以防万一，不得不派方先带着自己最为亲近的一批乡亲脱离大部队，来打相对容易的长街，这才遇到了陈骖、严烟和宁爽文这帮不怕死的初生牛犊，导致了全军覆没的下场。

当张广成所部精锐尽出，付出惨重代价终于打下了九镇衙门之后，穿天猴知道，双方也到了翻脸的时刻。所以，他和他的人已经做好万全准备在码头设下了埋伏。

张广成自恃勇武，逢战必定亲自上阵。

穿天猴独自躲在望月楼里，就是希望双方开打的时候，只要自己的手下能够抵抗一阵子，形成混战，那么他就可以伪装成张广成的人，从后面混到张广成身边，给予致命一击。

如果能够成功伏击张广成，并接收群龙无首的余下流民的话，当然更好；就算实在不敌，自己的手下连一个照面都扛不住，那么，穿天猴自己也可以马上沿着水渠去江边，上船走人，留待日后计较。

这是一个阴险、毒辣、聪明，几乎已经算是立于不败之地的绝佳计划。

可是，命运之神却从来不会遵从人类的意志行事。

在穿天猴的苦苦等待中，出现在码头上的，却并不是张广成，而是同样有着血海深仇的陈骖。

三步、两步、一步……就在这里！

当桥面上宽大青石板所独有的硌人触感从脚板底下清晰传来的那一刻，正好跑到了桥心的陈骖突然停住脚步，微微侧过身子，让开了道路。

身后毫不知情的三人也跟着纷纷停了下来，一头雾水地望向陈骖。赶在众人开口之前，陈骖急促说道："这里好守不好攻，我挡一下，你们砍排！快去！"

严烟双眼一睁，正要开口争辩，身旁宁爽文已经扯住了他：

"听洪二的，我们快点，这座桥窄，人多挤不开，你留着也没用！老高，你在后面等下，洪二退的时候，你接他一把。"

一边说，宁爽文一边掏出匕首，飞快割开了绑在自己和高壮手腕上的布条，将管杀递到高壮手里，这才转身拉着严烟奔往桥下。

"咚、咚、咚……"

已经在风吹雨淋中变成了乌黑色的青石板，在身后兄弟六只脚掌的飞快踩踏之下，发出了一连串急促而沉闷的声响。

这一夜以来，他们兄弟拼死搏杀，生死与共。

陈骖真的很想和他们一起走，哪怕是为了不要辜负这份比天还高的深情厚谊。

如果可以选择，他宁愿今夜不要遇到那个人。

可惜，没得选择了。

宁爽文说得对，这座桥好守，它实在是太窄了，无论有多少人冲上来，直接面对的敌人也就是两三个，只要熬到竹排下了水，陈骖不是没有跑掉的机会。

但是，陈骖却根本就没有想过要守桥。

此时此刻，那个男人已经独自一人跑到了桥头，而那些暴民却依旧还在十几米开外赶来的路上，这是他唯一的复仇机会。

既然如此，就这样吧，那就这样吧。

让我们来生再见！

陈骖用无比强大的意志力，生生克制住想要回头再看自己兄弟一眼的念头，一抬手中天王斩鬼刀，望向了几米之外，那道越来越近的黑影，几乎是一个字一个字地从牙缝中挤出了一句话：

"穿天猴！"

当这包含着无穷无尽怨毒与仇恨的呼喊响起在夜空的一刻，男子居然并没有如同陈骖所想那样，莽撞地立马前厮杀，反而在几米开外的桥头位置，缓缓停下了脚步，瘦削的脸上，那一双如狼似虎的眼眸中冒出了阴森至极的光芒，盯着陈骖冷冷一笑，说道："嘿嘿，就是你爷爷我！"

话音未落，陈骖高举大刀，扑了过去……

一把锈迹斑斑、已经砍卷了刃口的马刀从上而下，迎头劈来。

这一刀，陈骖不可能扛住，他只得举刀挡开，可还没等他来得及收刀，另外一根短矛已经如同毒蛇般突然出现，狠狠扎进了他的肋下。

那一刻，陈骖甚至都能听到自己身体里面传来的那种骨头与铁器摩擦时所发出的令人牙根发痒的怪异声响。但是，他并没有感受到疼痛。

无论是谁，在这样激烈的贴身肉搏里面，在这稍一犹豫就会立马惨死当场的危险之下，都不会再去在意疼痛。

几乎是与穿天猴刚一接触的瞬间，穿天猴飞快躲掉了陈骖的第一刀之后，他就已经转身退到了桥下空地，而紧追不舍的陈骖则立马陷入到了纷纷赶至的难民围攻当中。

这一辈子活到现在，陈骖并没有打过几次架，今天之前，他更是从来不曾参与过大规模的械斗。

可是，就算是不曾有过类似的经历与体验，当身陷重围之后的那一刻，陈骖也已经无比清晰地意识到，自己死定了。

人不是神仙，志怪传奇小说里面那些飞檐走壁的武林大侠，更是只会在故事当中出现。而现实却是，双拳难敌四手，没有人可以在这样人数悬殊的情况之下活下来。

当意识到这一点之后，陈骖也就彻底放弃了防守。

他只是尽量地让自己多坚持一下，让自己更靠近那个男人一点。

但凡让他抓到一丝机会，他就会用那种早就烂熟于心的杀猪宰牛手法，干脆利落地一刀要了那个男人的命。

这就够了！

可是，那个其貌不扬的干瘦男子却显然要比陈骖所想象的更加狡猾、老练得多，他始终隐藏在人群当中，既不躲太远，也不贴太近，总是保持着非常恰当的距离。然后，在陈骖稍一表现出慌乱的情况时，就立马探出手中那柄钢铁短矛，对着陈骖的身体狠狠捅上一下。

陈骖记不清自己究竟被砍了几刀，但是他却清楚记得，短短这几秒间，穿天猴已经捅了自己三次。

一次在肩膀，一次在腹部，而第三次，正是现在肋下的这一矛。

钢矛入体的那一瞬间，陈骖清晰地看见了触手可及之处，穿天猴脸上所流露出的那种残酷笑容。

一如那个永生难忘的清晨，穿天猴从自家肉铺前含恨离去时，看着父亲的冷笑。

无尽的愤怒和屈辱中，陈骖头顶，又是一把锈迹斑斑的砍柴刀狠狠劈了下来。

但是，这一次，陈骖却不准备再管它了。

他的左手闪电伸出，如同铁箍一般紧紧抓住了自己肋下那把还没来得及抽回的短矛，毫不犹豫地用尽全身力气，举刀朝着眼前那张笑脸猛劈过去。

极短的距离之下，陈骖赫然看见，对面那双原本像猫玩老鼠一样满是戏谑表情的眼睛里，终于出现了无法克制的恐惧。

"啊……"

一声惊天动地的惨呼声，响彻了整个码头。

穿天猴并没有死在陈骖的全力一刀之下，电光石火之间，久经战阵的他瞬间松手放开了短矛，急速后退的同时，脖子也尽力后仰，想要避开面门要害。

但是锋锐之极的天王斩鬼刀，却依旧在他的整张脸颊上，从额头到下巴，斜斜劈出了一道深可见骨的血槽。

当刀锋砍进仇人身体的一刹那，陈骖以为自己也会同时死去，无论如何，他都绝不可能再躲开头顶那一刀了。

但是这一切同样没有发生。

就在穿天猴的惨叫响起同时，陈骖听见自己头顶上也传来了"当啷"一声脆响，一把管杀横空而至，重重荡开了致命一刀。

下一秒钟，陈骖眼角余光所及之处，四周密密麻麻的人群开始往后溃退，三条黑影如同虎入羊群般杀到了自己跟前。

耳边，响起了高壮熟悉的大喊："走，你们带着洪二先走！"

几乎是用尽身上最后一丝力气，再次举刀劈翻了距离最近的一个难民之后，浑身上下已经如同血人一般的陈骖，终于再也支撑不住，双腿一软，倒在了身后某人温暖的怀中。

不能让他们过去！

绝对不能让他们过去！

高壮独自站在拱桥最高点，壮硕的身躯如同门板一般死死挡住了狭窄的桥心，脑海里面，已经只剩下了这一个想法。

他机械地挥舞着自己酸痛无比的手臂，那柄其实也不算太重的管杀，此时此刻拿在手上却仿佛像是搬着一座山，如果不是用布条简单捆绑住的话，别说砍人，现在只怕已经是连抬都别想抬起来了。

"咔嚓"，当一柄锄头从侧面落下，狠狠砸在了高壮刚刚挥起的手臂上时，高壮清晰地听见了自己骨头断裂的声音。他一脚蹬开了那个举着锄头、差不多连头发都已经白了的老头子，想要抬起手臂看看，但却发现，这条手臂无论如何都已经不听自己的使唤了。

一直以来，高壮都很怕痛。

他是一个闯江湖的人，每次中哥交代办事，风里雨里，刀光剑影，他都会尽心尽力地完成，永远都装成一副勇猛豪气的样子冲在前面。

但是其实，他很怕痛。他只是不敢让别人知道而已。

偶尔，徐家嫂子性起了，咬他咬得重了点，他都会生气；每到那个时候，徐家嫂子总是会把他的脑袋搂在怀里，用那两个又软和又滑嫩的奶子捂着他的脸，拍着他的后脑，说他是个孩子。

要是没有这些狗杂种该多好啊！

想到这里，高壮突然就有些想笑。

十五岁那年的夏天，第一次去给徐寡妇家送酒，无意看到徐寡妇还没来得及收起来的内衣之后的那天晚上，他就靠着这条断掉的手臂，上上下下地让自己好好爽了一把。

后来，又是这条手臂，狠狠一把扯下了徐寡妇身上的衣裳，摸过了徐寡妇雪白的奶子。

再后来，还是这条手臂，拿刀帮中哥办过事，拿钱替徐寡妇买过新衣服，拿棍砸过高老七的酒缸。

这条手臂替自己办过多少事啊。

可现在，它怎么就软塌塌地像是一条肉虫，只晓得荡啊荡，一点都不听话呢？

要是徐寡妇看见自己这个样子，会不会心疼得直掉眼泪？

会的，她肯定会！

高壮终于再也忍不住笑了起来。

"来啊，狗杂种，只管来！"

狭窄的桥面上，高壮浑然不顾断掉的手臂，依旧如同疯癫一般大笑着挥舞手中管杀。他陡然表现出的极端悍勇，显然完全出乎了难民们的预料，当亲眼看见一个躲避不及的家伙被高壮一刀劈开了半边脑袋之后，其他人终于情不自禁地开始纷纷后退。

管杀一头撑地，高壮气喘如牛地斜靠在管杀上，脸上始终带着奇怪的微笑，他看着身边那些仍然包围着自己，跃跃欲试的恶鬼，刚想要挺直腰板，脚下却一个踉跄，赶紧将手中管杀往桥面上杵得更牢了一些。

没有退路了，再也没有退路了。

流了那么多的血，挥了那么多次刀，杀了那么多的人，走了那么远的路，好不容易，才到了这里。

到了这座石桥上，到了这栋吊脚楼下。

那扇可以逃命的竹排，那条流传千古的沅江，就在身旁不到十米，抬眼可见的地方。

但是，已经没有退路了。一切都来不及了。

就在脚下，那扇竹排刚刚砍开下水，而昏迷不醒的洪二还没有被搬上去。

只要高壮敢转身撤退，那帮杂种就肯定会像一群疯狗一样地追上来，将他们兄弟四人啃得连骨头渣都不剩。

到时候，爽文、严烟和洪二，谁都跑不掉。

但是，还有一个办法，也是唯一的办法。

鹅毛一般的大雪再次铺天盖地地飘了下来，被江面上吹来的刺骨朔风吹成了颗颗冰碴儿，扑面而来，几乎让人睁不开眼睛。

高壮抓着管杀的手臂上青筋虬结如盘蛇，他宽厚敦实的身体一点一点地挺直，终于再次如同门板一般稳稳挡在了石桥的正中央。

高壮微微眯上双眼，在漫天大雪中举头看了看九镇的方向。

可是，除了一片密密麻麻的苍茫之外，他什么也看不见。

他似乎微微叹了一口气，然后，又低头看向了脚下的江水，水面上，洪二躺在竹排中，宁爽文站在排头撑篙，严烟正在后面推。

"呸"的一声，高壮吐出了嘴里一口带血的浓痰，大声笑着对桥下喊道：

"弟兄，走！莫要忘记帮我给徐家婆娘带句话啊，老子下辈子娶她。哈哈哈哈哈哈哈，狗杂种，来……"

声犹未绝，高壮已经如同一头蛮牛般腾空而起，扎进了身前黑压压的人群当中，大嘴一张，朝着离他最近的一个男人脖子，狠狠咬了下去。

当温热腥臭的鲜血充斥在高壮口腔的同一时刻，无数难民如同蚂蚁般一拥而上，将他彻底淹没在黑夜深处。

"老高！"

"高壮！"

江面上，两道凄厉的呼唤声如同涟漪般回荡在九镇夜空，连绵远去，亘古不散……

十二

枭雄本色

仿佛是一夜之间，世道就彻底改变了。

曾几何时，这片天下是有王法的，杀人必须偿命，造反就要砍头。

但是现在，一切都乱了，乱得一塌糊涂，再也没有任何规矩可言。

谁都不会想到，九镇那场血流成河、尸横遍野的大暴乱，居然会以那样一种连戏文里面都不敢演的诡谲结局收了场。

九镇事变的第三天凌晨，也就是陈骖、宁爽文和严烟三人逃出生天之后的几个小时，州府官兵终于抵达九镇，平息了那场叛乱。

领兵者，居然正是九镇人口中避之唯恐不及的大恶霸，排帮当代掌舵龙头，宁爽文的堂哥宁中。

只不过，这时的宁中，已经不仅仅是一个凶名远播的黑道豪强，而且他摇身一变，成了大明王朝正儿八经、堂而皇之的千户大人。

宁中带着部队从九镇码头登陆的时候，穿天猴那帮暴徒本来已经陷入到了张广成团伙的围攻当中，宁中的出现，让狡诈无比的穿天猴再次趁机逃之夭夭，至今依旧杳无音信。

而接下来，更不可思议的事情一件接着一件地发生了。宁中夺回了向来属于排帮掌控的码头，然而他却没能全面绞杀掉张广成团伙。

经过血与火的洗礼之后，本是一盘散沙的难民们气候已成，在风云际会的八百里洞庭湖畔，已经变成了一股不容任何人小觑的势力；而另一边，满人铁骑肆虐北方，兵锋南指只是早晚之间的事。这样巨大的压力之下，突遭浩劫的九镇已经元气大伤，再也经受不住下一次内乱了。

于是，为了大局的稳定，在常德府里某位比宁中更加位高权重的大人物强行干预之下，一手发动这次暴乱，并且还亲自斩杀了朝廷命官的匪首张广成，居然没有受到半点惩罚，他和那些大人达成了一个协议——以兵役代刑罚。

所有参与闹事的流民，一部分被抽调到常德府成了大明官兵；另一部分则跟随张广成一起，改编为名正言顺的地方团练，留守在了城防空虚的九镇。

就这样，在陈骖这样的小人物永远都接触不到的层面上，在那些高居庙堂、以国事为重的大人一手操弄之下，事情以一种不可思议的方式画下了句号。

没有人知道幕后的真相，没有人晓得到底发生了什么。

但是，这一场暴乱的起因，也是九镇那位惨死的官老爷没有做到的事——抽丁入伍，却在一场血流成河的悲剧之后，变成了荒唐的现实。

也许这就是乱世，乱世本来就应该是这样，异象丛生，好坏不明，黑白难分。

只不过，在这样的乱世里，当庙堂之上的利益被重新分配妥当，当官人们志得意满、满载而归的时候，庙堂之下，却总有些人，会将那些贱如蝼蚁的草民所流过的血、淌过的泪牢牢看在眼里，记在心中，忘不掉，抹不去，始终都像是一团烈焰般熊熊燃烧着，无法熄灭。

直到某日，烧天燎原！

常德府，笔架城。

陈骖一身白服，独自坐在沅江边上的一栋酒楼里面，心底无缘无故就突然涌现出了这样一句话：世事一场大梦，人生几度秋凉。

转眼之间，老高已经死去快两个月了。

按照九镇风俗，人有三魂七魄，死后一年去一魂，七天去一魄，三年魂尽，四十九天魄散，到了那个时候，死者才会过了奈河桥，喝下孟婆汤，断掉前世种种，堕入轮回。

所以，亲朋好友们为了提醒死者，每到了三周年和四十九天的时候，都要烧纸戴孝，是为"三祭"和"守七"。

今天，就是替老高"守七"的最后一天。

老高死之后的第八天中午，陈骖才从昏迷当中醒来。当他从宁爽文的口中得知高壮临死前所发生的一切后，他没有痛心疾首，没有哭天抢地，他甚至都没有落下一滴眼泪。

只不过，在接下来的四十天中，他就像孝子孝孙侍奉先人一样穿上了白服，片刻都不曾脱下。这是他欠老高的。

那一场血流成河的流民暴乱当中，九镇死了很多很多的人，有些人家甚至是满门皆灭，一个不剩。

但是高壮本来可以不死！

此时此刻，坐在这栋酒楼的靠窗位置上，看着窗外城市万家灯火的人，本来更应该是高壮，而不是他陈骖。然而，一心赴死的陈骖，偏偏在这华灯初上时分好端端地坐在这里；而那个敦实宽厚的年轻人，却早已尸骨无存，魂飞渺渺。

陈骖一声长叹，端起桌上酒杯，仰头饮尽，廉价而粗劣的"朝天吼"充斥在他的口腔里面，一如既往又苦又辣，猛烈的酒劲几乎瞬间就冲上了他的头顶，让他剧烈地咳嗽起来，在满堂看热闹的酒客嬉笑声中，他咳到撕心裂肺、两眼通红。

陈骖很少喝酒，今天也并不是一个喝酒的好时候，但他还是来到了这座酒楼，叫了一壶朝天吼。

因为，他在等一个人，在见这个人之前，他的确需要小酌一杯，好让自己过于杂乱的思绪平缓一下。

从小到大，无论是父亲陈永华也好，还是恩师老梁也罢，他们都曾经无数次耳提面命过陈骖，要离那个人远一点，永远都不要和那个人来往，更不要去学那个人。

所以，一直以来，对于那个人，陈骖的心里都抱着天然的抗拒和抵触。哪怕他并没有亲眼见过这个人做任何坏事，也仍然固执而坚定地认为，这个人是个坏人。可谁都没想到，偏偏就是这样一个坏人，拯救了九镇。

而且，这两个月以来，如果不是这个坏人的仗义援手，他和严烟兄弟俩别说养伤，很可能连个落脚的地方都没有。

养伤的日子里，陈骖想了很多，刚开始的时候，他还有些犹豫，始终都在刻意回避着和这个人直接接触。他不是不领情，他只是很清楚，这个人的背景实在是太深太复杂，就像是一个看不到底的黑洞，一旦靠得太近了，只怕终有一天，自己也会彻底陷进这个黑洞，再也无法出来。

可是，经过三番五次的仔细权衡之后，陈骖最终还是做出了一个重要决定。

他托了宁爽文的关系，主动要求与这个人见上一面。

因为，人要讲良心。

抛开各家人的血海深仇不谈，单说那一晚，高壮的义薄云天、舍生取义，就毫无疑问已经像是一座大山般压在了陈骖兄弟几人的心头。

高壮绝不能被人说杀了就杀了！他不是条没人在乎的野狗，而是活生生的人，是和陈骖、宁爽文、严烟共过生死，对他们有救命之恩的兄弟。

为了公平，为了道义，为了心里的愧疚和悲伤，陈骖在为老高守七，他也应该替老高守七。可是这一切对于陈骖来说，还是远远不够。

他当然要替高壮复仇！那个导致了所有这一系列悲剧的始作俑者——张广成，必须付出应付的代价。

鲜血凝成的仇恨，注定只有用鲜血才能偿还。

然而，以眼下的形势来看，人多势众的张广成已经站稳了脚跟，再也不是凭着他们兄弟三人的力量就能够去抗衡的了。

偌大的洞庭湖畔，如果陈骖兄弟想要复仇，想要杀死张广成，那么唯一有理由帮助他们，也有实力能够帮到他们的，就只有那个人了。

"洪二，我哥来了！"

宁爽文熟悉的说话声打断了陈骖的沉思，他抬头看去，几米开外的楼梯上，几道彪悍健硕的身影正对着他迎面而来。

是成是败，皆在今朝。

在突然涌起的紧张与慌乱中继续呆坐了一秒之后，陈骖猛然起身，含胸勾背，用一种对待长辈的恭敬礼节朝着前方微一鞠躬，口中飞快喊道：

"中哥！"

宁中，由两个极为常见极为普通的汉字所构成的一个名字。

几乎每一个人的生命中，都曾出现过另外一位叫作宁中、陈中、王中或者张中的人。但是，近十年以来，对于九镇而言，这两个字，却早就不仅仅只是一个姓名那么简单了。

甚至，它所蕴含的深意都已经远远超出了叫这个名字的人本身。

更多的时候，这两个字所代表的是故事，一系列亦真亦假，有好有坏，或神奇或夸张，但却每时每日都会在九镇人的饭桌旁闲聊中出现的故事。

这本来就是一个由故事构成的世界。掌握了故事，就掌握了一切。

所以，在那些数也数不清的故事传播之下，宁中不再只是宁中，更是权威、力量、规则、秩序的代表，也没有人敢去触碰，没有人敢去动摇。

而替这一切奠定了基础的，也是流传最广、影响最深、最真实的一个故事，就是宁中的崛起。

沅江水路宽广，流速平缓，自古以来就是洞庭湖范围之内的一条重要航运纽带。但是，再宽广的航道，也有狭窄的流域；再平缓的水流，也有湍急的险地。于是，也就有了纤夫。

曾经，在九镇的码头边上，一栋四面漏风的破败木板屋里，住着一个姓宁的纤夫。

在九镇人的印象当中，这个男人活过的那短短几十年间，他好像从来都没有去过九镇之外的地方，甚至都很有可能不曾离开过沅江的岸边。他只是终日打着赤膊，露出瘦骨嶙峋的胸膛，麻木而安静地低头拉纤，一日又一日，一年又一年。

沅江养育了这个男人，却也像是一只樊笼般永远地囚禁了这个男人，他就如同一只蝼蚁，默默地活过，又默默地死去。

人善被人欺，马善被人骑。

所以，事过多年之后，九镇上，甚至已经没人能记得住这位老实巴交的纤夫真名叫作什么。人们记住的，只有这个男人肩膀上那两坨在长年累月的负重劳作下，所磨出来的如同石头一般硕大而丑陋的老茧，以及他那位对于码头上讨生活的苦命人而言，难得有着几分姿色的秀气老婆。

故事的起源很简单，无非就是欲望而已。

每个人都有欲望，哪怕是卑贱如同这对纤夫夫妇。

纤夫的欲望是让儿子过上比自己更好的生活，所以他含辛茹苦地将儿子送到了书馆读书；而纤夫老婆的欲望，则是替家里分担一点压力，于是，也就做起了帮镇上人家洗衣的辛苦活。

事发那一年，纤夫的儿子是十六岁。

纤夫老婆在去一户人家收脏衣服的时候，被那家的男人调戏了，女人拼死挣扎，大声呼救，这才在邻居的帮助之下得以脱身离开。

谁知道，当天晚上，那户人家的女主人得知消息之后，居然不仅没有管教自家男人，反而醋劲大发，兴师动众地带着自己亲戚找上了纤夫家门。

在那场冲突中，势单力薄、无财无势的纤夫两口子，连带着就住在自家隔壁、同样穷得叮当响的纤夫弟弟一家人，都遭受到了对方的百般羞辱。纤夫老婆的上衣被人脱了个一干二净，甚至就连纤夫弟弟家里，那位还在牙牙学语的小辈文伢子据说都被那个泼妇狠狠一脚踢出了鼻血。

完事之后，在街坊邻居的观望指点、嬉笑调侃之下，那个泼妇带着自家亲戚志得意满地转身离去。

故事发展到这里，可以有很多的结局。

被羞辱的女人可以刚烈地含恨自尽，留下孤苦伶仃的丈夫儿子，继续在绝望的生活中相依为命；或者是那个卑微一生的纤夫，终于冲冠一怒，将命运给予自己的所有不公都在那一刻爆发出来，手刃仇人，用鲜血挽回尊严。

这样的故事才会好看，才更加传奇。但这只是故事而已，不是生活。真正的生活是，当它想要压垮一个人的时候，它就一定能够压得那个人浑身上下，连一根骨头都直不起来。

羞辱只是一时脸面的难堪，忍一忍就过了；而活着，才是更加重要的事。

所以，为了儿子也好，为了这个家也罢，纤夫两口子没有自尽，也不曾杀人。

他们只是穿起脱掉的衣服，揩干脸上的浓痰，然后默默地承受下来，就如他们在艰难的人生历程中，曾经无数次承受过的一样。

没有人认为会出事。

闹事的那家人除了言语上的百般羞辱和少许打骂之外，也的确没有给纤夫夫妇造成其他身体上的更多伤害。所以，大家都大意了。

直到第二天，纤夫十六岁的儿子找上了那户人家的家门。

直到多年以后，那户人家的女主人，也就是那个泼妇在回忆起当时所发生的一切时，都还忍不住筛糠一般地浑身发抖。

她永远都会记得，当时，自己一家人正在吃饭，而这个半大的少年突然走了进来，就像是一头被逼上了绝路的恶狼般，站在门口默默地看着自家男人，然后一步一步，极其缓慢地走了过来，一边走，一边从怀里掏出了匕首。

男人转身就跑，少年却并不追，他只是继续缓慢地走到了桌子旁，看着已经被吓到魂飞魄散、一动不敢动的女人说出了这样一段话：

"我看你是个女的，我不找你。但是你告诉他一声，他的家在这里，根在这里，先人的坟也在这里，我不怕他跑。我饿了就低头吃饭，渴了就抬头喝水，我无论如何都会保住自己这条命，除此之外，这辈子我什么都不干了，一年到头春夏秋冬，一天十二个时辰，我只要想起这件事了，我就会来找他！他跑，我看他能跑到哪里去！"

这个孩子转身走了之后，女人立马就去报了官，她信誓旦旦地说这孩子要杀人，但是没有人信。

没有人信一个半大的孩子，会有那样的恒心、那样的狠劲去做这么一件事；甚至，官老爷还当着很多人的面大声取笑了这个女人，他连这个孩子说过那样一段话都压根不信。

然而，这个孩子不但这么说了，也这么去做了。

接下来的一段日子里，很多九镇人都曾经亲眼在很多个不同的场合下，见到过这个孩子慢悠悠地出现，慢悠悠地拔刀，然后那家男主人拔腿逃跑，他却又从来不追不赶的场景。

一开始，人们觉得恐惧；后来，人们觉得好笑；再后来，有几次孩子出现，男人跑，而旁边有些泼皮闲汉起哄让孩子追，他却坚决不追之后，闲言碎语就出来了。

人们开始一致认为，这个孩子只是在虚张声势，其实他骨子里和那个没用的纤夫父亲一样，胆小懦弱，人见人欺。他之所以敢一而再再而三地拔刀找人，那也只是因为刚好在血气方刚的年纪，眼看父母受辱之后，一时间面子挂不住，才做做样子而已。

这样的看法越来越风行，到最后，全九镇人都相信了。

终于在事发三四个月之后的某一天，不知道是那个被追杀的男人实在是不堪其扰了，还是受到了流言影响，也像其他人一样觉得这个孩子并不敢真正下手。

总之，就在九镇码头旁边那座最大的望月楼里，男人赴某位朋友的生日宴时，孩子再次出现在了他吃饭的桌前。

立马，旁边就有喝多了酒的人开始起哄。

心好一点的真朋友呢，就大声呵斥那个孩子，试图让他放下刀不要调皮；而心坏的假朋友呢，则看热闹不怕事大，要不就是叫嚷着让男人动手教训一下这个小东西，要不就是言语刺激那个孩子，调侃他没种。

男人制止了真朋友的呵斥，也并没有上假朋友的当。

当然，这一次，他也不像之前那样放下饭碗就跑，而是缓缓地站了起来，脸上带着一种掺杂了害怕、无奈、讨好的复杂表情，稍微犹豫了一下之后，男子举步迎向了还是同样极度缓慢悠闲如同散步一样朝自己走来的少年，嘴里大声说道：

"中伢儿，中伢儿，你莫怪叔叔，上次那个事，叔叔也是喝多了酒，确实是我……"

那一天，男人的话并没有说完。

因为，就在望月楼一楼大厅的满堂食客注视之下，当两人终于贴身靠近的一瞬间，那个始终很缓慢的少年，毫不犹豫、快如闪电地一匕首就攮进了男人的肚子。

然后，满堂鸦雀无声当中，孩子不轻不重，却又异常坚定地说了一句话：

"再也不要惹我！"

那天之后，孩子那位规矩极严的老师，狂怒之下，再也不肯收留这个无法无天的顽劣学生，无论纤夫两口子怎么恳求都没有用。

再后来，无所事事的孩子也开始混迹于码头，起初一段日子，他跟随父亲一起做起了纤夫。但是很快，胸怀大志的他就不愿再做这个辛酸艰苦，又看不到任何希望的工作了。

他找到了改变命运的途径。

排帮！

接下来无数个腥风血雨的岁月里，武昌血拼八香会，南京刺杀蔡云龙，十天之内扫尽君山十八寇，与恩施土家老司不打不相识，三条人命之后再来三大碗结为兄弟……随着这一桩桩一件件轰动江湖的故事发生，日益长大的孩子也如同流星般崛起于江湖。

二十年间转眼即过，现如今，这个倔强而执着的孩子踏着无数条人命一步一个血印，终于走到这条水路至高无上的位置，成为排帮近百年来最为惊才绝艳的掌舵龙头。

　　在他的领导之下，排帮的势力不单牢牢控制住了沅水流域，甚至就连整个八百里洞庭，乃至更远处的长江流域，都开始流传起了这个孩子的名字：

　　宁中！

　　身为土生土长的九镇人，对于宁中的诸多传奇，陈骖当然也是耳熟能详了。

　　而且，今天之前，他也不是没有见过宁中。

　　曾几何时，当陈骖还很小的时候，他去宁家找好友宁爽文玩，宁中还曾经抱过他，亲过他，给他在捏糖人的摊子上买过孙悟空。

　　但是，随着一步步长大，宁中在黑道上越走越远，凶名越来越甚，两人之间也就渐行渐远，慢慢断绝了往来。

　　这些年来，宁中在江湖中纵横捭阖，叱咤风云，变成了人人闻之色变、畏之如虎的一方霸主。可说实在话，陈骖抗拒宁中、躲避宁中，或许还有些敌视宁中，但他从来没有讨厌过、害怕过这个人。

　　在陈骖的内心深处，抛掉那些人云亦云的传奇故事，宁中留给他的印象，依稀还是停留在当年那个眼神明亮，一笑起来就有两个酒窝，最喜欢一边用胡子扎他，一边喊他"小洪二"的开朗年轻人。

　　所以，多年之后再次相见的这一刻，陈骖做梦都没有想到，宁中的变化居然如此之大。

十二

排帮老大

“小洪二，多年不见，现在和哥哥都这么客气了？坐坐坐，自家人随意点好，不用见外。”

有些陌生却又似曾相识的说话声在望月楼内骤然响起，人群中，一个男子越众而出，张开双臂朝着陈骖走了过来。

一眼看去，男子的五官轮廓之间和宁爽文隐隐有着几分相似，但比起宁爽文那种满脸胡楂儿的彪悍匪气而言，这个男人却又明显要成熟内敛得多。

他保养得极好，皮肤光洁紧致如同养尊处优的妇人，丝毫看不出来是一个长年累月在水路上讨生活的江湖大佬；大笑的时候，两边脸颊上也依然有着与陈骖记忆中并无不同的浅浅酒窝，令整个人都平添了几分讨喜的童真味道。

单从相貌来看，这个男人堪称是清秀文雅、人畜无害。

但他整体给人的感觉，却又完全不是那么回事。

他是一个瘸子。

每走一步，都是右脚先伸出踏实，左脚再拖在地面缓缓跟上。

在这个势利刻薄的世界里，一个人如果有了明显的残疾，就难免会有些自怜，有些自卑，有些怯于表露。可是，在这个男人的身上，却找不到一丝一毫类似的情绪。

男子就那样昂首挺胸地在众目睽睽之下，一瘸一拐地径直走到了陈骖面前，一把将陈骖搂在了怀里，有力、坚定、不容拒绝。

就好像，他才是这座酒楼里面唯一最健全、最强壮的人。

尤其是当男子目光流转时，偶尔之间不经意露出的一缕骄矜和冷酷，以及些许放纵的豪情，却又因为教养而不形于色。

这是一种经历过无数大场面之后，才会拥有的自如。也只有当一个人的内心充满了信心和力量，才能拥有这种一反常态，却又令人魅力大增的迷人气质。

迷人远远要比美貌危险，美貌是可以抵御的，一个漂亮女子，如果脏话连篇、抠脚打屁，同样会让人反胃。但是，如果一个人迷人，那么无论男女，他都会散发着致命的吸引力。

毫无疑问，宁中是一个迷人的人，令人一见倾心，且带着致命的危险。

宁中突如其来的亲昵举止，让原本有些戒备生疏的陈骖在诧异之余，也感到了颇不自然，一时之间，连手脚都不知道应该怎么放才好，事先想好的种种开场白更是一句都说不出口。

对于陈骖表现出来的这种尴尬，宁中了然于胸却也毫不在意，松开了搂着陈骖的双手之后，拉开椅子自顾自坐了下去：

"小洪二，今天有点事情要处理，来晚一步，让你久等了。爽文说，你找我有事谈？"

"中哥，其实也没什么大事，这段时间全靠中哥照顾，我主要就是想请中哥吃顿饭，表达一下……"

还没等陈骖将好不容易才接上的话说完，宁中却又一挥手打断了他的话：

"那就这样！我也饿了，有什么话，我们兄弟俩边吃边聊。文伢子，你陪弟兄们在旁边另外开一桌，我和洪二好久没见了，让我们单独聚一下。坐坐坐，洪二，你我之间要是过于客套，就没有意思了。"

宁中大大咧咧毫不见外的言谈，完全出乎陈骖意料。

在此之前，他已经做好了一切心理准备，哪怕是抛开所有情面，彼此之间只有赤裸裸的交易谈判，他也可以接受。然而，他还是压根没有想到，这个多年不曾往来的男人居然会在见面之初就表现出了如此的坦诚真挚。

这毫无疑问深深打动了陈骖。

父母死后这段日子，他孑然一身，无依无靠，梁老夫子对他虽然好，却始终都隔着一层为人师表的严肃，尊敬有余的同时难免亲近不足。后来，又逢大难，几乎是在鬼门关里打了个转，这才九死一生地活了下来。

短短不到一年时间，人世间的险恶和残忍，这个犹自青涩的年轻人已经见到了太多太多，多到几乎让他忘记了生命中那些曾经的温暖和美好。

然而，这一刻，就在这个久别重逢的男人身上，陈骖心中却不由自主地产生了一种奇怪的情绪：

依靠。

就像是当年，跟在父亲身后，靠在母亲怀里那样，什么都不怕，什么都不管。

陈骖浑浑噩噩地听从着宁中指挥，在紧靠着宁中的另一张椅子上坐了下来，嘴里唯唯诺诺地应答着，不时点头，却连自己到底说了些什么都没在意。

"小洪二，我们就别搞太多讲究，要不就炖两个钵吧，九镇出来的，还是大坨大坨的肉炖在钵子里吃起来最快活。老话说得好啊，不愿朝中为驸马，只要炖钵炉子咕咕嘎。要不要得？"

"要得，要得。中哥你做主。"

"好，那就炖一钵狗肉，一钵鱼脑壳炖豆腐，两个人够了。文伢子，那边就你们自己安排。"

"好嘞，哥。你和洪二吃好！"

"人在江湖飘，是早晚挨飞刀；跟着中哥混，是从来不挨刀。哥俩好呀，不挨刀；八匹马呀，不挨刀；五魁首呀，哎哎哎，宗宝，你输了输了，喝喝喝……"

几米之外的桌子上，宁爽文几人已经喝得面红耳赤，粗犷的划拳声震耳欲聋，几乎掀翻了酒馆屋顶。

不知道是这帮人实在太嘈杂，打扰了其他食客兴致，还是他们恶形恶状的样子太吓人，大家都觉得避开为妙。

总之，不知不觉之间，偌大的酒馆二楼里，除了一个远远躲在楼梯口等着召唤的跑堂之外，只剩下了陈骖、宁爽文这两桌，其他食客早就已经走得一干二净。

陈骖跟前的桌面上，浸泡在红油青蒜当中的狗肉，和放入姜片花椒已经煨到了奶白的鱼汤，在两个土钵里面炖到咕咕冒泡，一阵接着一阵的香气扑鼻而来。

在山区地带阴冷潮湿的寒冬里，在这样混乱的世道中，一个人还能够吃上这样的食物，实在是一种难得的幸福。可是，面对着满桌美食，连午饭都不曾吃过多少的陈骖，却根本提不起丝毫的兴趣。他貌似兴致勃勃地大啃着手上一坨正在滴油的肥狗肉，但两只眼睛却时不时地瞟向旁边的宁中。

今天来这里，陈骖不是为了吃饭，比起他想要达成的那个目的而言，这顿饭实在是太不重要了。

从开吃以来，无数次，陈骖都想要张嘴进入主题，可看上去宁中是真饿到不行了，从头至尾，他始终都在埋头大嚼，一会儿添碗鱼汤，一会儿啃条狗腿，吃得满头大汗，不亦乐乎。其中有两次，宁中好不容易暂停一下，却还没等陈骖来得及说话，他就要不帮着夹菜，要不对着陈骖举杯，又天衣无缝地把正事岔了过去。

就这样，时间一分一秒过去，在陈骖心急如焚的等待中，这顿饭终于算是到了尾声。当钵里的最后一坨狗肉也被宁中送入了口中之后，他满足地长出一口气，揉揉肚皮，放下了手中筷子。

"中哥，我敬你。"

陈骖抓住机会，立马端起酒杯，举到了宁中跟前。

半空中，两个杯子微微一碰，宁中仰头小喝一口，颇为感慨地说道：

"小洪二，时间真快啊。好像就是两三年前，我还抱着你和文伢子去新码头买糖人，结果一眨眼，你们也都到了喝酒的年纪，我不服老都不行了。你现在的酒量怎么样？和文伢子比起来，哪个厉害些？"

"中哥，我不怎么喝酒，和爽文比不了。"

"那你还敢点这个酒？'朝天吼'不是一般人能喝的，太烈，入喉像刀割，进肚似火烧，文伢子就不喜欢。"

当宁中这句极为平常的问话过后，陈骖的心脏却瞬间开始剧烈跳动起来。

摊牌的时候，终于到了！

他强忍着心底的紧张情绪，收起脸上笑容，看着宁中缓缓答道：

"因为高壮，他屋里就是卖这个酒的！"

世界好像突然就变得安静下来。

静得足以让陈骖听见自己胸腔里面如同擂鼓一般的巨大心跳声，在注意力高度集中之下，外界的一切，也都仿佛被放慢了好多。

他清晰看见，宁中嘴角的肌肉微微扯动了几次，似乎有话要说，最终却又没有马上开口，而是扭过头去召唤跑堂拿来了一块烫热的毛巾，仔细擦了擦手之后，径直将滚烫的毛巾盖在了脸上。

陈骖迫切地等待着下文，可是除了毛巾上升腾而出的丝丝热气之外，他再也看不到听不见宁中的任何反应。

陈骖的一颗心开始越来越沉，他不知道宁中是什么意思。

高壮不但是他们的兄弟，同样也是排帮的人。

他们有责任替高壮报仇，排帮也同样有着义务。

无论如何，高壮这个名字的出现，都不至于让宁中表现出此时此刻这种如同旁人般的冷漠。

难道，是自己做错了什么事、说错了什么话吗？

就在陈骖脑海里面的杂念越来越多，情绪也越来越浮躁，刚想要开口说点什么来缓和一下这种令人备感煎熬的沉默的时候，毛巾底下，终于再次传来了宁中的说话声：

"高壮死得惨！"

陈骖浑身一震，分散的思维瞬间凝聚，他小心翼翼地屏住了呼吸，耳边，宁中浑厚低沉的嗓门继续在缓缓响起：

"我到了九镇之后，收到爽文的消息，说你们出事了，我马上派人找了高壮。小洪二，你是没有看到，整个码头上触目惊心，全是死人！连雪都是红的，流出来的血都被冰在青石板的缝隙里，抠都抠不掉。我找了很久，最后好不容易，还是让我找到了，找到了一半！小洪二，你想听听，是哪一半吗？"

宁中的声音一如既往地平缓淡定，但不知为何，飘荡在饭桌上空，却分明如同一座大山般沉郁凝重，压得陈骖几乎有些喘不过气来。

他双唇开始情不自禁地抖动，张开又闭上，如此几次，这才好不容易从喉咙里面挤出了几个字："中哥，你讲。"

"洪二，你家里是杀猪的，卤的猪脑壳你应该见过吧。整个猪脑壳丢在卤水里面，煮它一两天，味道全部熬进去，肥的瘦的肉都煮烂透了，一口肉一口'朝天吼'，不得了的快活。是不是？"

陈骖整个人都开始如同风中枯叶般剧烈颤抖起来，嘎声说道："是，是，是的。"

　　"高壮就是那样！我找到他的时候，他的脸就和卤猪脑壳差不多了，皮开肉绽，一片稀烂。如果不是当时几个被我抓住的难民指认的话，根本不可能晓得是他。"

　　陈骖一个字都说不出来了。

　　他甚至连想都不敢在脑海里面去想，脸烂得像卤猪脑壳的高壮到底是个什么样子。他只是费尽了全身力气，用那双如同筛糠般抖动不休的手臂捧起了桌上的酒壶。

　　一次、两次……陈骖努力地尝试着，想要替自己满上一杯酒，但是却无论如何都无法对准杯口，当壶中的酒液几乎洒满了桌面，他再也忍不住，径直举起壶嘴大口大口喝了起来。

　　清凉酒液顺着嘴角汩汩而下，打湿了陈骖的胸襟，也激红了他的眼眸。

　　最后一滴酒液入口，陈骖放下酒壶，扭头对着窗外大口大口呼吸着，试图用凛冽江风来平缓一下胸中滔天烈焰。

　　身边，宁中手臂一动，脸上的那块毛巾也终于被取了下来。

　　在温热蒸汽的滋润之下，宁中本就光洁的皮肤更是红润照人、风采熠熠。

　　只不过，他的脸上却再也没有了一直以来的温和笑容，如同戴上了一张面具般看不出丝毫的表情波动，唯有两只眼睛当中骤然散发出的锐利光芒，摄魂夺魄般一瞬不瞬地看着陈骖，淡淡说道：

　　"洪二，不管你今天找我想要说什么，我只希望你在说之前，好生想想高壮的下场。人生在世，没有那么多对错，只有选择。杀人者，人恒杀之。高壮选择了杀人，所以他也就被人杀了。你不同，你还可以选，要选好！有些路一旦走了，就只有自安天命，怪不得人，也回不了头！"

　　不远处，宁爽文那桌的划拳吆喝声依旧还在热烈地响着。

　　而陈骖、宁中两人却都像是入了定一般，一动不动坐在各自位置上，甚至连眼神都不曾有过半点交流。

　　良久过后，宁中终于把头一抬，温和讨喜的笑容再次浮现在脸庞，亲热地伸出一只手搭在陈骖肩膀上，柔声说道：

　　"小洪二，要不今天先就这样吧，我等下还有一点事要做，就先走了。听哥哥一句，好生活下去，这才是大事。其他的你不用多想，先就在常德安心休息，等休息好了，我觉得你可以去应天府试试，那里才是你这种读书人应该去寻的前程。你不是拿刀的人，就千万不要拿！有任何困难，随时告诉文伢子，或者直接找我都行，好吧？那我就先走一步。宗宝！"

话刚说完，宁中搭在陈骖肩膀上的手掌微微一抬，在陈骖头顶轻抚两下之后，赫然起身，拉开椅子就要离去。正在他脚掌已经迈出，将转身未转身的那一刹那，一只手飞快伸出，紧紧扯住了他的衣袖。

诧异当中，宁中低头看去，那个从见面开始就表现得极为拘谨青涩的青年，此时此刻，已经昂起了原本低垂的头颅，眼神当中再也没有了丝毫的胆怯与犹豫，无比诚恳又异常坚定地轻声说道："中哥，我还有几句话没讲，稍微等下行吗？"

宁中呆呆看着腰边这位高昂着头一脸倔强模样的青年，一时之间，竟然有些恍惚。

原本，按照他向来杀伐果断的行事风格，是绝对不会再继续多嘴半句的。但不知为何，这一刻，在江风明月中，他却突然想起了多年以前，那个听闻父母受辱，在母亲的下跪阻拦中，依然不顾一切拔刀出门的自己。

当初，如果听了母亲的话，如果没有拔刀出门，如果没有后来的这一切，如果人生还能重来……

那，该有多好！

一阵黯然袭上心头，狠辣无情的洞庭霸主，终归还是嘴巴一张，忍不住问出了一句本不必再问的废话："洪二，你真的还是要讲？"

"中哥，要的！"

无可奈何花落去，似曾相识燕归来。

罢罢罢！

宁中心底一声暗叹，对着旁边正要举步走来的宗宝、宁爽文等几人一挥手，示意他们先下楼之后，再不开口，弯腰坐回了座位。

陈骖默默看着窗外。

夜色如水，半边弦月高挂虚空，滚滚沅江水在月色的映照下，粼光点点，犹如一条玉带般蜿蜒而去，直到天边。

陈骖不敢看宁中，他也不知道此时此刻宁中是否正在看着自己。

而宁中再次落座以后，同样不曾说过一句话，两个人之间再次陷入到了一种奇怪的沉默当中。

陈骖不蠢！不但不蠢，还是一点就透、心思玲珑的聪明人。片刻之前，宁中表现出来的真情实意，他当然能够明白。

他知道，宁中的确是在为他好。

他何尝不懂，下面的话只要出口，选择一旦做出，势必就像宁中所言，回不了头了！

所以，在陈骖的脑海里面也有着迟疑与纠结，他也希望自己能够像宁中说的那样，忘掉一切，做出一个更好更聪明的选择。

可是如果真是那样，陈骖又怎么能够对得起冤死的父母，惨死的高壮，以及一心一意相信他、顺从他的严烟！

一个人，如果薄情寡义，只为自己活着，那还算是个人吗？

想到这里，陈骖不再犹豫，猛然回过头来，开口说道：

"中哥，你看窗外，这条沅江每年都会发大水，每次涨水，都要死人。我第一次亲眼所见，是八九岁的时候，有天去老夫子的学堂上课，路过江边时，看见捞尸匠正在把人拖上来，尸体被泡得又肿又胀，已经发白了。死的也是个小伢子，比当时的我大不了多少，被捞尸匠用根铁钩像是搭一片猪肉那样搭上来的时候，他的爹娘就在旁边，哭得天昏地暗。当时我有些害怕，看了几眼之后就转身走了。但是那天晚上，我爹娘做饭的时候，我坐在旁边看，看着看着突然就想，如果死在江边的那个伢子是我，我的爹娘是不是也会像那个伢子的爹娘一样，痛不欲生。越想我就越伤心，最后，我终于忍不住哭了起来，爹娘都被吓坏了，等我把白天看到的事告诉他们之后，爹抱着我，跟我说，这就是命！命里就注定了那个伢子该在那一天死掉，谁都没办法，让我不要想多了。

"一晃这么多年，这件小事，不知为什么，我却始终没忘掉。今年初，我爹娘也死了。我爹卖了一辈子肉，我娘洗衣做饭伺候我和我爹，连门都很少出，结果怎么样？现在他们的骨头也都可以用来敲鼓了！中哥，不管是那个小伢子，还是我爹我娘，他们做错了什么？张广成那个杂种带人血洗九镇的时候，那些无缘无故死掉的父老乡亲，又做错了什么？都是天命！既然天命如此，那么，我放不放得下这个恨，报不报这个仇又能改变什么呢？在这个世道，兵荒马乱，好坏不分，难道我不报仇，就真的能够保证自己长命百岁、平安到老吗？不只是我，哪怕是中哥你，真有一天轮到了，谁又能躲得掉逃得脱？高壮命里注定要为了救我死在那座桥上，那我的命里也就注定了要欠他的情，注定必须还！所以，中哥，其实我没得选择，我们都没得选择！怪只怪我们命不好，活在这个世道里，天地不仁！"

陈骖像是发泄，又像是赌气般一口气说完了长长一大段话之后，宁中却依旧没有半点想要开口的意思。他只是又叫来了一壶酒，头也不抬地默默喝着，也不知道他是真的在听，还是在想些什么别的。

看着宁中身上那种反常的沉郁模样，陈骖有些愧疚。

其实，他很想给宁中好好解释一下，他觉得自己辜负了这位兄长的良苦用心，伤害了这位兄长的感情。但是，话到嘴边，他却终归还是没有说出口。

他只是伸手端起酒壶，分别替自己和宁中各满上一杯酒，在他的举杯示意下，两人一饮而尽。

再一杯，又一杯。整整三杯。

宁中坦然接受了陈骖的敬酒，过程中虽然还是不曾说过一句，但，陈骖的心里却好受了很多。

男人之间，有些时候，言语确实多余。万种悲欢，一壶浊酒，这就够了。

饮下口中烈酒，陈骖一抹嘴角，斩钉截铁地说出了八个字：

"中哥，我必杀张广成！"

十四

风云际会

"叮、叮、叮……"

宁中漫不经心地弹着桌面上的空酒杯，整个人都似乎沉浸在一连串清脆的敲击声中，别说搭话，连看都没有看陈骖一眼。

如同是一拳打在棉花上有力无处使的陈骖，呆呆等了片刻之后，只得张嘴继续说道：

"中哥，你刚才也说了，杀人者，人恒杀之。高壮杀人，所以他被人杀了。那么张广成呢？他也杀了人！中哥，刀下生刀下死，就算将来哪一天真到了我的时候，我也不怨天不尤人，我认！"

下一秒，"叮叮"声终于停止。

宁中抬起头，直视着陈骖，说出了再次落座以来的第一句话：

"洪二，说了这么多，你今天找我到底是想要干什么？"

"中哥，我想你帮我。"

陈骖话音刚落，宁中毫无表情的脸上就已经出现了笑容，笑容越来越盛，最后，宁中嘴巴咧开，终于放声大笑了起来：

"哈哈哈哈哈哈哈……"

看着几乎笑到前仰后合的宁中，陈骖的满腔期待却在瞬间化为乌有。

大笑声中，宁中手掌伸出，这一次换成他主动拿着酒壶倒起了酒，当两人杯子都被倒满之后，宁中举起杯子，说：

"洪二，来，我敬你！"

宁中率先一口饮尽杯中酒后，也不管陈骖喝没喝，将杯子一放，立马开口反问道：

"洪二，你想杀张广成，我晓得。文伢子早就给我说了，他也想杀！高壮义薄云天，一命换三命救了你们，你们替他报仇，天经地义！传了出去，世人也都要竖起大拇指夸你们一声好汉！另一方面，高壮也是我们排帮的人，他十五岁那年就拜了码头跟了我，他被人杀了，排帮替他报仇也是分内之事。这些年来，我们排帮顺着沅江一路往下，西到滇边，东到长江，也算是弄出了点小动静，有了点小规模。洪二，你晓得为什么吗？江湖上，大大小小无数个帮派，为什么就我们排帮出头了？就是因为义气！入了排帮，就是家人，杀了你的父母，就是杀了我的父母，排帮里头只要一个人出事，那就是所有人的事！只要一个人的仇，那就是所有人的仇！高壮死在了张广成手上，但他还不是唯一的。从张广成起事开始，他和他的手下一共杀了我们排帮二十一口！二十一条人命！个个都上有老下有小，没得哪一个是从石头缝里面蹦出来的。

"那天晚上，我带兵回九镇，攻上码头的时候，张广成就在现场。当时，只要我宁中两瓣嘴巴皮子一碰，说个杀字，张广成就必死无疑。但是，我没有杀他！他而今还好生生活着，活得比以前还更得意。我是排帮掌舵的，手下弟兄出了事，我宁中就有责任要管！要扛！二十一条人命的仇，我不帮他们报，底下人就会有意见，意见多了，心就会散，就会有人玩名堂，我这个舵就掌不了，老大就当不成。所以，于公于私，张广成这个人，我都要杀。但是，洪二，我想让你猜一下，我为什么不杀？"

宁中一席情真意切的话让陈骖陷入了沉思，片刻之后，他这才小心回道：

"爽文给我说过一嘴，说中哥你现在已经是朝廷命官了，上头有命令，要留下张广成这个人，你不得不听命。"

"哈哈哈哈……"

又是一连串的大笑过后，宁中脸色一正，眼神中骤然冒出了两道前所未有如同恶狼般凶残的寒芒，阴森森地看着陈骖说道：

"洪二，我和你，和文伢子都不同。这一次你们杀了人，是被逼得没办法

123

了，你们不杀人，人就要杀你们。但是我从来都不是个守规矩的人，大多数时候，我杀人都不是被逼，是想杀！而今这种兵荒马乱的局势，这身官皮只是给外人看的，重要吗？不重要！只要老子手底下还有这条沅江水，还有水面上这几千兄弟，走到哪里，老子都不用受任何人的指使。我真要杀张广成，别说是这个半吊子朝廷，就算那个短命皇帝再活过来给老子下了圣旨，张广成也同样死无葬身之地！官府的话要能作数，我宁中也就不至于敢刀口舔血在黑道上混这么多年了！不过，文伢子没有说错，你讲得也对，的确是有个人给我下了命令，让我不要杀张广成。但是你再仔细想一想，如果我都不把张广成当回事，那么一个比我官还大，还有势力的人，他又为什么要放张广成一马呢？”

宁中的话，句句在理，却又无懈可击，一时之间，聪明如陈骖，也被说得云山雾罩，再也想不出任何正确的答案。

所幸的是，这一次，宁中并没有卖关子，而是重重一拍桌子，在“啪”的一声巨响中，他看着被吓了一大跳的陈骖，冷冷说道：

“因为，张广成杀不得！”

一股怒火，在陈骖的胸膛里面油然而生，转瞬之间，就熊熊燃烧了起来。

他知道，宁中的话语背后，一定有着他的道理。

但是，他还是想不明白，为什么张广成杀不得？

为什么自己父母就杀得，严烟的爹爹就杀得，高壮就杀得，甚至是北京城内那位被逼得吊死在歪脖子树上的短命皇帝都杀得？

但是，这个张广成偏偏杀不得！

难道他是三头六臂，天王老子下凡不成？

如果这样，那这天、这佛、这神，甚至这世间公义的浩然之气，不要也罢！

无边怒火中，陈骖再也忍耐不住，头一次近乎无礼般地看着宁中说道：

“杀不得？除死无大祸，讨米不再穷！到了今天这一步，我已经家破人亡，无非就是再多一条命而已。你不敢杀他，不见得我就不敢！”

看着眼前这位一副心中不忿、盛气凌人模样的青年，已经有十余年时间从来不曾被人呵斥过半句的宁中，不仅没有生气，反而再次悠悠笑了起来。

一边笑，他一边伸出手掌，狠狠拍在了陈骖的脑门之上：

"九镇人都晓得，陈屠夫家的洪二今后是个了不起的大人物，是个绝顶的聪明人。今天看起来，你这个臭脾气一上来，比我屋里文伢子也强不了多少。洪二，先莫发火，张广成不是你张开嘴巴两句话就能杀死的，仇也不是靠逞能就可以报的。你胆子比哥哥大多少现在还不好讲，但是，你要不要先安安静静，听哥哥讲下杀不得的理由？"

宁中连笑带骂的一番话，惊醒了陈骖被怒火冲昏的头脑，向来学习圣人之道，恪守读书人君子如玉之礼节的陈骖，在意识到了自己的失态与莽撞之后，顿时羞愧得恨不得一头栽死在地面上，一时之间，面红耳赤地低下头去再也不敢放肆。

"洪二，你晓得张广成是哪里人吗？"

"听说了，山西人，起事的时候，最先跟着他，也是最凶狠的都是他那帮山西老乡。"

"嗯，祖籍呢？"

"那，那不晓得。"

"你晓得，他为什么千里迢迢从山西来了九镇吗？"

"逃难。现在越来越多的难民从北方过来了，山西、河北、京城的都有。"

"逃难，那么多地方，干吗偏生就要来这里？"

"……"

"张广成是山西人不错，不过，是从他爷爷那一辈才去山西的。之前，张家世代居住陕西定边。而他之所以要来九镇，是因为他要往西走，但是从武昌沿江而上的水路都被封了，匹马不得出入！所以，他只有绕道，走九镇山路往西。也不晓得是他倒霉，还是九镇倒霉，结果这个杀星走到这里，却偏偏遇到官府抽丁，杀了他老爹。"

"他往西去干什么？川蜀、滇边也都不太平啊。"

"他去投靠自己的堂叔，这个人你也知道。"

"我知道张广成的堂叔？哪个？"

宁中伸出手指，对着西边方向猛然一戳，脸色严肃却又极为意味深长地看着陈骖，缓缓问道：

"九镇的西边是哪里？在那个地方，同样姓张的陕西定边人，还能有谁？"

最初一瞬间，陈骖并没有反应过来，他还在脑海中绞尽脑汁地想着自己认识的人中，到底哪位最有可能是张广成的亲堂叔。

直到他排除了好几个自己都认为绝不可能的熟人之后，陈骖无可奈何地抬起了头，想要直接开口询问。可就在那一刻，当他的目光刚刚与宁中的视线对接的一瞬间，一道灵光忽然闪过。

下一秒钟，陈骖只感到自己脑海里"咔嚓"一声，好像是凭空响起了一道晴天霹雳，整个人都被震得一片空白，他如同电打般从椅子上一跃而起，身子却重重撞在了桌子边沿。

"当当嘟嘟"，一连串脆响中，桌上碗碟摔落一地。

可还没等他真正反应过来，耳边悠悠传来的宁中说话声，却已经毫不留情地将陈骖脑中所想变成了现实：

"你猜得没错，就是他，大西皇帝，张献忠！"

陈骖面色惨白，一动不动地瘫坐在椅子上，如同是一条搁浅的鲤鱼般张大着嘴巴，大口大口呼吸着从窗外吹来的冰凉寒风，脑海里面却依然是一片混乱，浑浑噩噩地完全不敢相信这个残酷的消息。

良久过后，他带着仅剩的一丝侥幸，喃喃说道：

"不可能，不可能，张献忠是陕西打过来的，张广成是山西人。不可能！不可能！中哥，你一定是弄错了，不可能的，不可能……"

"张广成的父亲张金福，正是张献忠的亲堂哥，张献忠起事之初，曾经在张金福家避过难，还受过张金福的不少资助。九镇民变那一晚，张献忠派来接应张家的人也已经到了九镇。当天晚上，我本来要全力绞杀张广成，正是这帮人表明身份及时插手，才算是救了那群狗东西一命。后面的事，洪二，就不是你应该知道的了。你只需要明白一点，张广成这个人本身并不难杀，但是只要鞑子南下的威胁一天还在，大局就决不能乱。你杀了张广成，那就不是得罪哪一方势力的问题，而是得罪全天下，全天下都会来杀你！你敢不敢冒这个险？"

陈骖终归还是一个思维敏锐、心智机巧的聪明人，脑海中无数像是乱麻般裹在一起找不出头尾的疑问，在宁中的话语过后，很快就一条条一丝丝地清晰起来。

从极度震惊中回过神来的他，只觉得自己像是吃下了一大口黄连般，嘴里又苦又涩。他端起杯子送到嘴边，却又还是忍不住停了下来，满是讥讽地看着宁中说道：

"张广成投了个好胎！所以，他就可以杀别人，但是他杀不得。所以，为了那些连毛都没有看见一根的鞑子，为了英雄豪杰们的万里江山，为了你们这些大人物谋划的所谓天下大局，我们九镇的血就白流，人就白死了，对吗？"

陈骖语气并不激烈，甚至可以说得上是平和缓慢，但不知为何，面对着他娓娓道来的一番质问，宁中张了张嘴，却并没有回答，唯有那双原本是明亮慑人的眼眸中，破天荒地露出了些许暗淡。

而这边，陈骖似乎意犹未尽，浑然不顾地继续喃喃说道：

"很小的时候，我就听说，九镇，是排帮的九镇；沅江，是排帮的沅江；而排帮，是宁中的排帮。那天晚上，我们动手之前，爽文也说过一句话，中哥，你要听吗？"

陈骖微一停顿，也不待宁中回答，断然说道：

"他说，如果他哥在，这帮杂种一个都跑不掉，他哥肯定冲在最前头，这是他哥的地盘！"

语毕，陈骖一口喝干杯中酒：

"中哥，看来，今后不是了。"

很久很久，宁中都没有说话。一直在楼下等候的宗宝曾经蹑手蹑脚地上楼来看过一下情况，见到两人默然而坐的样子之后，立马一言不发，极为识趣地反身就走了。

等到宗宝下楼的脚步声彻底消失之后，宁中也终于又张开了口：

"洪二，既然话已经说到这里，我也就摊开来讲，你也不用激我。我晓得你们兄弟几人是怎么想的。如今张广成已经站稳了脚，单凭你们几个，别说动他，自己不出事就要拜菩萨了。我要是你们，也会来找我帮忙。如今，只有我才是你们唯一的倚靠。我是文伢子的哥哥，高壮又是我的手下，他还救了文伢子一命，我很感激。我也是看着你们长大的，不管是你，还是烟娘子，小时候我都抱过亲过，带你们玩过。于情于理，我应该帮你们，我也想帮！假若换成十年前，我还没有坐上而今屁股下头的这把交椅，或者是那个短命皇帝还没有死，那么，我宁中二话不讲，别说是张广成，但凡那天在九镇拿过刀杀过人的外地佬，我宁中保证是鸡犬不留，一个都别想活下去。这不是我哄你，不是

127

假话！但是，小洪二，你是聪明人，你要晓得，出来道上混，人在江湖，身不由己。尤其是像我这样，到了一定位置上，就不是我自己一个人为所欲为这么简单了。

"而今的我就像是一棵大树，树上有藤，有枝叶；树底下有遮阴的人，有草有花朵；树根里头还有蚯蚓，有老鼠，有虫。树一倒，这些全他娘的要死。小洪二，需要我负责的人太多了。所以，做任何一件事情之前，我喜欢不喜欢，讨嫌不讨嫌，一点都不重要。重要的是，这么敏感的时候，冒这么大的风险，只是因为私怨去替一个人报仇，到了我这个位置上，就不是明智的选择了。我明白，也许今天这些话你还不完全懂，但是不碍事。我本来也不希望你、不希望文伢子或者是烟娘子你们当中的任何一个人，会懂这个道理，这不是好事。但是，我已经懂了！洪二，我已经到了这一步，就像开始给你说的，回不了头了！私下恩怨、个人得失，很多时候已经完全不再是我考虑的重点。小洪二，你听不听得懂，恨也好怨也罢，哥哥的话也只能说到这里了，莫要见怪。"

陈骖一言不发地默默看着宁中。在酒楼内明亮的灯光照射下，宁中突然发现，这个年轻人的眼神中居然渐渐有了些颇堪玩味的神秘神采。

这让宁中猛然有了一种错觉。

他觉得片刻之前，那个自己曾经亲眼看着长大的半大孩子突然消失不见了，现在取而代之坐在身边的这个人，俨然已经是一个历经风霜之后，看透了人心人性，完全可以和自己坐而论道、一辩雌雄的厉害角色。

就在宁中颇感不适的同时，陈骖嘴角肌肉一扯，露出了见面以来的第一次微笑，张口说道：

"中哥，其实，我懂。我唯一不懂的是，你的话里面对于朝廷那个短命皇帝，对于这个大明王朝，并没有太多的尊敬。那么，你好端端逍遥自在的江湖霸主不当，为什么偏要披上这一身并不重要的官皮呢？"

宁中双眼一睁，再也克制不住的冰冷杀意，铺天盖地露了出来。

面对着跟前这位向来以翻脸无情著称乡里，而今已经是面如寒霜的排帮总舵主，此时此刻的陈骖却表现出了远远超出他年龄所应该拥有的淡定。

他目光不但没有丝毫躲避，反而针锋相对地直面宁中，脸上的笑容仿佛更加浓烈，笑得狡猾而得意，就像是一只刚刚偷吃了八百只鸡的小狐狸。

小狐狸慢悠悠地看着宁中说：

"中哥，你是哥哥，弟弟还小，话说得不好，你别动气，先听我讲完。打小，只要学堂不上课的时候，我就会去我爹的肉铺里面帮忙。天气冷的时候，还算好；天气一热，那就真是挺麻烦的，到处都是苍蝇，成群结队围着案板上的肉转呀转，只要一不小心，好好的肉不是臭就是长蛆，打又打不到，用巴掌拍还脏手。不过，我想了个办法，我娘手巧，我让她用马尾巴做了一个拂子，用来打苍蝇，一打一个准。所以，后来，再热的天，我家的肉基本都不会长蛆了。中哥，我的意思是，其实每个人都有一块肉，都不是白捡的，都要辛辛苦苦打拼很多年才能得到。但是有肉就有苍蝇，有些苍蝇想吃这块肉，还有些苍蝇呢，可能已经正在吃了。那么那个有肉的人就肯定需要一个拂子。中哥，你的肉被人吃了！"

"哈哈哈哈哈哈……"

宁中的大笑声，第三次响了起来，他边笑边微微摇头，说道：

"小洪二啊小洪二，当年梁老夫子说你比我强，我心里多少还有些不服气。没想到，你还真是个人精。不过，我的肉被人吃了？我的肉是什么呢？又被谁吃了啊？"

陈骖微微一笑道：

"张献忠好不容易在你的刀下救了张广成，却又偏偏不带他走，反而让他留在了九镇这个仇人无数的险地；至于常德府里那个下命令的大人物，他下令放人，却又不加以干预，理由就不好讲了。有可能是想卖张献忠一个人情，未雨绸缪；也有可能是上位者翻云覆雨的制衡之道，不想看着九镇这么一个重地，被哪一个人根深蒂固地永远抓在手里。还有，就连武昌府的八香会，听爽文说最近也开始在九镇冒了头。九镇，就是你中哥的肉，排帮的肉。可是现在，三教九流，群雄会聚，分肉的这么多，中哥，你愿意吗？"

"哈哈哈，九镇是我的家，不是我的肉，也不是哪一个人的肉。我一个生意人，赚的就是流水钱，每天码头上来来去去的人那么多，也没见谁把九镇吃了啊，有什么关系呢？"

"本来也是没关系。太平时节，人多才能气旺，气旺才能聚财，也算是好事。不过，中哥，跟着梁老夫子，我也曾经看过几本堪舆兵法。按照书里的说法，我们九镇这个地方，地处五溪交汇之口，扼洞庭之咽喉，守武昌之脊骨，上抵云贵川，下到南京苏杭，南靠深山，北临大江，进可攻退可守。中哥，你也上过学堂读过书，你说说，这是不是应该叫作兵家必争之地？现在天下大乱了，中哥，你真的只是想要聚财吗？"

说到这里，面对着双目炯炯的宁中，陈骖脸色一正，收起了略微有些轻佻的笑容，压低嗓门，极其严肃地继续说道：

"张献忠、八香会、常德府，人人落子，个个插旗，为的是什么？天下大乱，有能者居之，这个乱世，布局天下，在九镇这样的重地落一个闲子，以图他日。个中道理，中哥你肯定比我懂。因为，中哥你不也做了同样的事吗？你不也还是抢回了码头，也在九镇下了颗钉子？当然，我做弟弟的历世不深，后面的话讲过了，你多担待。"

宁中两只眼内厉芒闪烁，冷得瘆人，可脸上却又偏偏带着一丝若有若无的浅笑，一边微微点头一边问道：

"对，洪二，你说得都对。不过，你到底是想讲什么呢？"

"中哥，你的肉被人吃了，你需要一个拂子！"

宁中双手撑在桌面，上身前俯，脑袋伸到了陈骖跟前，几乎是一个字一个字地慢慢说道：

"哦？这条江上跟着我讨生活的兄弟，成千上百，我就找不到一个拂子？"

"找得到！只不过，你身为朝廷命官，亲自打，脏手；身为一方霸主，格局不明，入场太早，招忌！"

"那谁当我的拂子呢？"

陈骖嘴巴一张：

"学成文武艺，货与帝王家。中哥，我这条命，想卖给你，要不要？"

极近的距离之下，宁中的目光如同锥子一样，几乎钻进了陈骖的心里，看透了他的一切。就在陈骖快要抵抗不住，马上准备低头躲开的一刹那，宁中身子微动，前俯的身体已经回到了座位上，脸上赫然恢复到了之前那种令人备感温和的笑容，径直伸手端起酒杯，凌空一举：

"入帮，是有规矩的。"

"中哥请讲！"

"投名状！"

宁中一饮而尽。

十五

偏门采生

丝瓜巷是一个很奇妙的地方。

在那些大门不出二门不迈，专心相夫教子的妇道人家眼中，丝瓜巷就算不是地狱，那也绝对是世界上最肮脏龌龊的场所，平日就连路过这里，她们都会忍不住要朝着巷子里面狠狠啐上一口吐沫。

可是，对于生活在常德城中的几乎所有男人而言，丝瓜巷却是天堂，是天下一等一豪奢的地方。

在这里，无论是关外烧刀子、塞北闷倒驴、江南女儿红、西域葡萄酒，还是牌九、骰子、花子、跑胡子，又或是扬州的瘦马、米脂的婆姨、苗家的山女，甚至是罗刹国金发碧眼大屁股的白奴，乃至于近些年间才兴起，却越来越风靡的烟草烟土……但凡是男人想要的一切，只要有钱，你都可以在这里找到。

不过，丝瓜巷里虽然有着无数的好东西，但最有名的，还是丝瓜。

丝瓜不是一道菜，而是一个人，一个很了不起的人。

十三年前，他突然来到常德，在城内一条最破败不堪的无名巷口买下了一块地，花大价钱在这块地上建起了一座叫作八香馆的大院子。

十三年后，八香馆已经成为了整个八百里洞庭范围之内最气派最有名的青楼，而那条无名小巷，则变成了天下人口中的"小秦淮"丝瓜巷。

这一切改变，都是由丝瓜一手造成。

丝瓜之所以能在短短十余年间，创下这片庞大家业的原因很简单。

他是八香会的三当家，常德分舵的舵主。

自古以来，人的职业分十等，一官二吏三僧四道五医六工七娼八盗九儒十丐。

除此之外，还有着"车行船行店铺行脚行衙役行，金匠银匠铜匠铁匠锡匠木匠瓦匠石匠"这些所谓的五行八作。

世界上的绝大部分人都在从事着以上这些行当，得意落魄，光彩卑微，各有命数，却基本都算得上是正行。

不过，道家有一个说法，世间万物皆有阴阳。

有白天，也就有黑夜；有严寒，也就有酷暑；花开，就会花落；太阳从东边升起，就一定在西边落下。

自然如此，人类也是一样。

有人生，就有人死；有人善，也就有人恶；有人老实巴交面朝黄土背朝天吃饭，也就有人把脑袋别在裤腰带上，昧了良心赚黑钱。

所以，有人做正行，也就一定有人捞偏门。

八香会捞的就是偏门，而且还是"蜂麻燕雀，金皮采挂平团调流"这四大八小江湖十二门当中，最阴毒最灭绝人性的"采"门。

江湖人，吃的就是江湖饭。

在江湖饭里面，风险最高却也最赚钱的有三种。

一是贩私盐。但凡是个人，上到天子下到蚁民，都要吃盐，所以，只要打通了盐路，当然也就是财源滚滚，日进斗金。

二是镔铁马匹买卖。这两样都是国之重器，二者兼得，蕞尔小国也可以问鼎天下，历朝历代，官府管控都是极度严格。然而，物以稀为贵，管控越严，需求就越大，喊价就越高。所以，甘陕燕赵向来也都是出江湖大豪的地方。

而第三种，就是采门。

所谓"采"门，江湖行话又叫作采生。

什么是采生呢？

天寒地冻的白山黑水之间，关外某位大豪所拥有的一片老林子里面，需要精壮耐劳的壮汉挖参；或是苏杭某位盐商的芙蓉帐里，需要臀大乳肥的女人暖床；或是京城某位贵妇听信巫医，需要鲜血敷面，用以养颜；或是吏部某位侍郎霸占的山头里发现了铜铁，需要劳力开山炸林；或是边关某位都督，为了扩充私家军队，需要大量的壮丁；或是京城某位掌权太监有着某种特殊癖好，觉得男根泡酒，可以让他重振雄风；甚至是岭南某个农户，一生无子，想要找个男童延续香火……

还有人！无数高居庙堂脑满肠肥黑了良心的人！他们需要奴仆，需要差役，甚至需要用人来入药治病、泄欲宣淫、祭祀陪葬、当牛做马。

这一切需求的源头，都是人！

人就是生胚，贩卖就是采摘。

这就是采生！采摘生胚之门。

二十二年前，从八香会的第一代龙头文湘北在武昌城内起家开始，做的就是采生行当。大江南北，基本上所有的女人小孩生意，都免不了要搭上八香会的关系。

生意做得大了，货物运输自然也就成为了一件极为重要的事情。

从四川拐走一个眉清目秀的小姑娘，如果是一路走到扬州当瘦马，千里迢迢，山穷水恶，就算不死，那个小姑娘也要被折磨得面黄肌瘦，生死堪忧。

所以，更快捷更便利的水路也就成了八香会必然的选择。

而八香会所处的这条长江水路上，谁才是头号霸主？

排帮！

要想借道长江，就算是天王老子下凡了，排帮的码头也不得不拜，八香会，当然更不能例外。

但是，排帮掌控了水道，本来也就日进斗金，不愁吃喝，加上江湖男儿也自有一份傲气，瞧不上八香会的龌龊生意。于是，这些年来，除了会按船数人头收上一份"水饷"之外，也就不愿意搭上八香会的"货物"，做这伤天害理之事。

既然如此，在迫不得已的情况下，按时按量送上重金获得了排帮默许之后，八香会也就慢慢发展出了自己固有的一支船队，当然比不上排帮笑傲洞庭的庞大规模，但应付自己帮会内的货物走私也算是绰绰有余了。

跑江湖捞偏门，就有着捞偏门的规矩。

本来这条道上，谁也不是什么身家清白的好人，大家手里或多或少都沾着血流着脓，大路朝天，各走一边，只要面子给到、钱给足，那就行了。

于是，慢慢地，八香会在不知不觉当中，也就发展成了这片水域上的第二大帮派。

一直以来，八香会也算是守规矩，除了自家生意之外，对于排帮的固有地盘和生意是绝不触碰，大家虽然心底都不怎么看得起对方，偶尔也会发生一些小龃龉，可大体上也算是按序落座各守本分，井水不犯河水。

但是几个月前，一切都变了。

大明皇帝吊死在北京城内的一棵歪脖子树上之后，满人入关，天下大乱。数月之前，常德知府远赴南京，名为述职，实际讨官，丢下了偌大的一个烂摊子再也没有人管。

于是，常德府内一个极有势力却又多年隐忍的人物趁势崛起，接管一切。九镇事变之前，洞庭湖范围内的各大势力，包括排帮龙头宁中都正是应此人的邀约，来到常德城内商讨大事。

大人物召开了一次会议，在会议上，实力最大、人数最多的排帮得到了最大好处。在那位大人物的全力支持与重用下，宁中摇身一变，当上了堂而皇之的千户将军，并且全盘接管了兵力极为空虚的常德城防，一跃成了当今这片洞庭湖上炙手可热的、仅次于那位大人物的第二号人物。

但不知为何，也许是顾忌到八香会源自武昌，而那位大人物并不太愿意武昌势力过多渗入常德府中。

所以，对于八香会在常德府的这个分舵，除了让它的采生行当可以半公开，官方不再过分为难之外，却并没有给予太多好处。

于是，身为舵主的丝瓜不干了。

据说就在那个大会上，丝瓜借着敬酒的机会，当着众多江湖大豪的面公开给宁中说："你们排帮当了官，成了场面人，那么道上的生意就分给兄弟们吃点。"

面对着这样近乎挑衅的说法，向来辣手无情的宁中当时居然是一反常态，不置可否，并没有当场拒绝。

接下来的日子里，八香会在水路上的生意突然就开始了蓬勃发展。

他们大肆购买船只，收编水手，并且经营也不再只限于八香会本来的业务范畴。近些日子以来，据说连四川盐帮、滇边马帮这些排帮固有的生意伙伴的业务，都已经开始被八香会插手。

甚至，在八香会一手控制的武昌、九江等地方，还越来越频繁地发生了排帮船只被扣、帮众被打、货物被抢的恶性事件。

可奇怪的是，黑道霸主宁中却好像真的从良了。

从头到尾，看着自己的势力被削弱、兄弟被欺负，他却始终都不曾公开说过只言片语，就好像，他真的已经擦干净了裤裆里面的屎尿，成为了一个身家清白的大明将军。

鉴于这种情况，主管水路的八香会常德分舵行事也开始越来越嚣张，从最初小心翼翼地试探，到中期的步步蚕食，一路演变到了后来几乎是半公开地抢班夺权。

半个月前，事态发展到了最高峰。

丝瓜公然在沅江水道最重要的转运码头——九镇，也就是排帮的大本营里，开了一家镖局，保的就是从沅江过洞庭到武昌的这条水路。

而且，更让人遐想联翩的是镖局大门上挂的那面意味深长的金漆招牌：震沅！

一时之间，江湖上流言四起。

长江沿途的各大帮派，聪明一点的，在局势未明之下，都三缄其口，虽不表态，却也绝不支持任何一方；而有些过于愚蠢贪婪的，或是与排帮有过宿怨的，一见这个情况，更是难免开始蠢蠢欲动，明里暗里与八香会勾搭起来。

雄霸洞庭近百年的排帮，终于在这个乱世迎来了前所未有的巨大挑战。

丝瓜巷对面，有片污水横流杂乱腌臜的小空地。

空地西头，一条摇摇晃晃缺了半截腿的长木凳上，陈骖正在专心致志地喝着手中一碗丝瓜汤。

相比起一街之隔的灯红酒绿、环佩叮当，这里完全是另外一个世界。

当那些达官贵人在丝瓜巷内的青楼书寓中，搂着清倌红牌女校书们，倚红偎翠地指点江山时，通常都是不会带着自己身边的车夫马倌打杂下人的。

但是，这批人总也要有个去处，总不能一个个都像是木桩般呆立在巷子口几个时辰，等着自己主人尽兴而归。

于是，有位住在丝瓜巷附近、头脑灵光的活泛人首先发现了商机，在这片正对巷口的空地上摆了一个名叫"魏记"的牛肉粉摊子，没想到，魏记牛肉粉汤浓肉香，很快就打出了名声。天长日久，在魏记的带动之下，这片空地上，也就从无到有，从有到多，发展出了好些家虽然简陋，却也生意红火的夜市摊点。里头卖的尽是些包子馒头、稀饭粉面、饺子锅贴、炖肉清汤之类价廉物美却又能充饥饱肚的寻常东西，虽然远远谈不上美味，却也足够下人们打发一下时间，消磨一些意气了。

陈骖不是下人。

虽然遭逢剧变，家破人亡，但内心的万丈豪情，满身的文武技艺，都注定了他永远不会去当一个下人。

然而，此时此刻，他却偏偏和一帮胖手胝足的苦命汉坐在了这里。

因为，他在等一个人。

而那个人的命，就将是他交给宁中的投名状！

丝瓜和他那七个同样也是功成名就的结拜兄弟不同，他读过书。

书读得越多，丝瓜就越相信气运。

他一直都认为，这个世界上，上到庙堂，下到江湖，无论国家也好，帮会也罢，都有着属于自己的气运。

大明的衰败，是气运；八香会的崛起，同样也是气运。

显然，近些年来，八香会气运正旺。

在这样一个兵荒马乱的混乱世道里，想要找到一位已经失踪了好几个月的女孩，哪怕是对专做人口买卖的八香会来说，都绝不是一件简单的事。

然而，这一次，他们只用了不到一个月的时间，却偏偏就找到了。

更庆幸的是，女孩确实是被八香会的人从山西抢走，卖到了扬州当瘦马，但女孩也是刚刚抵达那里，还没有吃过什么真正意义上的亏，就已经被武昌总舵的人马截住，带了回来。

一切都还不算晚，一切都还来得及。

昨天下午，二哥亲自把这个女孩从武昌总舵送到了常德府。

这件事情实在是太过重要，几乎可以说是关系到八香会在今后几年间的生死存亡。

据二哥说，临行前，大哥曾经千交代万嘱咐，让他们一定要和对方好好谈，不仅要把那点无意间造成的小误会彻底消除掉，而且还无论如何都要向对方表达出最大的诚意，只要真的能够借此机会与四川那位通天人物搭上关系，三年之内，长江流域，八香会必将一统天下，再无敌手。

对于大哥，丝瓜向来是言听计从，佩服得紧。既然大哥都这么说了，既然冥冥中的天命都在帮八香会，那么，丝瓜也绝对不允许自己犯错。

所以，已经有十来年不曾起过早床的他，今天一大早，就亲自等在了城门外。

本来，收到的消息是，女孩那位掌了大权的哥哥会亲自从九镇过来接人。

却没想到，临出发前，九镇又发生了一点事情，哥哥本人实在无法抽身，仅仅只是派来了手下的二号人物到场。

这让丝瓜心里难免有些遗憾，但他依旧没有丝毫懈怠，尽心尽力地招呼着客人，一整天下来，从对方的言谈举止当中，丝瓜看得出，对方很满意，也很感谢。双方说话虽然都是点到即止，但大家都是聪明人，就在这觥筹交错当中，彼此之间心知肚明，下一步合作的基础也基本算是已经达成了。

事情圆满办成之后，丝瓜心里那根绷了一整天的弦终于放松下来，当最后一次喝完杯中酒，送客人出门的时候，又醉又乏的丝瓜的确是已经有些迫不及待了。

他想起了昨天晚上给他陪床的那个俊秀后生。

丝瓜是个很懂享受的人。

在劳心费神之后，再也没有什么比一盆热水和一具散发着青春活力的胴体更能够让人舒服的了。

人真是很奇怪。

假如回去几年，有人告诉丝瓜，有一天他会喜欢男人。那么丝瓜一定会亲手割下那人的舌头，让他知道口无遮拦的代价。

丝瓜玩了大半辈子的姑娘。

年轻的时候，他们兄弟几人一起跟着大哥文湘北出道，那些提刀见血、放刀纵欲的日子里，丝瓜虽然不是最好色的那一个，但也确实乐在其中，从来不曾厌倦。

直到两年前，丝瓜满了五十岁。

也不知道是人知了天命以后，把一切都看淡了呢，还是这些年间操弄着脂粉生意，声色犬马的日子实在是过得太多，腻了口味，总之，对于男女的事，丝瓜发现自己突然就没有了兴趣。哪怕是那些刚弄到手，嫩到一掐就可以出水的小秧子，脱光了衣服站在丝瓜面前，丝瓜都还是没有一点反应。

直到去年，就在常德城那个了不得的大人物府中，某次晚宴的时候，丝瓜见到了一个眉眼如画的伶人，刚开始丝瓜还以为他是个女的，喝酒过程中不禁多打量了几眼。

却没想，这一下就被那个心细如发的大人物看在了眼里。

当天晚上，丝瓜喝多留宿在了大人物府中，半夜醒来，陪在身边的就是那个伶人。

那一夜，鬼使神差之下，丝瓜尝到了有生以来从来没有尝过的滋味。那种感觉，就像是一条路本来已经走到了尽头，却突然发现原来旁边那条不起眼的岔道上居然另有一番天地。

从此之后，玩了一辈子的丝瓜，彻底沉迷到了另一种快乐当中。

昨天下午，知道他这个爱好的二哥，专门从武昌那边带来了一个后生，面如冠玉，却长了一根硕大无朋的宝贝。

想起了昨夜的种种荒唐，丝瓜只觉得自己丹田之下一寸处似乎有着一股火焰，"轰"的一下就涌了上来。

如果不是这次会谈实在是太过重要，二哥又专门三番五次交代的话，就算天王老子来了，丝瓜也绝对不会放着床上佳人不管，陪到这么晚。

春宵一刻值千金啊。

客人和二哥的脚步在大门口停了下来，彼此还在紧紧拉着双手说着一些情真意切却又不着边际的醉话，旁边的小弟们则都是无一例外，满脸谄媚地笑看着二位大佬。

意兴阑珊地望着眼前这一幕，丝瓜舔了舔有些发干的嘴唇，实在有些急不可待地独自走出了大门外。

丝瓜汤终于喝完了，放下手中瓷碗的同时，陈骖抬眼望向了对面。

从他所处的这个位置看去，透过八香馆那栋披红挂彩气派非凡的门楼，依稀可以望见院子里的景象。

陈骖已经等了几个时辰。院门内，无数人影来来往往，但是到现在为止，却还是看不见那个人的身影。

他扭头望向了正对着大门另一边的一家卖牛肉粉的小摊子，摊子前的条凳上，严烟端坐不动。无论何时，只要陈骖看过去，落入眼中的都只有一张木无表情、线条俊美如同大理石雕刻般的侧脸。

从头到尾，严烟已经吃了七碗牛肉面，除了展现惊人食量之外，他永远都是那样一副安静之极的样子，呆坐在原地，既不说话，也不动弹，似乎连眼皮都没有见他眨过一下，始终都在定定看着街道对面。

陈骖微微叹了口气，自己这个兄弟在九镇事变当夜，先是经历了师父和父亲的身亡，后来又目睹了高壮惨死之后，性情大变，以前那样直接暴烈的一个人，现在居然变得无比沉默阴鸷。

对于严烟内心的创伤，陈骖懂，却爱莫能助。

有些心魔，自己走不出来，谁都帮不了。

陈骖又扭头看向了街道尽头，那里停着一辆拉潲水的马车。在外人看来，那几个常年装潲水的木桶味道似乎是太重了一些，旁边行人纷纷避开不说，就连车夫本人脸上都被逼得蒙了一块布巾遮味。

但，这个车夫，其实是宁爽文。

下午时分，宁中就已经派人把办事的消息通知了陈骖。

原本按照宁中的计划，排帮的人负责外围接应，直接参与此事的只有陈骖、严烟两人而已。可不知为何，等陈骖二人在宗宝的带领下赶到丝瓜巷时，却发现本应该是和宁中一起吃晚饭的宁爽文，居然已经事先等在了这里。

宁爽文的脸上有着五个明显的手指印。

陈骖问他怎么回事，宁爽文起初并不肯讲，最后逼急了，才说是被他哥打的，原因是他哥不让他来，他非要来不可。

陈骖很奇怪，天不怕地不怕的宁爽文，对宁中却堪称是怕到了骨子里，向来在宁中面前连大气都不敢出一口，这一次却居然宁可被打一巴掌也要抗命。

这是为什么？

不过，有外人在场，接下来陈骖并没有再问，宁爽文也不曾多讲。

每个人都有自己的秘密，就像陈骖永远都不愿意谈起那个清晨他第一次杀人的情景一样，有些事，兄弟不说，他也绝不会去问。

十六

纳 投 名 状

经过几个时辰的等待，此时此刻的宁爽文已经像是得了瘙痒症一样，靠在车上翻来覆去，坐立不安，时不时地站起身来，要不拉扯下裤裆，要不纠正下腰带，显得又紧张又兴奋。

终于，宁爽文又一次站起身来，在大庭广众下分开双腿，探出右手抓住裤裆向下拉扯，屁股还不断配合着手部动作前后左右呈圆周形摇摆，显得极为不雅。

陈骖实在看不下去了，摇摇头，再次望向了八香馆院门。

就在这时，一个身体浑圆、像是丝瓜一样的大胖子，一摇三摆走了出来。

丝瓜走出大门的时候，他的目光并没有看向正对面。

丝瓜是苦出身，他们兄弟八人全都是。他们本来就是流放营里那些黥面涅手服苦役的犯人后代，对于人间的疾苦，丝瓜并不陌生。

但，人是会变的。

无论是谁，如果都像他们兄弟八人一样，用尽浑身力气，脱了一层皮才好不容易终于从泥潭里面爬上来，并且已经过了好几十年人前显贵的风光日子后，都会忘了自己的出身，甚至会情不自禁对于这种出身产生抵触。

所以，向来，丝瓜都不愿意多看对面的那些人一眼。

他瞧不起他们，嫌弃他们，在丝瓜的眼中，这些人就跟路边的一块石头、桌上的一块抹布没有区别；可丝瓜同样也明白，这一切歧视的背后，其实是他害怕在这些人的身上看到曾经的自己有多么低贱。

丝瓜再也不愿意和以前的那个世界发生半点关系，哪怕只是刹那间的眼神交流，他都不愿意。

不过，今天，在两只脚刚刚踏出大门的一瞬间，早已疲惫不堪的丝瓜打了一个哈欠。丝瓜是个很会享受的人，打哈欠的时候，他都会趁势伸个懒腰，舒展一下筋骨。人伸懒腰的时候，腰会后仰，手会伸长，而目光则一定会直视前方。丝瓜也不例外。

近几年来，丝瓜已经明显感觉到了自己身体的某些变化，梳头的时候他能看见永远都扯不完的白发；尿尿的时候，他很小心却还是滴滴答答会打湿鞋。

丝瓜知道自己老了，可是，他的眼神还没有老。

丝瓜天生就有一双很好用的眼睛。

这双眼睛，曾经让他在最关键的当口，从最黑暗的角落里发现了牛背陀派来刺杀大哥的杀手；这双眼睛，也曾经帮他在无数张骨牌当中，看出每一张的细微差别，让他逢赌必赢，从无敌手；这双眼睛，甚至能够让他一眼就看出一个女人到底是处女还是荡妇；这双眼睛救过丝瓜很多次命，也造就了他如今的这份家业。

在明亮的灯火之下，不到十米宽的街道，对于这双眼睛来说，根本就不算距离。

所以，懒腰还没伸完，直视着前方的丝瓜，就在那片低贱邋遢的空地上看见了一个人。

一个他有生以来，所遇到的长得最漂亮的男人。漂亮得不可方物！

丝瓜小腹中的烈焰，再一次猛烈地燃烧起来。

几个时辰前，当陈骖、严烟两人刚刚抵达丝瓜巷，意外见到了宁爽文之后，对于今晚之事，兄弟三人曾经简单商讨过。

按照当时约定的计划，目标出现之后，宁爽文立刻就会驾着臭气熏天的淌水车过去，在人群中制造点小混乱，分散注意力。然后，陈骖和严烟两人趁机靠近。陈骖主杀，如果顺利完成，那么严烟负责帮他阻截追兵，助他脱身；如果陈骖没能够单独杀死目标，那么当时场面也肯定已经完全混乱，只要一击不中，陈骖立马掉头就走，吸引对方人手追击之后，等在一旁的严烟再进行第二波袭杀。

这个计划简单直接，远远谈不上是个天衣无缝的复杂战术，但对付丝瓜并不是很困难的事。

所以，大半个晚上，陈骖始终都很镇定，他有着足够的信心，只要那个做尽了伤天害理之事、外号叫作"丝瓜"的恶人敢踏出八香馆的大门，那么，他就必死无疑。

但是，没想到，就在丝瓜终于出现的那一刻，匪夷所思的事情发生了，他居然主动对着这片空地走了过来。

丝瓜每走一步，陈骖的心跳就加快一分，他实在是想不出丝瓜到底为什么要这么做。

按照宁中大哥那边提供的消息，丝瓜是一个张扬跋扈、自视甚高的人。

出行时，他身边永远都会跟着几个耀武扬威的小弟；而且，向来眼高于顶的他也绝对不会过多留意这片只有下人才会待的空地。

可是，现在，丝瓜却分明是独自一人，笔直地朝着空地走了过来。

这到底是为什么？难道，一切早被丝瓜得知？难道，身旁这些看起来普通之极的食客，其实都是丝瓜布下的暗子，自己兄弟三人才是落入了陷阱里面的困兽？难道宁中……

无数杂乱的想法如同烟花般爆开，充斥了整个脑海。巨大的不安感中，陈骖强自镇定，暗中观察起四周所有的人，可是疑心生暗鬼，他越看却越心惊，后背上的冷汗一层又一层渗出，湿透重衣。

当丝瓜终于走到了严烟身边的那一刻，几乎已经到了崩溃边缘的陈骖再也忍耐不住，站了起来。

事败了！

这个念头浮现心间的一刹那，陈骖反而觉得自己整个人都彻底松弛下去，脑海中无数纷乱扰人的想法全都消失不见，他凝神静气，定定看向了几米外那一坐一站的两个人。

除死无大祸，讨米不再穷。

丝瓜也不是铜打铁铸的金刚罗汉。

既然如此，那就真刀真枪，直接开干吧。

就在陈骖的手已经伸入怀中，紧紧握住了那把短小锋锐利于近战的牛耳尖刀，马上就要移步过去的关头，他却蓦然发现，丝瓜一脸笑意在严烟对面的椅子上坐了下来。

刹那间，敏锐的直觉让陈骖控制住了自己的冲动，他毫不犹豫地重新坐下，并且第一时间用事先约定的暗语示意远处同样已经发动的宁爽文停了下来。

从头到尾，严烟都没有和丝瓜说过一句话。

而丝瓜也永远都不会想到，自从见到这个漂亮得不讲道理的年轻人之后，他所说的居然会是自己一生当中最后的三句话。

话，是这样说的：

第一句："后生，你一个人？"

没有得到回答，丝瓜落座。

第二句："我叫丝瓜，交个朋友？"

依旧没有回答。

第三句："跟我啊？"

当这句话出口之后，丝瓜看见了那个年轻人隐藏在眼神深处的愠怒之色。

丝瓜不生气，不但不生气，他反而更加有了兴致。

他喜欢这样的年轻人，就像他向来都喜欢骑烈马，只有越烈的马被驯服在了自己胯下，那种成就感才会来得越浓烈。

人也一样。

所以，丝瓜还想开口。

却没料到，那个冷冰冰的年轻人居然直接站起身来，似乎准备掉头就走。

这一下，丝瓜有些生气了。

毕竟，这座偌大的常德城里，早就已经没有任何人敢在他丝瓜说话的时候，一言不发就转身而去的。

哪怕是那位了不得的大人物和宁中，也万万不会这样。

敬酒不吃吃罚酒！

就在丝瓜心中怒火刚起，想要发作的那一刻，他突然看见，年轻人的脚步停下了，不但停下，还扭过身子，低下头来，几乎是鼻子对鼻子地看向了自己。

丝瓜心中一动，丹田涌出的烈火又一次淹没了他。

陈骖没有听见丝瓜对严烟说的是什么。

他只是看见两个人似乎有过几句短暂的交流。

然后，严烟缓缓起身，貌似要走的样子，却又突然转身低头，一把薅住了丝瓜的头发，在所有人都还没来得及做出任何反应之前，严烟手中那把短刀已经像是打桩一样连续锤击在了丝瓜的胸膛上。

转瞬之间，随着一连串"啪啦啦"桌倒椅子翻的响动，两道人影剧烈地扭打在了一起。

混乱中，身经百战的丝瓜也很快就表现出了老江湖应有的风范，在如此猝不及防的致命攻击之下，身处劣势的他居然还能够迅速展开反击。他一手紧紧抓住了严烟手中的短刃，任凭掌心被割得皮开肉绽，另一只手则飞快地摸起桌上的一个酱油瓶子，"啪"的一下砸在了严烟的脑袋上。也不知道在如此短的时间内，被连续捅了那么多刀的他，到底哪里来的那么大力气，这一瓶子居然直接将严烟砸了一个趔趄，摔在了地上。

"啊……"

"杀人啦……"

直到这时，旁边的人才反应过来出了什么事，开始如同潮水般往四面八方散开。在人们声嘶力竭的喊叫声中，丝瓜紧紧捂着胸膛，迈开双腿朝着一街之隔的八香馆狂奔而去。

地面上，严烟一身泥泞翻身爬起，奋勇直追。

街道尽头，车轮滚动声赫然传来，宁爽文也趁势发动了。

陈骖再次探手入怀，想要拔刀跟上，脚步刚动，视线所及之处却骤然看见，八香馆大门外明亮的灯光里突然有着大批黑影闪烁，一大帮人呼啦啦从八香馆内拥了出来。

丝瓜双腿一软，终于倒下了。

他无力地瘫坐在距离八香馆几步之遥的街心处，在院门上两盏硕大红色灯笼的照耀下，可以看见丝瓜的肚皮上已经被捅开了一个巨大的豁口。他面如死灰，双手紧紧捂着自己的肚子，指缝间，白花花的肠子却依旧如同一条条巨大而肥硕的肉虫，正从豁口里面，争先恐后地流了出来。

八年了，整整八年了！

八年前，名震江湖的八香会二瓢把子韩超韩二爷还是一个不到五十岁、四肢健全的中年人。当时，蜀中成都府有批盐贩子想要插手武昌府的生意，设下埋伏准备袭杀他们兄弟几人，最后却反而被八香会大哥文湘北将计就计，将那伙盐贩子一锅端掉。

那是八香会创立以来最为险恶的一战，老五当场战死，韩二爷自己丢掉了一只左手，老七被人一刀剁开后背，流了差不多半脸盆的血，直到如今，都还落下了一个刮风下雨阴冷天就痛不欲生的病根。

但是那一战之后，八香会也就彻底在武昌府站稳了脚跟。至今为止，他们兄弟再也不曾握过刀，也再没有人敢在他们兄弟面前亮刀。

可是今天！

今天，就在韩二爷的眼前，兄弟八人当中和他最为亲近的老三丝瓜，居然浑身鲜血，已经是一副只有进气没有出气的样子了。

这到底是怎么回事？那个满头满脸都是泥巴酱油，连眉眼都已经看不清，却还在笔直地朝着老三追过来的人，到底是谁？他怎么会有这么大的胆子？

看着眼前这一幕，一时之间，素来以镇定沉稳而著名的韩二爷实在是有些不敢相信。

他就那样呆呆站在原地，眼睁睁望着那个肮脏不堪的年轻人飞快跑到了丝瓜的身后，再次抓住了丝瓜的头发，将丝瓜脑袋扯得往后仰起，极为利落地狠狠一刀朝着脖子捅了下去。

当殷红的鲜血从丝瓜的脖子上飞溅而出的那一瞬间，又醉又惊的韩二爷这才彻底回过神来，回过神来的那一刻，他的双眼也就同样变得像是鲜血一般通红了。

老三死了！

当这个触目惊心的念头浮现在脑海的同时，韩二爷红着双眼，大喊了出来：

"给老子杀了他！"

八香馆的那帮人大叫着朝严烟围了过去。

如果这个时候，已经变成了主杀之人的严烟能够按照之前的计划，立马转身就跑，留下后面的收尾交给陈骖、宁爽文两人完成的话，那么以他的身手反应，不是没有可能顺利逃掉。

可惜的是，严烟显然已经杀红了眼。

或是，严烟根本就不在乎自己是不是可以继续活下去，他只是想要杀人，想要发泄。

手中短刀插进了丝瓜的脖子之后，严烟居然并没有放手，对于前方那些凶神恶煞般的打手，他仿佛是视而不见，而是将牛耳尖刀再次在丝瓜的咽喉上狠狠侧拉了一下，几乎拉开了丝瓜的半个脖子。

这一下，丝瓜连进气都没有了，哪怕是大罗金仙下凡也必死无疑。

可是，严烟却也同样失去了逃跑的机会。

就在他刚刚拔出尖刀的同一秒，蜂拥而来的人流已经将他深深陷了进去。

陈骖和宁爽文几乎同时察觉到了危机的发生。

本来正在推着车飞快赶来的宁爽文，第一时间就已经彻底放弃了车子，他一把掀翻了车上用来伪装的潲水桶，飞快地从桶底抽出管杀，双手接上，像一道闪电般从侧面杀进了人群。

而另一旁的陈骖，却一反常态，不但没有赶去支援两人，反而身子一拐绕过人群，快步走向了街道对面。

事发之时，陈骖所处的位置和宁爽文不同。

宁爽文在街道尽头，他只能看见严烟的酷烈杀人和身陷重围，所以，他毫不犹豫地赶了过去，与自己兄弟并肩御敌。

但是，陈骖的位置，却在严烟的背后，八香馆的正对面。

所以，他能看见一些宁爽文看不到的东西。

当八香馆的人刚刚出现在大门口时，陈骖就已经抽刀起身，做好了加入战团的准备。可是下一秒，当那个领头模样的独臂男子反应过来，大吼着率人冲向了严烟之后，陈骖突然看见了颇为奇怪的一幕。

八香馆大门口，居然还站着一个女孩。

青楼门前，出现女孩并不稀奇。

只不过，在这样的情况之下，女孩身边居然还站着四五条壮汉，而且在大范围冲突刚刚爆发的第一时间，那四五个人就立马抽出了随身兵刃，将女孩挡在身后，做出了一副戒备模样。

青楼老板都已经被杀的时候，没有人会浪费精力去保护一个妓女！

如果有人这样做了，那只能证明这个女人不但不是妓女，甚至，她的身份有可能比其他任何人都更加重要！

就在这一瞬间，陈骖再次凭着天生的敏锐判断做出了一个聪明之极的选择。

空地最外头靠着街道的地方，有一家卖酒的摊子，此时此刻，摊子上别说食客，就连老板都已经跑得不见踪影，快步走过之际，陈骖顺手在无人桌面上抄起了一壶酒。

一边走，陈骖一边将酒液洒在了自己身上，踏上街道时，他连脚步都已经开始踉跄起来，就像是一个喝到两眼昏花连路都走不稳的真正酒鬼。

十来米的距离，走得再慢，也是转眼即到。

但这短短的几秒时间，对于陈骖却是一种再痛苦不过的煎熬。

厮打声、喝骂声、痛呼声，乃至宁爽文不断传来的熟悉大吼声，就在距离自己几步之遥，声声入耳，但他却要用尽最大的意志力死死克制着自己，连看都不能多看一眼。

他只能默默低头，一边借着街边的阴影遮挡往目标靠近的同时，一边在心里默默祈祷着，恳求着满天神佛，无论如何都要让自己的兄弟撑过这几秒，无论如何！

终于，陈骖眼前的光线一亮，蓦然抬头，已是一路走到了灯火通明的八香馆大门前。

人影移动中，一把刀横空而至，挡住了前方去路，越过身前的男子，前方触手可及的台阶上，一个女子正在定定看着陈骖。

月色照在女子年轻的脸庞上，白洁如玉，四目相对之下，陈骖看见，她的眼神清澈通透，面对着眼前这无比惨烈的杀戮现场，双眼当中居然没有丝毫的畏惧和害怕。

就在这时，陈骖肩膀上被人狠狠推了一把，一声带着北方口音的怒吼响起：

"干什么？"

借着被推的力道，陈骖索性一屁股坐在了地上，脸上浮现出了极为轻佻的笑容，嬉皮笑脸地看着身前那位拿刀的壮汉，嘴里喃喃念道：

"嘿嘿嘿，大……大……大哥，你……你讲我搞什么？来这里，我……我还能搞什么？让开……开一些。开着门，未必不不不做生意啊，老子又不是，没……没钱！"

一边说，陈骖一边从地面上慢慢爬起，可似乎确实是酒喝太多了，四肢发软，爬了两次，却又摔了两次。

"这个姑娘好，姑娘好啊……"

陈骖第三次从地面上翻身爬起，好不容易才站稳，那只依旧端着酒壶的手却又像是色中饿鬼一般急不可待地指向了人群中的那个女孩。

女孩清澈的双眼当中，露出了一股不可抑制的厌恶之色，似乎连看都不想再多看陈骖一眼，双眉一皱，把头扭向了一旁。

那一瞬间，陈骖心底突然就产生了一种莫名其妙的感觉。

他觉得丢人！而且，这种掺杂了不甘和懊恼的丢人感觉极其强烈，如果可以的话，他甚至宁愿马上掉头离开，永远都不再出现在这个女孩面前。

但是，陈骖没得选择。就在女孩视线刚刚挪开的同一刹那，陈骖佯装想要去搂抱女孩，导致脚下重心一个不稳，身体朝前猛倒，对着拿刀男子跌撞过去。

拿刀男子刚想伸手挡开，却发现双方肢体接触之处，一股极大的力道猝然传来，狠狠荡开了他的手臂，直接撞在了胸膛上，毫无防备的男子一下被撞得倒向了旁边同伴身上。

与此同时，陈骖手掌猛抖，冰凉酒液从酒壶内泼洒而出，人们本能回避，小小台阶上，人仰马翻之中，脚步蹒跚的陈骖瞬间变得快如闪电，飞快插过人群，一把将女孩死死勒在了自己怀里。

"八香馆！老子杀了她！"

声嘶力竭的大喊声盖过所有喧嚣，响彻了整条街道。

下一秒钟，所有人的动作都停滞下来，人们纷纷扭头看向了八香馆大门口，亮如白昼的灯光下，一个年轻男子手持牛耳尖刀，狠狠抵在怀中女孩咽喉之上。

陈骖并不知道这个女子是什么人，他从来都没有见过这个女子。

他不恨她，如果可能的话，也绝不想杀她。

但是，他却依旧毫不犹豫地绑架了这个女子。

如果有必要，他或许也同样会毫不犹豫地杀死她。因为，他要救自己的兄弟。

"小妹……"

"你敢！"

围在台阶上的一个青年男子和陈骖的喊声几乎同时响起，青年男子身形才刚刚一动，陈骖手中的尖刀就已经飞快划动了一下，在锋锐刀刃划过之处，一道浅淡却又鲜艳的红线出现在了女孩修长柔嫩的脖子上，引来了女孩微微一声痛哼，更吓得那个青年男子立马停下了脚步。

女孩那声低沉轻微的痛哼声传到陈骖耳中，不知为何，却让他心里的懊恼更加强烈，几乎是情不自禁地低下头在女孩耳边轻声安慰了一句：

"你莫要害怕，只要不乱动，我不会伤你！"

说话时，陈骖并没有多想，为了防止他人听见，下意识地将嘴巴紧贴在女孩脸庞，两人之间距离极近，女孩身上阵阵说不清道不明却又好闻至极的香气顺着发丝一直飘到了陈骖鼻孔里，让他在如此险峻的局势下，都不免有了一份流连忘返的心思。

女孩虽然没有做出任何回答，但是修长白皙的脖根上、耳垂下，被陈骖呼吸喷到的地方，却也都分明变成一片绯红，泛起了无数密密麻麻的鸡皮疙瘩。

这一幕，更是让陈骖心神大乱，像是被天雷击中一般，赶紧将脑袋高高抬起，远离了这美妙而危险的方寸之地。

"让开！让开！再说一句，给老子让开！"

陈骖作势将女孩大力箍紧，手里的刀再次比画了两下，台阶上的几人呆呆看着方才说话的青年男子，男子一脸铁青，微微点头，众人这才纷纷闪开。

陈骖勒着女孩，缓缓退下台阶，嘴里大喊："过来！到我这边来！"

身陷重围的严烟、宁爽文刚一举步，八香馆的帮众却再次纷纷抬起了手中武器。这一次，不待陈骖张嘴，方才那个青年男子却已经抢先开口说话了：

"韩二爷，你们之间有什么事我不管！只要我们家小姐今天掉了一根毫毛，我们一切免谈，不死不休！"

独臂男子韩二爷面如铁青，眼神闪烁，低头看了看犹自躺在街心的丝瓜尸体，又扭头看着陈骜方向，眼神如刀，直视良久，似乎已经把仇人的相貌深深刻入了脑海之后，这才狠狠一挥手："让开！"

人群四散，严烟、宁爽文飞快跑至陈骜身边，三人背靠背，呈三角形一起往街尾的一座拱桥缓缓退去。

"兄弟，我家小姐……"

"只要我们退走，原样奉还，不会伤她半点！"

"兄弟，你我无冤无仇，希望你说到做到，不然天涯海角，我张广茂必定让你死无葬身之地！"

说话声中，拱桥下，一艘乌篷小船不知从何方钻出，陈骜三人带着姑娘上船，转眼消失在了茫茫黑夜……

一代豪雄丝瓜被三个陌生人当场格杀在自家青楼门口的消息，转眼就传遍了整个长江水域，没有人知道那三个神秘杀手是谁，也没有人知道他们杀人的动机是什么。

在普通老百姓的眼中，这是因为丝瓜作孽太多，肯定是某个被他卖了儿子坑了女儿的仇家上门寻仇，这才让他遭了报应。

但对江湖上的一些聪明人而言，事情远远不是这么简单。

他们没有证据，整个事件办得也确实漂亮，堪称无迹可寻。但这些成了精的江湖大豪，却都不约而同地完全肯定了两件事情。

一、这条水路上，排帮依旧一家独大。

二、无论凶手是谁，排帮和八香会之间二十来年的暗流涌动，都已经在丝瓜惨死的那一刻被正式摆上了台面。

八百里洞庭湖上，一场前所未有的腥风血雨，已经到来！

十七

神秘女子

从常德府沿着沅江顺流往西，出城二十多里的地方，有一座地势极为险峻的山崖。

崖顶处有一方奇石，远看犹如一头巨大的独角犀牛，牛角笔直插入江水当中，角下有一个非常隐秘的山洞，水涨则淹，水退则显。山洞里常年都有着一股清泉，由洞里流出，汇入江中。更为奇妙的是，每年到了五六月份春夏相交之际，洞中总会随着清泉一起涌出一批规模极大的头缀红点的奇异鳊鱼，味道异常鲜美。若逢其时，远远看去，点点红芒配着石角山洞，就像是犀牛在吞吐彩虹。

日子久了，这片荒郊野岭之地也就被文人骚客们列入到了"武陵八景"当中，是为犀牛吐虹。

所以，这个地方的名字也就叫作"犀牛口"。

据说，在很多很多年以前，犀牛口旁边曾经住着一个叫作崔婆的妇人，靠着向行夫走贩们卖点薄酒为生。某日，突然来了一位游方道士，道士好酒，经常来崔婆小店，每每索酒数壶，累计百壶而从未付钱，崔婆却并未计较。

终于一日，道士对崔婆说："我喝了你许多酒，却无钱偿还，就让我为你掘一口井吧。"翌日，井成泉涌，涌出来的却全是酒，香气扑鼻。

"以此井作为酒资偿还你吧。"道士说完即飘然而去。

崔婆从此不再酿酒，而此井冒出来的酒却比陈酒还好，不过三年，崔婆就成了当地的一大富翁。多年之后，那位道士故地重游，崔婆表示万分感谢。

道士于是问："酒还香吗？"

崔婆回答："好是好，只是因为不必酿酒而无酒糟，俺家的猪没有吃的罢了。"

道士摇首叹气，挥笔在墙上题了一首诗：

天高不算高，人心第一高。

井水当酒卖，还嫌猪无糟。

题罢，道士掷笔而去，不见踪影。

此后，井中再无酒水，崔婆也已逝去千年。

但是，这个传说却随着犀牛口、崔婆井这两个地名一起流传下来。

犀牛口边，崔婆井村，村尾有一片白杨林，流淌了千年的沅江河水，在树林前方气势万千地滚滚东去。

月色下，一艘小船从下游溯江而上，操船之人显然是多年老手，纵然逆流，小船却依旧行驶如飞，转眼之间，就已经笔直靠向了隐藏在白杨林内的一个小小码头。

狭小的船舱内，坐着四个人。

陈骖与宁爽文并肩坐在前方靠近船头的位置上。稍后一点的地方，严烟双目紧闭，似乎已经睡着了，可是手中却依然紧紧握着那把犹带血迹的牛耳尖刀，刀尖笔直朝向了船尾方向一个背对众人独自蜷在角落里的年轻女孩。

眼见小船即将靠岸，宁爽文双腿一撑，正要起身，却被旁边陈骖扯了一把：

"爽文，不会出事吧？"

宁爽文微微一愣。

陈骖下巴抬起，向着船尾的女孩点了点，宁爽文顿时明白过来，略微想了一下之后，对着陈骖说道：

"估计等下场面不会好看，宗宝这个人就是茅厕里面的一块鹅卵石，又臭又硬，不好打交道，除了我哥之外，谁的话他都不会听。不过，洪二，关键看你怎么想，你要保她，我就尽力。大不了闹到我哥那里，也就是再被打几下骂一顿的事而已。"

两人的说话声并不算大，但船舱实在过于狭小，极近的距离下，话语显然已经传入了那个女孩的耳中，女孩虽然没有搭腔，可是瞬间绷紧的背影却显示出了她内心的惶恐与紧张。

看见此幕，陈骖心中暗叹，起身操起挂在舱壁上的一件蓑衣，走过去拍了拍严烟，示意他让开之后，陈骖将蓑衣披在了女孩肩膀上，柔声说道：

"对不住了，等下你先待在这里，千万莫要出声。不过你放心，我不会伤害你的，事情完了之后，我会送你走。"

一路上，始终都是低头不语的女孩闻言，突然缓缓抬起头来看向了陈骖，双眼当中，平静明亮得就像是两潭清水，居然看不出半点的惧怕慌乱模样。

反倒是陈骖，一瞧见女孩这副看不出喜怒的淡定样子，立马吭哧吭哧，面红耳赤起来。

四目相对之下，陈骖越来越紧张，就在他实在受不了了，干脆屁股一抬刚想要走的时候，女孩眉头再次一皱，眼神里闪过几许愠怒之色，没好气地开口说道：

"你不会伤害我，那其他人呢？既然你这么有把握，那又何必专门过来叮嘱我不能出声？"

一时间，陈骖被问得哑口无言，正张着大嘴不知说什么好的时候，旁边始终闭目养神的严烟却突然开口了，冷冰冰地说：

"洪二，她和我们无冤无仇。我的态度，和爽文一样。"

严烟是个不爱说话的人，但他的意思却已经表达得很清楚，这个女孩是无辜的，只要陈骖愿意保，那么无论是谁要杀，都不行，他们兄弟一定站在陈骖这边。

陈骖默默点了下头，朝着女孩一拍胸膛：

"你死，我偿命！只要我不死，就保你不会掉一根头发！"

说完陈骖再也不敢多留，立马就起身走向了船头。身后，女孩默默看着陈骖的背影，两个嘴角若有若无地往下微微一撇，似乎根本就不信陈骖所说的话。

但是，在那两只美丽动人的眼睛里面，却分明有着几许淡淡笑意一闪而过。

船已靠岸，陈骖压低声音，指了指船头的水手："他呢？"

宁爽文闻言，大大咧咧地连声说道：

"没事没事，这个担保没事！放心，泥鳅是自家人，绝对不会多嘴，放一百个心！泥鳅，记住了没？"

中年水手手脚麻利地将船缆抛向岸边之后，一脸不耐烦地扭头看着舱内众人，沙着公鸭嗓子说道：

"二爷，要真不放心我，那你们就干脆一刀把我封口算了。"

泥鳅毫不客气的话噎得舱内众人全是一脸苦笑，再也不好多讲半句。

宁爽文径直走出船舱，右手两指一扣，放入口内，"嚯……嚯……"吹出了一长一短两声水鸟啸音。

啸声未绝，黢黑的树林内立马也回响起了"嚯……嚯……"两道同样的口哨声，宁爽文大嘴一张，中气十足地朝着树林喊道："四方春水流不尽！"

"万里江河由我行！"

随着切口应对之声，几道人影从暗处闪现，朝着岸边飞快走了过来。

"爽文？"

人还没到，一个熟悉的声音已经传至。

"哎，宗宝哥，是我！"

对话声中，宁爽文麻利地跳到岸上，有意无意地挡在了宗宝等人前面。宗宝毫无所察，拉住宁爽文胳臂，在他肩膀上拍打着，上下打量几眼之后，看见了宁爽文手臂上的血迹，双眉一皱，说道：

"见血了？"

"不碍事，和八香会的人对了刀，小伤。"

"真不碍事？"

"真的，你看，这不好好的吗？一点皮肉伤，几天就好。"

"好，人没事就好！"

简单寒暄之后，宗宝脸色一正，朝着旁边刚刚跳下船来的陈骖微微点了下头，开口问道：

"洪二，事情如何，点子办了吗？"

"当场毙命！"

"确定？"

陈骖指了指身后正准备下船的严烟：

"严烟一刀封喉，必死无疑！"

"好！好！好！这个消息，大哥等了很……"

那一刻，对于陈骓的回答，宗宝非常满意，一连串叫好的同时，从来都是喜怒不形于色的脸上也破天荒出现了几分笑意。

显然，直到这个时候，对于陈骓、严烟两位办事妥当的后生晚辈，宗宝应该还是有着一些好感的，起码并没有像日后那般提防厌恨。

如果彼此之间的关系可以就这样发展下去，在今后的日子里，大家交往更多，或许也能把好感转变成真正的友情。

那么，日后那场震惊天下、酷烈无比的"两虎争排"血案，也就不会发生。无数的英雄豪杰、热血男儿也就不会陷入到一场令世人扼腕叹息的内耗当中，徒然留下无数的悲剧和遗憾。

只可惜，命运注定无法改写，世事亦不可重来。

所以，宗宝那句发自内心的欢快话语，终归还是没有说完。

打断了他的，是一声惊呼——女人的惊呼。

宗宝在说那句话的时候，严烟正好下船。

而岸边最靠近船头的位置上，站着陈骓。几秒之前，陈骓刚刚落地，宗宝就已经开口问话，忙于回答的陈骓，一时之间忘了替严烟挪开落脚的位置。

那么，为了不掉在水里，严烟只能从船头往斜前方的岸边跳，这样的话，距离就稍微远了一点，跳跃时发力也就相应更大。

船在水里，严烟起跳时大力蹬踏，船体自然就会随之晃动。

那个女孩一直蹲坐在船舱内，从常德府到犀牛口，二十多里的水路走下来，多少也适应了一些船体的晃动，她本不应该被惊吓到。

可是，命运最神奇的地方在于，它能够让每一件必然发生的事情，都通过无数个偶然表现出来。

就在严烟脚蹬甲板往岸上跳，船体晃动的同时，那个已经系好了缆绳的船夫泥鳅，却正好要去船尾放桨，路过了船舱。船舱很小，勉强只够两人并排而坐，泥鳅走过女孩身边时，船体晃动，泥鳅毫无防备之下，重心不稳，重重一脚就踩在了女孩放置在身边的手掌上。

十指连心。

无论是谁，在这种情况下，都会忍不住做出本能反应。而女孩的本能反应，就是惊呼出声。

于是，"啊……"的一声尖叫过后，宗宝未说完的话语立刻吞了回去，刚刚出现的笑容也瞬间僵在了脸庞。

夜风轻拂，明月当空，江河独有的微微水腥气，混合着树林当中的草木清香一起袭来，好一个旖旎动人的良夜。

可是，在如此良辰美景之下，白杨林畔的小小码头上，却似乎连空气都已经变得凝固起来。

没有人动，也没有人说话。所有人都像是木雕一般，呆呆站在原地，唯有彼此眼中，点点寒芒，闪烁不休。

短短几秒的沉默，对于在场每一个人而言，却仿佛是过了一个世纪。

终于，宗宝的双眼一一扫过了宁爽文与严烟二人之后，再次落回到了陈骖身上，锐利得似乎想要穿透陈骖的心底，缓缓说道：

"给我一个说法。"

陈骖嘴一张，还没来得及搭腔，身边宁爽文已经抢先一步，拉着宗宝说道：

"不关洪二的事，我的人！"

宗宝一把甩开了宁爽文的手掌：

"哼！你的人？你的什么人？"

"宗宝哥，什么人不重要，但是她和这事没关系，她什么都不……"

面对着宗宝咄咄逼人的目光，宁爽文纵然向来机灵过人，一时之间，心虚之下，却也情不自禁地声音越来越小。

另一边，没等宁爽文把话说完，陈骖一横心，开口打断了他："办事的时候，出了点意外，我们被八香会的人围了。这个姑娘是我绑的！假设不是她，我们脱不了身，她救了我们兄弟三人一命。而且，我担保她不是八香会的人，什么都不知道。宗宝哥，放她一马！"

"你担保？"

"保！"

面对着陈骖斩钉截铁的回答，宗宝两眼当中的寒芒却越来越盛，踏前一步，几乎是胸顶胸地站在了陈骖跟前，说道：

"办事之前，大哥说，只有你们两个动手，我们的人只负责接应，爽文虽然一定要去，却也蒙了面。告诉我，为什么？"

陈骖毫不退让地看着宗宝，嘴巴张了张，却又默默把话吞了回去。

"因为你们是生面孔，而我们是排帮，他们是八香会！洪二，是要死人的，死很多很多人，你小麻皮保得起吗？"

说到这里，宗宝猛一扭头，朝着身后几人大吼一声：

"老么，给我把人提出来，沉了！"

"宗宝……"

"宗宝哥，她真的什么都不知道。"

陈骖和宁爽文的话同时响起，宁爽文再次伸手想要拉住宗宝，被宗宝狠狠一掌打开："你荒唐！她瞎了吗？聋了吗？没瞎没聋，看到我们的脸，听到我们的话，就是什么都知道！就不是局外人！让开！老么，提人！"

旁边，排帮几人抽出随身兵刃，就要上前。

陈骖双手一张，脚步横移死死挡在了船头，目光诚挚却也异常坚定地看着宗宝说道："宗宝哥，求你！"

"让开！"

"宗宝哥，出了任何问题，我来负责！这个女孩和我们无冤无仇，何必又要多造杀孽？"

"洪二，我再说最后一次，让开！"

"……"

看着不再说话，却也同样并不退开的陈骖，宗宝眼神阴狠微微点了点头，一把推开了身边的宁爽文：

"洪二，我当你是与排帮作对！老么，提人，哪个敢挡，一起办！"

原本独自站在人群外围的严烟闻言，飞快踏前两步，肩并肩站在了陈骖身边，手中短刀笔直举起，面对排帮众人淡淡说道：

"谁动他，我就杀谁！"

宗宝那双并不算大的狭长细眼猛地睁圆，摄人心魄的厉芒从当中爆射出来，他牙关紧咬，扭头看向了已是急到满脸通红的宁爽文，几乎是一个字一个字地从牙缝里挤出了一句话："你怎么看？"

宁爽文手足无措地站在原地，一会儿看看宗宝，一会儿又看看陈骖、严烟两人，几秒过后，他狠狠一跺脚，走上前去两手张开，挡在了陈骖与宗宝之间：

"宗宝，这件事，你莫要管！让我自己来给大哥交代，行吗？"

"好！好！好……"

宗宝怒极反笑，随着口中一连串自语，他右手一反，慢慢抽出了腰后钢刀，连看都不再看陈骖、严烟两人一眼，唯独盯着宁爽文说道：

"国有国法，帮有帮规！你是排帮的人，就要守排帮的规矩。这件事如果外泄了，后果有多严重，你应该明白；吃里爬外，该受什么戒，你也应该清楚。爽文，看在大哥的面上，我最后劝你一次，让开！不然，就怨不得我了！"

宁爽文见状，知道如此情况之下，就算自己说破了嘴巴也是毫无用处，只得一声长叹，同样反手抄抽出了背后管杀：

"虽然还没有正式开坛拜祖，但是杀了点子交了投名状，他们两个也同样是我们排帮的人。帮内兄弟冲突，不见大哥，不入忠义堂，不得拔刀相向！宗宝，你也同样犯了帮规。"

宗宝再不多言，握刀之手缓缓上扬，当刀刃笔直向前，直指宁爽文鼻尖，气氛已是一触即发的关键时候，众人身后的小船上，突然传来了一连串细碎的脚步声。

一道略微有些低沉却又带着某种难以名状的沁人心脾感觉的好听女声，猝然响起："还在家的时候，爹爹常给我说，绿林多好汉，江湖出豪杰。可是今天，各位好汉豪杰这样刀剑相向，只是为了我这样一个女人，值得吗？"

女子话语平和，娓娓道来，不激昂不恳切，甚至都听不出太多的情绪变化。

可就是这样一句宛如闲谈般的话一出口，场中众人之间那种剑拔弩张的紧张气氛，却明显一下松懈下来，所有人的目光都纷纷转移，看向了独自站在甲板上的那位年轻女子。

唯独陈骖大惊失色，几乎是有些失态一般飞快转身，仓皇喊道：

"你给老子回去！进船舱！"

面对着陈骖的无礼呵斥，女孩嘴角充满不屑地再次往下一撇，本想要狠狠瞪这个莽撞后生一眼，但不知为何，看到陈骖一脸焦急的样子，女孩心中竟然泛起了几许莫名的柔软，终究还是没能忍住，朝着陈骖露出了浅浅一笑。

月色波光中，女孩嘴里两排整齐光洁的牙齿一闪而过，刹那间，竟然将陈骎晃出了一种头晕目眩的奇妙感觉。

看着陈骎傻乎乎的样子，女孩脸上笑容更盛，没好气地白了他一眼之后，再也不搭理他，目光流转间，径直望向了岸边犹自举刀前指的宗宝，淡淡说道：

"杀了我，可以灭口；但是如果不杀我，排帮得到的好处更多呢？"

宗宝毕竟是排帮当中数得上号的杰出人物，多年来跟着宁中，风里雨里的江湖历练之下，此时此刻，这个年轻女孩的表现纵然诡异万分，但他也早就已经回过了神。

他不答反问，直接说出了女孩话语当中的关键之处：

"那就要看多大的好处，能否足够保下你这条命了。"

女孩迈步下船，穿过人群，严烟原本想要阻拦，一旁的陈骎却似乎看出了某些端倪，扯住严烟，任凭女孩径直走到了宗宝身前，说道：

"这几天以来，无论是广茂哥，还是八香会的那两个舵主，他们都在谈论排帮。想不到，这么快就真的见到了排帮的各位好汉。这位宗宝大哥是吗？我确实不是八香会的人，你们之间的事情，我也的确不清楚，我只是刚巧路过，被他们请去做客而已。不过，你知道，我为什么会在八香会做客吗？"

宗宝嘴巴紧闭，丝毫没有想要搭腔的意思。

女孩也不羞恼，以一种远超出她年纪的大方姿态，继续说出了一句话：

"因为我的亲大哥，叫作张广成！"

宗宝那双终日似睡非睡的狭长细眼猛然睁开，惊异之色再也克制不住地在脸庞上涌现出来。

"啊"的几声惊呼同时响起。

女孩身后，在月色的映照之下，陈骎、严烟、宁爽文三人，同样不可置信地张开了大嘴。

十八

入帮结义

"恭请坛主!"

偌大的厅内,灯火全灭,唯有正对大门的主位神龛上,两根大约有婴儿手臂般粗细的硕大红色蜡烛如同鬼火般跳跃不休,在默然立于大厅中央的几十条黑衣壮汉身上投下了一道道时长时短的扭曲光影,使得本就安静异常的大厅平添了几分肃穆诡谲。

神龛顶端的墙壁上,并列挂着两幅足有真人大小的画像,左边协天护国忠义大帝君关圣帝君关云长手持青龙偃月刀,单掌捋须;右边云梦天君洞庭义王天魁星杨幺横握移天倒海叉,脚踏碧浪。

画像下方,沿着神龛左右两边的台阶上,坐着八位男子。

有人衣着华贵,像是富甲一方的巨贾;有人胼手胝足,貌似艰难一生的苦力;有人面目枯槁,如同行将就木的老人;有人气度儒雅,仿佛如日中天的官人。他们当中,有胖有瘦,有老有壮,气度不一,相貌各异,看起来完全不应该是一群能够并肩坐在一起的人物。

可此时此刻,这八人却同样身穿皂色长袍,每个人的额头上,都无一例外地缠着一块红色头巾,个个如同金刚怒目菩萨低眉一般端坐在椅子上,晦暗烛影时不时地从他们脸庞上闪过,反而让每个人的面目显得越发模糊起来。

160

随着神龛下方司仪的那一声长喊，八人纷纷起身，拱手侧立。

厅后侧门打开，一位身形清癯干练的白衣男子缓缓走入，昂首来到摆在神龛正前方的那张空椅子旁，侧转身来，一双凤眼无惊无喜却又不怒自威地看向厅内众人。

宁中！

司仪疾步上前，从神龛前的供桌上取起线香，十根一把，细数了三把半，在蜡烛上点燃之后递给了宁中。

宁中手握三把半香，转身面对关羽、杨幺二祖画像，举香过顶，弯腰祭拜。身后，厅内众人无一例外，纷纷屈膝跪下。

宁中三次鞠躬完毕，插香于灰炉当中，司仪迅速接口：

"坛主入座！"

宁中一掀长袍，面对下跪帮众，大马金刀端坐而下：

"起！"

帮众纷纷起身，袖手而立。

台阶上左右八人，依次踏前一步，朝着宁中拱手喊道：

"圣堂胡云山携麾下兄弟！"

"中堂萧万年携麾下兄弟！"

"坐堂熊九细携麾下兄弟！"

"陪堂林大江携麾下兄弟！"

"官堂尹必达携麾下兄弟！"

"执堂韩龙携麾下兄弟！"

"礼堂戴潮春携麾下兄弟！"

"刑堂秦宝琦携麾下兄弟！"

语毕，八人再同时张口，齐声说道：

"恭请忠义总堂龙头大爷掌舵开坛！"

宁中一拍座椅扶手，扬声大喝：

"舵在？"

众人齐答：

"不偏不倚，忠孝在心间！"

宁中再拍扶手：

"坛在？"

众人再答：

"有方有圆，二祖情义传！"

宁中脸色一正，赫然长喊：

"立誓传来有奸忠，四海兄弟一般同，忠心义气公侯位，奸臣反骨刀下终。开坛！"

司仪躬身一鞠，扭头朝向厅内众人身后的那扇大门，高喊一声：

"传新人……"

大门打开，屋外，冬日暖阳如同水银泻地般顺着门缝流进了大厅，在大厅中心的青砖地面上，投射出一道狭长的金色光影，恰如一条闪亮璀璨的通天大道般，笔直指向厅内最上方宁中所坐的那把交椅之下。

门外空地上，陈骖、严烟两人同样是一身黑衣，并肩立于金色大道前端，灿烂的阳光洒在两人肩头，打眼看去，一个英挺似山，一个俊秀如画，好一番说不尽、道不完的少年意气，风采飞扬！

两人相对而望，微一点头，抬脚正准备走入大厅，光影中，突然有道黑影一闪，宁爽文手横钢刀出现，昂然站立于大门正中之处，看着门外两人，霸气十足地高喊道："来者何人？"

陈骖、严烟同时一拱双手，回道：

"不是官，不是民，不当书生不为商。杨幺旗下急先锋，桃园结义后来人。"

"所为何来？"

"不为金，不要银，不贪美色，不图前程。唯尊兄弟唯尊义，不欺富贵不欺贫。"

"可知此为何地？吾等又是何人？"

"洞庭湖中义气高，余下今日来献刀，此刀本是非凡刀，五祖遗传到今朝。小小钢刀七寸长，不斩猪来不斩羊，有人犯了排家人，三刀六眼不容情。"

"可知一日做同袍，一世为兄弟？"

"使得！入排非亲非故，到此不义不来！"

"可视帮规如国法，可视二圣为祖宗，可视龙头为爷父，可视帮中长者如自家长者，可视同袍妻儿如自家妻儿？"

"使得！有一点忠心方可结拜，无半丝义气何必联盟！"

"架桥！"

随着宁爽文一声大喝，厅内黑压压的人群一拥而上，沿着那条金色光影自动分为左右两行。"哐啷啷……"一连串兵刃交击之声不绝于耳，寒芒闪耀当中，人人钢刀出鞘，斜举过头，刀刀相架，一座仅仅是看一眼就足以令人胆战心惊的刀桥，就这样凭空出现在了陈骖、严烟二人跟前。

宁爽文手中钢刀猛挥，指着桥下那条仅供一人而过的狭窄通道：

"有情有义桥下过，无情无义刀下亡。尔等可敢过得此桥？"

"立誓拜玄黄天地，结盟为丹赤人心。有何不敢！"

"过桥——"

宁爽文喊声未绝，陈骖已是一挺胸膛，昂首踏入了桥洞。

身后，严烟目不斜视，紧紧相随。

主位之下，陈骖、严烟在距离二祖画像和宁中座椅一米处站定脚步，司仪手拿两炷清香上前，各分给两人一炷。

两人捧香高举过头，下跪叩拜：

"常德府九镇人士陈骖！""常德府九镇人士严烟！""叩请山门，求二祖龙头恩准！"

左右分别有着帮众上前，剥去陈骖、严烟二人上衣，司仪拿出大刀，口中念念有词，大声传叙起排帮三十六誓七十二例：

"自入帮之后，尔父母即我之父母，尔兄弟姊妹即我之兄弟姊妹，尔妻我之嫂，尔子我之侄，如有违背，五雷诛灭；倘有兄弟父母，百年归寿，无钱埋葬，一遇白绫飞到，以求相助者，当即转知有钱出钱，无钱出力，如有诈作不知，五雷诛灭；帮内兄弟，不论士农工商，以及江湖之客到来，必要留住一宿两餐，如有诈作不知，以外人看待，死在万刀之下；帮内兄弟，虽不相识，遇有挂外牌号，说起投机，而不相认，死在万刀之下；帮中之事，父子兄弟，以及六亲四眷，一概不得讲说私传，如有将衫仔腰平与本底，私教私授，以及贪人钱财，死在万刀之下；帮内兄弟，不得私做眼线，捉拿同袍，即有旧仇宿恨，当传齐众兄弟，判断曲直，决不得记恨在心，万一误会捉拿，应立即放走，如有违背，五雷诛灭；遇有兄弟困难，必要相助，钱银水脚，不拘多少，各尽其力，如有不加顾念，五雷诛灭；如有捏造兄弟歪伦，谋害香主，行刺杀人者，死在万刀之下……如遇事三心二意，避不出力，死在万刀之下。"

司仪念一句，陈骖、严烟两人就跟着说一句，誓例说完，司仪手上钢刀举起，怒目圆睁，看向两人：

"非亲有义须当敬，是友无情切莫交。有头有尾真君子，存忠存孝大丈夫！尔等若是真君子，果然大丈夫，可敢受吾这三刀六洞之刑？"

"二祖在上，龙头在前，义兄有请，有何不敢！"

司仪手握钢刀，用刀背分别在二人背上敲击三次，行刑完毕，旁边有帮众送上公鸡，司仪一刀割断鸡头，倒提鸡身，将鸡血滴入早已备好的一大碗白酒当中，待到白酒化为血红之色，司仪右手弯曲食指，左手弯曲中指，八指相交手捧血酒，送到了宁中跟前。

宁中伸出左手拇指，在司仪手中的钢刀上大力一拉，将出血的手指放入碗内，沾满了血酒之后，伸进嘴中猛嗍一口，然后把碗递给了坐在左边的圣堂香主胡云山……众人依次而为，待到厅内所有帮众都已经血酒入口之后，大碗最后才端到了陈骖、严烟二人跟前。

司仪喊道：

"祖宗话头参是非，唯尊兄弟唯尊义。忠义堂前无大小，不弃富贵不欺贫！喝了这碗酒，滴血为盟，尔等就是吾的兄弟，尔等可愿喝下？"

两人有样学样，以刀割手，滴血入碗，一口饮尽。

"礼成！"

司仪的喊声回旋在大厅当中，宁中自始至终严肃至极的脸庞上，露出了如同门外阳光般明媚的笑容，亲自上前，扶起两人。

大厅内，几十条壮汉在宁中的带领下，再次对着二祖画像落跪，口中同声齐喊：

"入排非亲非故，到此不义不来。我既归排，若奸淫掳掠者，沉江填海；若偷盗扒窃者，背马七鞭；若以下犯上者，剁手剜眼；若仗势欺人者，烈火灼心；若他日叛帮者，剥皮抽筋；若私通兄弟妻嫂者，消魂散魄；若受人恩义不报者，六洞三刀。受此七戒，江湖逍遥。"

清晨，天色犹暗，月挂西边。

常德府下南门前的官道上，五个男子骑马缓缓而行，马蹄规律而整齐地敲击在石板路面，发出了一连串的"嘚嘚嘚嘚"声，在寂静的夜空中显得格外清脆。

　　人群最前方，宗宝身披金漆山文甲，头戴镔铁狻猊兜鍪，肩戴批膊金刚衔环，手佩鱼鳞护臂，正胸一面青唐瘊子护心镜，两侧棉制大红袍肚上，一根牛皮笏头带后系亮银鹘尾，前系水纹裈甲，当中一个栩栩如生的狮子吞口护住丹田。

　　山区冬夜，江风刺骨，可是纵然在如此阴寒之下，宗宝骑在马上的身影却犹自笔挺如枪，右手始终都是紧紧握着腰边佩刀，双目当中寒芒如电，左顾右盼之时绝不疏忽每一处拐角、每一条暗巷，整个人似乎随时随地都是处在戒备当中。

　　宗宝身后几步处，严烟、宁爽文并肩而行，蒙蒙月色当中，宁爽文东倒西歪坐在马背上，形态懒散写意，时不时还会抬起手对前方一身甲胄的宗宝指指点点，满脸嬉笑之色朝严烟说着什么，说到性起之处，甚至还情不自禁发出了"嘿嘿"几声讥笑，可是除了换来严烟冷冷一瞥之外，却也再无任何回应。

　　人群最后，宁中居左，陈骖微落后方半个马头。

　　向来作风低调内敛、从不讲究气派的宁中，今夜居然也一反常态，破天荒地穿了一身大明军服。只不过，他并没有像宗宝那般全副装备几乎武装到了牙齿，而仅是穿上了一套兵丁常用的简易棉甲，厚实的皂色棉布上密密麻麻地用铜钉铆固着无数铁片，虽然略显粗糙，却也更加舒服更能御寒。假若不是头上戴着的那顶插了三根天鹅翎的镏金兜鍪彰显了宁中将军身份的话，一眼看去，与前面威风凛凛的宗宝比起来，倒像是宗宝为将，他为卒。

　　宁中单手挽缰，任凭胯下军马信步而行，旁边陈骖亦步亦趋，紧紧跟随。快走到城门口时，宁中突然轻轻一提缰绳，将马速放得更慢之后，扭头看向了已经与自己策马并肩的陈骖。

　　陈骖正要将马速再次放慢，却被宁中伸手制止：

　　"洪二，不碍事，就这样，今天这里没有龙头，只有兄长。这些天实在杂事太多，忙不过来，打你们入帮之后，到现在也没有来得及和你们聚一聚，借着今天这个机会，我们兄弟好好聊聊。"

　　听到宁中情真意切的话，陈骖也不过多扭捏，手下一松，放任两匹马儿并驾齐驱，嘴里说道：

　　"中哥，天亮之后，应该就要开战了，真的不要我们三个留下来帮忙吗？"

　　宁中闻言，鼻孔里发出了微微一声冷哼，扭头凝视远处江面，嘴角浮现出了一丝骄傲而又自信的浅浅笑容，信然说道：

　　"大顺颓势已定，关外一片石之战，李自成兵败如山倒，从北往南，几千里地一路打下来，就算是主力到了这里，也不过就是一伙走投无路的流寇而已，何况来的还只是郝摇旗麾下的区区几百偏师。这座常德城，他们进不来！再说，你们三个人留下来又能帮什么忙呢？去吧，放心去，九镇，才是你们兄弟应该全力作为、崭露头角的地方。"

　　顺着宁中的视线，陈骖也望向了前方那条蜿蜒东去滚滚无休的沅江，口中答道："兵凶战危，还望中哥一定要多多保重！"

　　宁中微微点了下头，看向前方江面的目光越发悠远，似乎已经顺着江水，穿破天边，到了一个他人看不见的遥远所在。

　　一时之间，两人都沉默了下来。

　　片刻之后，宁中一声莫名轻叹，脑袋微动，再次看向了身边的陈骖，张口说道：

　　"洪二，这一路上，都是我说。就要到码头了，你有没有什么话要对我讲？"

　　陈骖闻言，双眼中顿时有着几分犹豫之色一闪而过，最终却还是点了点头，说："中哥，是有几句话想问。"

　　"那就不用多想，我们之间，有话直说。"

　　"九镇是我们排帮发源之地、总堂所在。虽然现在总堂人马已经随着中哥移到了这里，可无论是对于外人，还是帮内兄弟而言，九镇都毕竟还是名分之地。而且，现在的九镇，风云变幻，群魔乱舞，明里暗里不知道有多少双眼睛都在盯着。我听爽文说，这一次你让我负责九镇堂口，帮内很多长辈兄弟都不太赞同，还给中哥你添了不少的麻烦。中哥，无论年纪还是辈分，我在帮内毕竟都是小辈，这次回九镇虽然有着你的明令，但我的确还是有些担心。"

　　"哦？担心什么？"

　　"我担心自己还是资历太浅，行事之际难免服不了众。"

　　"所以我让爽文跟着一起去。洪二，你虽然是刚刚入帮，但也不用太妄自菲薄、过于谨慎了。八香会这些年来，与我们排帮双峰并起，掌舵的八位龙头哪一个手上不是冤魂无数？可又有谁曾经动过他们一根毫毛？结果你一出手，就杀死了丝瓜。假如这件事情传了出去，单凭这一点，别说是让你管一个九镇堂口，就算是你洪二自己想在这片洞庭湖上开宗立派，也未必是件难事！其他人的说法，你不用管，我会处理妥当。资历？嘿嘿，大明就是论资历排辈分，才落到了现在这般下场。用人之际，要凭资历的话，今时今日的这把椅子，又哪里轮到我宁中来坐！排帮，决不能学大明！"

陈骖万万没有想到，向来深藏不露恩威难测的宁中，此时此刻居然当着自己的面，表露出了如此坦诚却也尖锐的言论。

一时之间，陈骖嘴唇微动，却不知道该说些什么才好了。

也许是察觉到了陈骖的惊惧之情，宁中语气转柔，又缓缓说道：

"本来，我并不想让爽文跟着一起去九镇。他和你一样，只要稍加磨砺，假以时日，也必定是个足以独当一面的一方之才。我本来想让他去九江，同你一般，自己带一个堂口。但是他不同意，足足和我磨了三天。既然如此，那也就罢了。有他在，这个排帮二少爷的身份，多少也能顶些用，只要你们兄弟二人合力，九镇能够早点儿稳定下来，也算是一件好事。"

陈骖嘴巴一张，却欲言又止，再次闭了回去。

这个细小的动作并没有躲过差不多已经成了精的宁中眼神，宁中嘴角一扯，露出了一丝不易觉察的神秘微笑，张口说道："你心里还有话！"

陈骖猛一咬牙，回道：

"既然如此，那中哥又何必以我为主、爽文为辅？如果将我们兄弟颠倒一下位置，以爽文为主、我为辅，这样办起事来岂不是更加麻利？"

宁中嘴角笑意更浓："你嫌现在的办法不麻利？"

"不麻利！暂时或许没有太大问题。中哥也说了，爽文是可以独当一面的大才，以中哥的胸襟，必定不会浪费，那么爽文终将会走！真到了那一天，只要爽文不在，不麻利的事情就肯定会来。"

"哦？那你想要怎么个麻利法？"

陈骖再次沉默了几秒，略作思考之后，不答反问：

"中哥，这次回九镇，你说要清除八香会在九镇的势力？"

"没错。"

"还有其他的事情要交代我们去办吗？"

宁中强忍着脸上笑意，双眼中炯炯发亮，看着陈骖道：

"你觉得还应该办些什么事？"

"我本来有一个想法，但是看到中哥的作为之后，却又有些摸不准了。"

"我做了什么事？"

"你没有丝毫为难，送回了我绑的那个姑娘，张广成的妹妹！"

"哈哈哈哈哈……"

马背上，宁中终于再也忍不住，放声大笑了起来，笑得意气风发，一代人杰终于畅快淋漓地发泄出了自己胸中满腔豪情。看向陈骖的目光，同样也是毫不收敛，满满都是由衷的赞赏之意，顿时引来了前方三人纷纷回头观望。

一边笑，宁中一边心领神会地伸出一根指头，隔空指点着陈骖，说道：

"洪二啊洪二，我果真没有看错人！小小年纪，胸中如果没有万千沟壑，又哪里能够做到这样举一反三、一点就透？那好吧，中哥就送你一句话，人情归人情，恩怨归恩怨，无论如何，各不相干！"

"中哥，明白了！"

"明白就好。不过，洪二，你还是没有告诉我，你想要怎么个麻利法？"

"我要中哥的信任！"

"怎么信任？"

"将在外，君命有所不受！"

"哈哈哈哈哈哈哈……"

再一次的仰天大笑声中，宁中昂首高居马背，姿态间越发顾盼自雄：

"洪二，你晓不晓得，坐上这个位置之后，就没有人和我说过这样的话！你又晓不晓得，你现在说的是什么？让帮内那些人听见了，又会引起多大的反应？"

"所以洪二才只讲给中哥一个人听。中哥说，今天只有兄长，没有龙头！洪二这句话是讲给兄长听的。"

"好一个没有龙头！那你还晓不晓得，但凡爽文心中有一点杂念，日后你们之间就必定会间隙丛生、反目成仇！"

"我和爽文，是兄弟！我做的事，除了想要报仇之外，不为自己，也不为排帮，为宁家！这个道理，他懂！"

"好一个为宁家！洪二，你要这么多，又能替我们宁家做什么？"

"半年之内，九镇清一色！此后，洞庭咽喉，只为中哥一手所扼！"

话语到此，宁中脸上笑容蓦然敛去，双目中却异芒大盛，如同锥子一般射向了陈骖，陈骖面不改色，昂然对视。

片刻之后，宁中双腿一夹马腹，猛提手中缰绳，战马利箭一般往前蹿去，夜空中，宁中的说话声慨然响起："既然如此，九镇之事，让你一言而决，又待如何！"

望着宁中远去的背影，陈骖双手一拱："洪二必定不负中哥厚望！"

前方，宁爽文扭过身来，对着陈骖猛一点头，明亮的月色下，两眼当中满满都是兴奋激动之色。

十九

妖刀易主

下南门外，沅江码头。

大河东去，天际尽头水天一色之处，半缕阳光终于冲破深沉夜幕，万道红芒映照在波涛翻滚的江面上，如同金龙挺身，又若恒星龟裂，点点破碎化入水中，好一派气象万千的山河壮丽。

城门内的宽阔官道上，骤然之间马蹄大作，在宁中的带领下，几人放足马力，迎着旭日金光，策马冲过瓮城偏门，直到江边，这才缓缓减速，翻身落马。

片刻前，骑马缓行之时还看不出来，但是这一下，几人当中马术高低却立刻就显露得一清二楚。

马术最高的是宗宝。

驻马之时，单手挽着缰绳一提，马儿前蹄悬空，人立而起。宗宝另一只手摁住马鞍，腰身猛扭，整个人就已经飞跃而下，四平八稳地站在了地面。

排在第二的是宁中，虽然比不上宗宝那样人马合一般的浑然天成，但也看得出来曾经下过一番苦功夫，在一条腿有残疾的情况下，还能极为熟稔地提绳勒马，翻身站稳。

第三就是宁爽文，动作速度明显都比前两人要慢了许多，可也还算是顺利

170

减速，控马下落。

最后，轮到了陈骖、严烟这两位常年生活在山区小镇，小时候骑牛倒比骑马还多的年轻人的时候，那就真是不行了。

陈骖性子较为沉稳，眼看快到江边时，远远就已经做好准备，提前放缓了马速。所以虽然下马时差点摔倒，弄得单腿在地上像是蜻蜓点水般连点了好几步，可是在旁边宁爽文的帮助下，也算是勉强站稳了脚跟。

而另一旁，性格倔强的严烟则出了大洋相。往前冲的时候，他贪图爽快策马太猛，可到了要让马儿停下来的地方了，却又操之过急，握着缰绳一阵猛拉，弄得马儿无名火起，就不停步。马儿不停，严烟也憋着一股劲越发用力非要它停不可，结果搞得一人一马都犟出了火气，朝着江水里面就直接冲了过去。

幸好宗宝眼疾手快，在马儿两只前蹄已经踏入了冰凉江水里的一刹那，急冲过去，死死别住了马嘴上的笼头，这才将眼看就要变成落汤鸡的严烟救了回来。

这一幕，看得旁边几人包括宁中在内都忍不住捧腹大笑起来，马背上严烟则满脸通红，一边怒声呵斥马儿，一边忍不住上下打量着宗宝，眼神里满是震惊诧异之色。

陈骖乘势上前，帮着宗宝拉马的同时，也借此机会想要缓和一下彼此之间因为犀牛口事件而变得有些僵硬的关系，赔着笑说道：

"宗宝大哥，真没想到，我们排古佬里头居然还有你这样的一身马术，好道艺！"

宗宝不置可否地微微点了下头，并未搭腔。

倒是一旁的宁中闻言，伸出手来指着宗宝说道：

"崇祯四年，宗宝在锦州当过几年兵，这身马术就是当初跟在祖大寿麾下，尸山血海当中练出来的，关宁铁骑，岂是浪得虚名！洪二、爽文、烟娘子，你们三个都要好好学着点。"

宁中说者无意，但是这句话传到了陈骖耳中，却让他心底猛然一惊：

关宁铁骑！

大明擎天之柱，华夏头号强兵！天下间，纵然老少妇孺，无人不知无人不晓。

跃马横枪，杀鞑虏于白山黑水，扶中华之大厦将倾，这是多少汉家儿郎心中向往至极的报国所在，求之不得的青云之路！

这又是何等的威风，何等的骁勇！

可如今，就在这万里之遥的小城，这片自古以来都是流放犯人的蛮荒之地，一个常年如同影子般默默跟随在宁中身后，虽然帮内颇有威望，但甚至从来都没有获得过真正的堂口与地位，仅仅类似于私家护卫身份的黑道人物，居然就是出自关宁铁骑！

宗宝，这个永远沉默寡言的普通男子，他到底经过了什么样的人事变幻，又到底有着什么样的神秘迷离的过往，才会如此不露痕迹却又心甘情愿地过着两种截然不同的生活？

这一切的背后，隐藏着怎样的曲折真相？

早在很小很小的时候，从父辈大人们的口中，陈骖就已经知道了，自己生活的小镇上，有一个了不得的排帮。里面的人，全是来自五湖四海的豪杰，三教九流的好汉。

可是，当亲耳听到宁中说出这句话的一刻，看着宗宝依旧若无其事继续埋头牵马的样子，陈骖却还是感到了一阵发自内心的强烈震撼。

排帮到底是个什么样的帮派？宁中又到底是个什么样的人？在他的手上，究竟还有着多少不为人知的真实底牌？

就在这一夜，对于宁中，陈骖头一次涌现出了高山仰止般的敬畏。

大丈夫，当如是也！

码头另一侧，一艘乌篷小船缓缓开向了这头。

宗宝独自牵着马儿，远远走到了一旁。

寒风凛冽的沅江河畔，只剩下了宁中、宁爽文兄弟与陈骖、严烟四人。

宁爽文似乎是有些迫不及待地大声招呼着驾船的帮众手脚快点，身边不远处，宁中则手抚马鬃，默然无言地站立片刻之后，突然一掀战袍，从腰间贴身之处掏出了一把仅有半尺多长的短刃，扭头对着身后陈骖招了招手，说道：

"洪二，你看看这把刀！"

语毕，宁中抽刀出鞘，伸手扯住旁边马背上的马鞍，用短刀在马鞍上轻轻割了一下。

宁中骑的这匹战马是他当上了将军之后，由常德府内那位颇懂相马之道的朱家大人物亲手所送。

马儿浑身肌肉虬结，龙首豹尾，熊膀猪背，就算是普通百姓看上一眼，也能看出不是凡物，又加上马身通体乌黑，唯有四只蹄子雪白，故取名为"蹄踏雪"。

常言道好马配好鞍。

所以，平日里，宁中自己虽然穿着随意，并不喜欢铺张炫耀，但是给蹄踏雪配的马鞍却是专门让人从关外草原上运来的绝对顶级货色。所用皮革极为考究，选取上好牛皮，人手揉搓到松软之后，再用明矾粗盐层层硝制，然后又灌以羊脂浸泡阴干，最后还要经过多番工艺，这才算是制成。

这种皮子不仅质地柔软牢固，而且极其强韧耐磨，为的就是供战场上的将军们征伐使用。

可就是这样韧性十足的牛皮层，在宁中那一刀下去之后，居然如同刀切豆腐一般，无声无息地就裂了开来，切口整齐如一，不见丝毫滞涩之处，甚至就连皮层下方，那块铁木框架上，都留下了极为明显的一道划痕。

亲眼所见之下，陈骖双眼大睁，几乎有些不敢置信地扭头看了身旁同样已经是目瞪口呆的严烟一眼。

陈家世代以刀生、以刀活，家中男丁无一例外全是弄刀好手。在父亲陈永华的刻意指导之下，陈骖更是从懂事开始就已经把钢刀当成了自己最好的玩具。可以说，对于刀的理解，这个世界上应该很少有人能够比陈骖更加清楚。

然而，此时此刻，他却依然感到了震惊万分。

陈骖从来没有见过这样的刀形，也从来没有见过这般的锋锐。

刀身尖锐狭长，宽不过两指，明明像是一把匕首，可前端刀脊上却偏偏又被锻出了一道似乎暗合了某种天地至理般的完美弧线。打眼看去，根本不用拿在手上，就能够想到，这把短刀无论是刺砍劈挑捅切削，都必定是得心应手，毫无瑕疵。

而且，单凭宁中方才信手轻挥就足可一刀断鞍的锋利程度，别说是九镇刘吹毛店铺里的那种寻常之作，就连他们陈家祖传御赐的这口天王斩鬼刀，比起宁中手上那把短刃而言，都是远远不及。

下一秒钟，陈骖几乎是情不自禁地冲上前去，如同把玩着世界上最为稀有的一件奇珍异宝般，仔仔细细地抚摸着、打量着马鞍上的那一条深刻刀痕，脱口而出：

"好刀！好刀！吹毛断发，也就不过如此！不过如此！"

宁中笑意盈盈，倒转刀柄，反手递给了陈骖：

"听爽文说，你身上那把刀也是祖传下来的稀奇东西，你看看，比起你的来，这把如何？"

陈骖小心翼翼地接过短刀，爱不释手地反复打量，直到心满意足地发出了一声长叹之后，这才回道："中哥，刀形不一，用处不同，不好比的。不过，只说锋锐的话，这把刀是我见过最快的，举世无双！"

"那你的呢？"

陈骖微微一笑，脸上顿时有了种发自肺腑的自豪神采，讪讪说道：

"嘿嘿，嘿嘿，我的嘛，其实也还不错。主要是用法完全不同，贴身近战，这把刀好；但是如果……"

讲到这里，陈骖伸出一根指头，悄悄指了指远处的宗宝，继续说道：

"如果是和宗宝大哥那样一身铠甲的人干架的话，应该还是要我这把。"

整个清晨，宁中的心情似乎都极其开朗，闻言又大笑起来，同样伸出手来指着远处已经被笑声吸引了注意力的宗宝，大声说道：

"哈哈哈哈，那洪二，要不，反正现在还早，你去和宗宝干一架，看看是他的盔甲更硬，还是你的刀更快，哈哈哈……"

陈骖压根就没有半点张口搭腔之意，只是目不斜视地低头望着自己脚尖，连看都不看似乎已经意识到了什么的宗宝一眼。

就连旁边的严烟都一脸肃穆，故作若无其事地扭头望向了江面，以此避开了宗宝杀气腾腾的凝视。

"好好好，洪二，真没想到，你们陈家人杀了几代的猪，居然还悄悄留下了这一身的好功夫好见识。你说得对，送我这把刀的人，当初就告诉过我，这把刀确实是贴身制敌的不二利器。洪二，这把刀，你看得出来历吗？"

陈骖再次低下头去，仔细端详着手中短刃，尤其是盯着刀镡上那两个阴刻铭文看了半晌之后，缓缓摇了摇头：

"看不出来！看它的做法，刀形过于激锐偏颇，不留余地，不像我们中原刀这般刚正。但是，这个刀铭刻有'村正'二字，却又明显是汉字。中哥，我真不知道。"

说到这里，乌篷小船已经停在了众人跟前，船头撑篙的精瘦汉子，居然还是当初犀牛口那个脾气不好的中年男子泥鳅。

被宁爽文大呼小叫了半天的泥鳅早就已经憋了一肚子火，急赶慢赶，自己的船好不容易才终于靠岸了，可众人却又偏偏还没有丝毫准备上船的意思，一时间，心头无名火起，下意识张开大嘴刚准备开吼，眼角却突然瞥见宁爽文正不怀好意地阴笑着，朝人群当中指了指。泥鳅顺着看过去，陡然发现龙头大爷宁中居然也在人群当中，正兴致勃勃地和一个毛头小子说着话。

顿时，已经喊到了嘴边的粗口被泥鳅硬生生一下连着吐沫一起吞了回去，只得狠狠瞪了宁爽文一眼之后，缩头抱腿坐回了船舱之内，再不多言。

另一头，宁中等人却丝毫没有察觉到不远处所发生的这一个小小插曲。

宁中接过陈骖递回的短刀，伸出两根修长秀气如同女子的手指，指尖轻轻摩挲着刀镡上的铭文，缓缓说道：

"你说得没错，这把刀的名字就叫作村正，它也的确不是我们中原汉人的刀。"

话到此处，宁中手臂一抬，指向了江水尽头处的东方天际，说道：

"顺着这条江，入洞庭、进长江一路往下，到了出海口，再驾帆出海，天气好的话，不足一月，就可以到达日本国，也就是扶桑，这把刀就来自那里！

"在日本，那里的武士浪人们，把这种短刀叫作肋差。洪二，你刚才说了，这种肋差刀就是为了贴身近战而制，所以它非常方便藏在衣中袖内，使用起来神出鬼没防不胜防。狭窄范围下的肉搏战，我们中原的刀，没有一种能够比上肋差刀的威力。"

宁中侃侃而谈的说话声，让陈骖心底越发佩服起来，到了这时，他已经完全摸不清宁中的身上到底还有着多少不为人知的神秘之处了。

日本、扶桑、肋差、武士、浪人，这些似曾相识却又一无所知的稀奇事物，为何对于这位同样只是出身于九镇的男子而言，是那样熟悉、那样清楚？

眼前这个面色和蔼、言笑晏晏的男子，真的是当初那位曾经抱着自己，给自己买冰糖葫芦和小面人，笑起来有两个漂亮酒窝的白衫少年宁中大哥吗？

还是，脑海中的那些美好印象，其实都只是童年时期，自己的幻想？

一时之间，已经是云里雾里的陈骖，只得万分好奇地继续追问道：

“那中哥，倭人的刀，又是怎么到了你的手里呢？你不会连扶桑都去过吧？”

“哈哈哈……”

听着向来少年老成的陈骖难得地天真说话，看着陈骖那副发自内心敬畏有加的样子，就连心思深沉的宁中也忍不住开怀大笑起来，笑过之后，这才说道：

“扶桑我倒是没有去过。去一趟扶桑，山高水长，碧波万顷，不是一天两天的事，有没有命回来都不好说。再说那个地方，小小一个荒岛而已，不到山穷水尽，不是天下不容之人，去它那里干什么？何况，活到现在，老子大部分的时间不都在九镇吗？你难道从来没有看见我？还是真以为扶桑就和武昌府差不多，一两天打个来回？哈哈哈哈，你啊，你和爽文、严烟三个小伢子，今后都还要多出去闯闯，见见世面。”

“那中哥，你是怎么得到这把刀的？这把刀不是凡物啊，虽然不知道究竟，但我敢肯定，这把刀不管是在我们大明也好，还是扶桑也罢，就算是拿到了天底下任何一个地方，都是一等一的顶尖货色，绝不可能随处都能找到。”

宁中反手一指自己胸膛，反问道：“我是干什么的？”

陈骖闻言一愣，没听懂宁中话语当中到底是什么意思，一时之间颇为忐忑，也不敢急于搭腔。

宁中微微一笑，说：

“洪二，没关系，不丢人。我就是排帮捞偏门的，你也是！这片天底下，永远都有着两种秩序。公侯将相，乃至天子圣上，他们是一种；而我们就是另一种。他们不愿做的事，我们做；他们管不到的人，我们管。没有他们，天下大乱；没有我们，天下照样大乱。大明立国几百年以来，东南沿海，边患从来没有断过。朝廷说，是倭寇作乱！但是，洪二，你读过书，也明白道理，我就问你一点，你仔细想想：扶桑偏居一隅，隔海相望，他需要多少军队才能作乱百年？又要有多大的人力物力才能跨山渡海将这些军队搬过来？既然国力强盛至此，那他们又何必始终都只是经营东南，何不饮马长江，剑指中原，与朱家小儿们争一日之长短？”

说到这里，宁中的语气微微一顿，却并没有等陈骖回答，就继续说道：

“不是倭寇！扶桑浪人只是其中极为稀少的一小部分，拿人钱财替人办事而已。东南那边，起事的大多是和你我一样的汉家儿郎。靠山吃山，靠海吃海。朱家一张薄纸，海路被禁，此后片板只帆不得入海！违者格杀勿论！何等荒唐的王法，何其轻狂的朝堂！黎明百姓，草芥蚁民，如果不落草为寇，又怎么能够活得下去？只有捞偏门！只有化身为贼，只有举起手中钢刀，甘冒这逆反之名，才能保妻儿安康、衣食饱暖；才能搅动这满地腥膻、天地不公！"

话到这里，宁中戛然而止，似乎意识到了自己的失态，将话题收住，激昂的语气再转，变得平和起来，说：

"我们和他们一样，江湖儿女，四海一家。所以，一直以来，我们排帮和海上的那些朋友，也都有着生意往来，我们的木材食盐烟草铁器都是他们的急用之物，而他们的银两火炮同样也为我们所需。十多年前，我才刚刚坐上现在这把交椅的时候，曾经去过一趟闽南。在那里，因为一次偶然的事件，我机缘巧合之下，救了一个日本国过来的大和尚，他为了报恩，送了这把刀给我。"

一直以来，陈骁凭借着自己过人的聪慧，也曾隐约揣测到了几分宁中的心中想法，并且以此成功打动宁中，走到了今天。

但是，在宁中此番话语过后，陈骁才猛然发现，自己把宁中看低了。

他原本始终认为，宁中只不过是乱世当中，一个有着一定实力，又恰逢机缘，想要乘势而起的枭雄而已。

这样的人物，斑斑史书之上，比比皆是。能够跟随，可以辅佐，却并不见得就一定值得敬重。

他万万没有想到，宁中这样一个名声并不好听的江湖豪雄，深藏在他野心勃勃、狠辣无情的面具背后，心底居然还有着那般的万千沟壑，有着那样悯天怜人的真切情怀。

一时之间，陈骁心旌摇曳，万般感慨，正待张口继续问出脑中诸多想法。

可对面宁中却似乎已经没有了继续深谈下去的兴致，径直举起手中村正宝刀，朝着陈骁一晃："这把刀，你喜欢吗？"

陈骁一愣，不由自主张口答道：

"喜欢！"

"好。"

宁中微微点了点头，原本一直挂在脸上的淡淡微笑瞬间敛去，双眼当中忽然爆射出了浓烈杀意，看着陈骁说道：

"到了九镇，你极有可能需要杀一个人。我不会告诉你是谁，也不管你怎么去杀！但是，一旦你真到了决定要动手的时候，洪二，记住，我不仅要你杀他！我还需要你告诉我，帮内那些躲在背后支持他帮助他的人，分别是谁！又做到了什么程度！"

说到这里，宁中手腕一动，蒙蒙晨光之下，一道黑影朝着陈骖扑面而来，耳旁响起了宁中干脆利落的话：

"这把刀随我多年，从未离身，帮中无人不知无人不晓。有了它，很多事你和爽文办起来会更加方便。从今往后，洪二，这把刀，就是你的了！"

陈骖伸手一把抄起凌空飞来的村正刀，心中涌起了一种无来由的强烈不安感，唯唯诺诺地并没有马上开口搭腔。

宁中见状，眉头一皱，面如寒霜，冷冷问道：

"洪二，你不想要？"

陈骖心底一声暗叹，正要壮着胆子开口说是，目光流转之间，却陡然望见了身边严烟目不转睛看着自己手上的村正刀，一副垂涎三尺却又强忍不说的古怪表情。顿时之间，陈骖福至心灵，抬头对着宁中说道：

"中哥的信任与厚望，洪二此去九镇，就算是赴汤蹈火、刀剑加身也一定万死不辞！又哪里敢有半点不知进退的辜负之心？中哥，你的意思我明白，中哥放心，半年之内，九镇的堂口我一定会给中哥一个交代！

"不过，中哥，我还有一个想法。你已经给了我名分地位，更给了我便宜行事的权力！假如这把刀也在我手上的话，我担心将来有一天，无论是对中哥你，还是对我洪二本身，都不是好事。所以，为了避嫌，也为了堵住其他人的嘴巴，这把刀，我想分给严烟来用，我能杀的人，他也同样可以做到。不知中哥觉得如何？"

宁中闻言，嘴巴大大张开，两眼当中先是露出了极度的诧异之色，之后又慢慢转化成了一种意味深长的难言神采，一瞬不瞬地看了陈骖半晌，这才说道：

"那个和尚送我刀的时候，对我说，这把刀杀孽过重，妖刀噬主，是极度不祥之物。之前的几任主人都是死在这把刀下。他当时问我，考虑好要不要这把刀。我不信邪，一直拿到了今天！烟娘子，你怕吗？"

一旁早已喜出望外的严烟，毫不客气地开口说道：

"不怕！中哥，洪二一堂之主，有些事情，由我来做的话，比他更合适！"

看着向来言语极少，脾气冲动，貌似并无太多城府的严烟，居然破天荒说出了这么一句含义深远的话，宁中眼中惊异之色更浓，颇为无奈地摇了摇头，朝着二人说道："人小名堂多，真他娘的人小名堂多！你们三个小麻皮真是一个比一个名堂多。罢罢罢，洪二，这把刀既然给你了，怎么用，谁来用，那就是你的事情，不用问我了。走吧，你们好好保重，莫要让我失望，快点滚！"

"多谢中哥！"

"多谢中哥！"

"哥，去吧去吧，别啰里八唆了，放心啊。"

眼看着宁中已经翻身上马，陈骖、严烟、宁爽文三人正待转身上船，端坐在马背上的宁中却再次手臂一挥，对着三人招呼，脸庞上似笑非笑、喜怒难测，淡淡说道：

"哦，对了，洪二，我忘了对你们说，这种肋差刀，除了近战之外，它还有一种用法。扶桑浪人极重名节，决不服输。如果一旦战败之后，无颜见人，那么，肋差刀也就是他们自行了断的工具。洪二，你年纪轻轻，大权在握，好自为之！"

密密麻麻的冷汗几乎是一瞬之间，就从陈骖的后背上涌了出来，将贴身的棉布内衣粘在脊梁上，如同趴着一条冰凉湿滑的毒蛇。

陈骖双手作揖，毕恭毕敬地一鞠到地。

头顶上，宁中一声大笑："烟娘子，你也小心点。妖刀噬主，有那么一天，你可千万不要用这把刀杀我！"

一连串马蹄声响起，宁中策马狂奔而去。

那一天，江风如刀，水汽似雾，河畔众人，陈骖如履薄冰，严烟不以为意，宁爽文心思深远。

但是，谁都不曾料到，多年以后，一语成谶！

二十

未雨绸缪

楚有七泽，首为云梦，方八百里。

梦，通"㵐"，春秋楚国俚语，湖泽之意。《汉阳志》有云："云在江之北，梦在江之南。"南北二泽，聚于湘楚，是为云梦泽。

梦中有一仙山，为神人飞天之洞府，名洞庭，长江洪患，后世以其汪洋一片，洪水滔天，无得而称，指洞庭之山以名湖，遂成世人口中之洞庭湖。

八百里洞庭湖面，烟云浩渺，波光潋滟。

湖上，渔船往来，如梭如织，鸬鹚似苍鹰翔于浅底，银鲤若碎星照在水面，船家水手们的号子声、吆喝声，此起彼伏，不绝于耳。

打眼看去，好一番河清海晏的升平景象，北方战火纷纭，群雄争霸的末世乱象遥远得就像是发生在另外一个时空。

繁忙的水路上，一艘乌篷小船由远而近，缓缓驶来。

从常德府出发之后，为了避开有心人的耳目，在宁中的安排下，陈骖一行刻意没有走更加便利快捷的沅江河道，反而绕了一个大弯，转道洞庭湖一路往西，整整花费了一天的工夫，临近九镇之时，已是黄昏将至。

来的路上，归乡情切的兄弟三人一扫多日以来的胸中阴霾，彼此间谈兴颇浓，就连严烟都忍不住与脾气古怪的泥鳅狠狠打趣了一番。

可是，眼看着九镇越来越近，不知为何，三人的话语却也变得越来越少。

当九镇城外的神人山顶终于出现在地平线上，遥遥可望之时，憋了满腹心思的宁爽文终于忍耐不住，主动打开了话题。

他轻轻拍了下正在低着头专心致志地把玩着手上村正刀的严烟：

"烟娘子，先别玩了。"

严烟大怒之下，双眼一瞪，语气森寒：

"狗卵子，我提醒你一下，回到九镇之后，你最好别再当着人这样叫我。"

"洪二叫得，我就叫不……好好好，说正事，说正事。"

宁爽文脸色一正，面带忧虑地看着陈骖问道：

"洪二，想没想过，回去了，我们要怎么办？"

陈骖闻言，眉头微微皱起，两眼之间挤出了一个深深的"川"字，让本就英气逼人的脸庞上，越发显出了几分远超同辈的沉稳，默默想了片刻之后，说道：

"八香会、张广成，还有中哥口中那位不知是谁的神秘人物。明里暗里，江湖巨测，步步惊心，我们却还什么情况都不晓得。一时之间，除了小心为上，我也实在没有太多主意，一切都只能等到了之后再做打算了。你们两个呢，怎么想？"

宁爽文下意识张开嘴，刚准备回答，却又发现自己也和陈骖一样，实在是说不出什么好想法来，索性偷个懒，瞟眼看了下身旁的严烟，说道：

"洪二，我和你一样，想得越多反而越乱。烟娘子，哦，不，烟哥，还是麻烦你先指点指点一下。"

一直以来，在外人眼中，陈骖兄弟三人，单论智计，以宁爽文为首，陈骖次之，而严烟则永远都是陪坐末席，扮演着有勇无谋的莽夫角色。

可实际上，只有他们兄弟自己才知道，真实的严烟，远远要比任何人想象当中都更加厉害，更加危险得多。

陈骖天生性格老成，尤其是遭逢大难之后，越发锋芒内敛；但骨子里面，其实是一个异常敏锐果断之人。真到了遇事之际，往往胆大包天，敢为常人之不敢为，只要可以达到目的，纵然刀山火海，也不惜一试。无论是与宁中之间纵横捭阖的谈判交易，还是丝瓜巷口凭着一人之力反转局面，都可以看出这一点。

而宁爽文呢，堪称天纵之才，自幼就聪慧过人，无论何事，都可举一反三，想到常人之不能想。然而，他的性格却刚好与陈骖相反，一举一动，若不是全盘考虑、筹谋妥当的话，则宁可不为。于是，行事之间也就难免有了些过度的谨小慎微。

不过，无论是陈骖，还是宁爽文，他们二者之间也还是有着某些相同之处。

比如说，他们都已经变得足够复杂，他们已经习惯了用理智去思考这个世界，用心思来决定自己的走向。

但是严烟却和他们完全不同。

从小到大，严烟都是一个极其简单的人！

打架，我打不过你，读书，我读不过你，可你却又从来不欺负我，不嘲笑我像个姑娘，那么，你就是我的大哥，我就服你。

你要为父报仇，举旗造反，但是你的人杀了我的父亲，杀了我的长辈，那么，就算是立地成魔，尸山血海，我也一定要将你斩草除根，鸡犬不留。

要杀人，那就拔刀相向，血溅三尺；要喝酒，那就笑醉陪君，一醉方休；要义气，那就两肋插刀，生死与共。

爱就爱，恨就恨，黑就黑，白就白；衣服要整洁，吃饭不说话，走路要抬头，坐着不乱动。

在严烟的心中，人生一世，仅此而已，从来就不复杂。

这样的人，活在这个肮脏的世界上，注定会很累、很痛、很苦。

但是，这种远远要比常人体验到更多辛酸炎凉的性格，却也同样可以造就一个人远超于常人的洞察力。无论前方是多么云遮雾罩，多么扑朔迷离，他们却往往能够凭借着这一份如同冰锥般宁折不弯的透彻与尖锐，直接戳破重重迷雾，直抵事物的本质。

所以，很多时候，当陈骖、宁爽文两人都感到左右为难，难以下定决心的关头，严烟的话，却往往能够出人意料、一针见血地点出关键之处。

而这一次，严烟也照样没有让他们失望。

严烟下巴蠕动，用雪白整齐的门牙轻轻噬咬着自己薄如刀削的下嘴唇，这是他每次陷入思考时的标志性动作。

旁边二人见状，也不打扰，屏息静气地默默等候着。

几秒过后，严烟掌心一翻，村正刀在五根如同女子般修长白皙的手指之间，异常潇洒地转了一个刀花，张口说道：

"无论如何，我们这次回去，要对付的人只有两种，我们想杀的，和想杀我们的人。原因也只有两种，仇和利！张广成是我们想杀的，这是仇。我们回来就是抢地盘，那么八香会就是想杀我们的那种，是利。这两者当中，张广成不共戴天，就算他不杀我们，我们也是必杀他无疑；八香会，只要动了他们的震沅镖局，或者是我们做掉丝瓜的事被揭露了，那么他们就会反抗报复，也是不死不休。但是，我们不可能刚回九镇就开干。所以，这两派先都不用多想，安心等着，水来土掩，将来兵挡，时候到了，也就是一刀穿心、你死我亡的事情而已。

"那么剩下来的另一方面，帮我们的人，也有两种。一种忠心，一种假意。忠心的，日子一长，只要我们不是猪油吃多蒙了心，总有办法看出来；假意的，就更简单了，中哥所讲的那个神秘人必在其中。至于此人，只要我们回去，无论是文伢子的二爷身份也好，还是洪二的香主名分也罢，甚至是我手上的这把刀，都注定对他是个威胁。但他又是帮内兄弟，只要中哥不倒，那么不管他愿不愿意，某些事上，他都必须听我们的，站在我们这边。所以，在最后那一刻到来之前，是敌是友，并不好说，也不用急着处理。心虚的是他，不是我们。心虚就一定会犯错，我们只需要在他犯错之前，将所有可能用上的力量，都尽可能地利用到极致，如果直接找到这个人了，甚至还可以故意借力打力，用他来伺候一下八香会或者张广成，这样也就更能分出忠奸。等他犯错之后，那就该怎么办怎么办。总之，我们就当九镇是个完全陌生的地方，我们初来乍到，一动不如一静，以不变应万变，就这么回事。我实在不懂，你们两个憨货又到底有什么好想的呢？"

宁爽文原本是一边听，一边在微微点头，可等到严烟终于说完了最后两句话之后，他的脑袋顿时就僵在了那里，一张胡子拉碴的大脸涨得通红，说话也不是，不说话也不是，只得异常尴尬地看向陈骖。

可是，陈骖却飞快地抬手捂住了嘴巴，自顾自地发出了一连串干咳，似乎连肺都快要咳出来了，完全没有半点接话的意思。

宁爽文见状，只得厚着脸皮，赔着笑讪讪说道："我们的意思是，回去之后啊，我们到底该怎么搞？你说了半天，那我们是干脆点，反正大哥也给了我们便宜行事的权力，我们上来就光明正大直接干呢，还是柔和一点，慢慢来？"

严烟气得俊脸煞白，像骂儿子一样看着宁爽文大声呵斥道：

"你是脑壳里面装的屎吗？这种事还用我教你？直接干？你和谁干？谁忠谁奸都不知道！你莫非是准备上来就直接一锅端，把九镇堂口里的人全部换了？换了他们，你用谁？真把那些人搞冷心了，难道堂口就我们三个人自己来，还是请中哥从常德调人？那样的话，中哥不如干脆自己来处理，要我们干吗？哦，我晓得了，你的意思是直接干张广成和八香会！好啊，文伢子，你一脸大胡子，提着一把破卵子大刀，想要当阳桥上一声吼，装张飞是吧？要得啊！老子就看你如何单枪匹马定江山！等会儿上岸了，你就直接去震沅门口踢馆啊，不去你他娘的是儿子，敢不敢？啊？不答话啊？还他娘的直接干？你干谁？谁又跟你干？真当张广成和八香会都是和你玩游戏吗？"

本来先前那句话说出口之后，宁爽文就已经觉得自己是在胡言乱语说废话了，加上现在又被严烟这样一通毫不留情连骂带讽地抢白，引得船头撑篙的泥鳅都在不怀好意地扭着头看笑话。

又羞又愧之下，向来伶牙俐齿的宁爽文大张着嘴巴，脸已经红得像是一块猪肝，却又偏偏连半个字都憋不出来了。这个时候，严烟才从鼻孔里面发出了一声轻蔑到了极点的冷哼，转而说道：

"扮猪吃老虎！文伢子，这是你的本事啊。你一个纨绔子弟，排帮二少爷，吊儿郎当惯了，你回去了就继续独断专行，继续飞扬跋扈啊。喏，你可以先从骂泥鳅开始！"

"好了好了，烟娘子平时三棒打不出一个屁来，文伢子，也就只有你才可以惹得他像是吃了火药，这也算是本事啊。不扯了，文伢子，你也讲讲，你怎么看？"

眼看着就快要憋不住的宁爽文，还没等真正爆发出来，被陈骖这么一说，又望了望严烟依然满是挑衅毫无退缩之意的眼神，终归还是咽了咽唾沫，将心里的邪火忍了下去，摆出一副异常正经的表情，沉声说道：

"我觉得烟娘……严烟说得对。杀丝瓜这件事，论功确实足以独当一面。但是，事情并没有公开，不是每个人知道，就算有些人通过帮内那些心怀叵测的老东西知道详情了，他们也不会蠢到主动帮我们宣传，肯定是揣着明白装糊涂，装着没有这回事。那么，对于底下的兄弟们而言，我们毛都没长齐，刚入帮就掌大权领一个堂口，不用想就知道，肯定会有很多人明里暗里要拆台使绊子。所以，刚开始，我们确实安分一点，以不变应万变比较好。"

话到此处，宁爽文脸上的羞愧之色一扫而空，两眼当中冒出了一种异常狡黠之色，连语气都变得阴柔起来：

"但是，洪二，别人看不起我们，心里不服气，这也未必真的就是坏事，你觉得呢？"

凭着从小到大对于宁爽文的深刻了解，陈骖知道他的话中必有所指，略微思考片刻之后，也回味了过来，笑着说道：

"嗯，我完全同意二位前辈的话。我们三个人，年纪小辈分低，凭什么就这样一步登天？凭什么就可以山鸡变凤凰？当然不行，我要是九镇那些人，我也不舒服。但是，他们的不舒服不高兴，不是对你！你身为排帮二少爷，自家亲哥哥又是排帮开堂以来最有能力、贡献最大、威权最重的一任龙头，早就已经压得帮内那些老家伙有些喘不过气来了，排帮几乎已经成为了你们宁家之私产。旁人就算有些想法，只要不是真的准备叛帮，那就万万不敢对着你有丝毫表露出来。

"这句话呢，也不是对烟娘子。他无名无分，只不过命太好，和我们是兄弟。最多也就只是一个长得好看点、能讨女人喜欢的小麻皮，一个傍着宁家大腿往上爬的势利之徒，一个不足挂齿的无名小辈而已。那么，归根结底，这句话，就只能是冲着我，冲着在下这位排帮有史以来最年轻最招人讨厌的新任香主了，他们实在是看不惯我，也实在是看不起我，无论如何都肯定是要想办法让我出洋相，把我搞下台。

"所以，该出洋相，那我就出！年纪小，那老子就继续小，小到他们都看不见我，都当老子不存在，当老子就是靠着兄父裙带关系上位，这才好。辈分低，那我就继续低，低得整日对你宁家二少爷唯唯诺诺，以你马首是瞻，对堂口里面的任何一个不管是有资历还是有脾气的实力人物都缩手缩脚，生怕得罪。让所有人都觉得我完全就是一个装模作样、穿上龙袍都不像太子的蠢货，这样才好。

"这样，他们才会轻敌！不管多聪明、多老辣的角色，只要一轻敌，他就会得意，得意就要忘形。而在他们忘形的这个期间，文伢子，你要做的就是当挡箭牌，把所有的注意力，所有的嫉妒、厌恨、提防都招到你的身上。而烟娘子呢，不会有人管你，也不会有人在意你。所以，你最自由，能做的事也最多。具体做什么，等到了之后，我们再依形势决定，现在谈了也白谈。至于我呢，我就是到处溜须拍马，摸清楚哪个人该用，哪个人该除。然后，终于有那么一天，当我们一切都理顺了，该准备的也准备好了，那么，爽文，你当初在老高家的酒铺门口对我说的那句话，也就到了实现的时候。"

宁爽文闻言，满头雾水地看着陈骖问道：

"哪句话？"

陈骖双眉一扬，斜飞入鬓，沉声说道：

"从此之后，九镇就会是我们的九镇！"

人世几回伤往事，山形依旧枕寒流。

这个世界，春去春来，花败花开，万事万物每一天都在改变着，唯一永恒不变的，只有变化本身。

经过了那么多的苦难，流过了那么多的鲜血之后，九镇还是九镇，却再也不是以前的那个九镇。

又见香浓阁。

离去那个雪夜，兄弟几人藏头缩尾路过香浓阁时，触目处，只见一片冷火青烟，凄惨阴森。阁内那几位被暴民们虐待至死的姑娘尸体，都还被插在竹签上，立于门前街道，寒风吹过，衣袂飘飞发出阵阵厉啸，犹如姑娘们死不瞑目的悲泣。

那个时候，虽然风雪如晦，高壮却依然还在。

可如今，短短两个月不见，高壮魂飞九天，惨状犹在眼前，这家矗立于码头旁边、全九镇最大最豪华的妓院居然又恢复了勃勃生气。

只不过，门楼上那两盏每逢入夜就会点燃的红色灯笼却已经不知去向，而当初那块清秀隽永，用瘦金体写就的"香浓阁"三字招牌，也被换成了一面披着红布的硕大黑漆牌匾，匾上镶嵌着两个龙飞凤舞的金色狂草——震沅！

陈骖、严烟、宁爽文三人并肩立于船头，残阳如血，顺着身后广阔的洞庭湖面斜斜照来，洒在那两个气势迫人的大字之上，反射出万道金芒，笔直地映入了三人的眼帘。

隔岸而望，看着码头上车来车往、人声鼎沸的繁忙景象，兄弟三人面面相觑，胸中万般感慨，恍惚之间，竟然有些不知身在何处。

二十一

重回九镇

码头边，几扇堆满了大小货物的竹排静静地停在水面。

一个十五六岁，面目黝黑、矮壮敦实的渔家少年在木排上上蹿下跳，颇为卖力地帮着客人搬运行李，就指望能够趁着掌舵的父亲不注意，落下两个打赏钱。

对于儿子的这些小心思，已经在水路上讨了一辈子生活的排古佬章芝龙，自然是心中有数。平日里只要儿子犯了错，少不得就要吃上他几记老拳，他必须让儿子明白，什么才是规矩。

但真到了现在这种时候，他反倒是睁一只眼闭一只眼了。

反正龟儿子忙到最后，那点赏钱，也还是要落到他章芝龙的口袋里，半大伢子，喝酒太小，玩女人太早，要那么多钱没得用处。

想到这里，章芝龙嘴角悄悄露出一丝笑意，看向了身边不远处，一位五十上下，正背手站在码头上，一边把玩折扇、一边等着卸货的男子。

就那么打眼一看，除了手中那把很是精美的紫竹扇子之外，男子并没有什么特别之处，一身衣着虽然称得上做工精良、得体熨帖，却也并不是什么苏丝云锦之类的奢华富贵物。

只不过，从男子出现开始，章芝龙就发现，不管那个男子是坐在舱里小寐，还是立于船头赏景，男子身旁三个头戴毡帽的同伴，目光都始终牢牢挂在他的身上，片刻不离。

章芝龙和一般的九镇人不同。

身为老资格的排古佬，他也曾去过好些次武昌、九江这样的大地方，不是没有见过世面。他知道，这个男子肯定不是寻常人，身边那三个同伴，也万万不是同伴，而是保镖或者护卫。

渔家少年终于搬完了最后一件货，笑嘻嘻地擦着汗想要凑上去讨两个赏钱，等他才往前走了两步，离那个男子还有四五尺远，男子左边的一位高瘦青年就不早不晚，一副正好要点货的样子，微微上前两步，侧身挡在了两人之间。

少年掩不住自己情绪，满脸又失望又恼怒的表情，无处发泄之下，狠狠一脚踢在了旁边的一包货物上。

没料到，一脚之下，那包货物应声而倒，黄澄澄的豆子"哗啦"一下就从没有扎紧的麻袋中流了出来。高瘦男子飞快上前，刚想要提起麻袋，却还是晚了半步，随着"哐当"一声闷响，一件粗短黝黑、一尺来长的铁器，夹杂在豆子当中，重重摔落在了地面。

章芝龙的双眼瞬间睁圆。

高瘦男子则如同被点了穴道一般，整个人突然就僵住了。

少年聪慧至极，见状立马意识到自己闯了大祸，一时间，更是待在原地一动不敢动，唯有双眼当中惊恐万分，一会儿看看高瘦男子，一会儿看看自己的父亲。

刹那间，小小的码头上，鸦雀无声，所有人的动作都停了下来。

剧烈的心跳声如同擂鼓一般从胸膛中传来，响彻在章芝龙的脑海里，他下意识地垂下右手，尽量将手掌靠向了自己的后腰。每一个排古佬，在腰后的衣服内，都会藏着一把永不离身的牛耳尖刀，章芝龙也不例外。

他一动不动地望着眼前几人，连眼睛都不敢眨一下，如同一只夎了毛的猫一般仔细观察着危险的出现。

这一辈子，章芝龙从来没有杀过人。

但是，此时此刻，只要他发现了一丁点儿的不对劲，他就会毫不犹豫地拔出刀来，无论如何，他绝不能让那些人伤害到自己这个不懂事的儿子半点。

不远处，那位手拿折扇的领头男子同样也在不动声色地看着章芝龙。男子身旁，另外两位护卫的眼中则已经明显露出了某种绝对不是善意的寒芒。

短短几秒时间，在章芝龙的感受当中，却像是一个世纪般漫长。

终于，男子手腕一摆，"唰"的一下打开了折扇，扇子摇动中，男子脸上浮现出一丝若有若无的浅笑，朝着章芝龙微微点了下头。

章芝龙浑身一松，走上前去，重重一巴掌就扇在了儿子脸上，嘴里连声说道：

"得罪了，得罪了，小杂种不懂事，各位大爷莫要见怪！"

一边说，章芝龙一边扯起儿子就往回走，身后却突然传来了两句话：

"这位当家的，请教一下，听说你们这里的茶炒法独特，别处没有。我想要买点茶，不知应该去哪里呢？"

"哦，买茶啊，最大的是'平福合'，在下街，顺着前面那条路直走，看到一处牌坊了左拐，最阔气的那间铺子就是；最好的茶呢，就要找'沈记'沈家老爷，门口有对石狮子的，没的错，好茶都在他那里。"

"那就谢谢当家的了。"

男子拍了拍身边一人，那人掏出点散碎纹银，走上前搁在了少年手里。

少年喜出望外，正想揣进怀中，父亲却已经一把抓过儿子手中的银子，放入了自己口袋。

少年气急败坏地看着父亲。父亲的眼睛却始终盯着已经离去的那个男子背影。

男子说话，抑扬顿挫，字正腔圆，和本地的尖腔高调截然不同。

这种口音，很多很多年前，章芝龙曾经听人说过。那个时候，他还是一个小孩，跟随大人生活在一个很远的地方。

大人告诉他，往北千里，有座雄城，那里人说的话，叫作官话。

而跌落在地面上的那样东西，章芝龙也同样不陌生。

排帮是捞偏门的，现任的龙头大爷宁中更是胆大包天，什么生意都敢做。十几年前，他曾经跟随宁中去过一趟闽地泉州府，运过一批要掉脑袋的货物。

在那批货里，他就见过这样的东西。虽然事过多年，章芝龙却还依旧记忆深刻。

这是一种叫作"拐子铳"的火器，长不过尺，携于袖中，四发连击，百米之内，穿盔透甲，锐不可当。因为是仿照佛郎机国火枪所制，所以又叫作"万胜佛郎机"。

自大明开创以来，火器向来都是国家重宝，只为军方所专属，管控极其严厉。任何私人携有或生产，一旦被查出来，必定是株连九族，死无葬身之地。

可如今，这种只有疆场征战时才会使用的大杀器，居然由一个天子脚下的神秘北方人带到了小小的九镇！

如此兵荒马乱之际，他来九镇买的到底是什么茶？

无数的疑问在章芝龙的脑海里盘旋不休，满腹狐疑之下，他摇了摇头，转身看向了前方的江面。

江面上，一艘乌篷小船迎面驶来。

船头，三个年轻后生并肩而立，三人身后，一位满脸不耐烦的精瘦船家，突然朝着章芝龙的方向双手一抬手中竹篙，用篙头在水面上画出一个大圆，然后又在圆圈中间轻轻点了三点。

终于到了！

自从前天在自家兄弟口中得知，常德府那边传来了消息之后，这一天一夜以来，章芝龙和他的兄弟始终都在码头上日夜轮班值守，未曾离开过半步，深怕耽误了龙头大爷交代下来的要事。

龙头去了常德府之后的这些日子以来，九镇地面上发生了很多事。

章芝龙虽然只是排帮底层的一个普通么爷，名义上挂着江湖人的招牌，实际每天却也只是靠着出力气吃饭，和普通人家并没有什么不同。

但是，章芝龙并不蠢。他毕竟已经在帮内前前后后待了快三十年，前任龙头死之前，他就入了帮，然后又迎来了现在的龙头宁中。他眼看着排帮在宁中的带领之下，日渐壮大，最后终于冲出沅江，在八百里洞庭湖面，乃至在万里长江上都闯出了赫赫名声。别说本就是自家地盘的九镇，就算是到了武昌府，到了九江府，甚至是到了下游的应天府，提起自己是排帮的人，都能够得到一些旁人得不到的尊重和便利。

随着排帮越来越大，章芝龙也渐渐从一个少年变成了如今的样子。

然而，这些日子以来，他有些看不懂了，他实在是想不通，九镇上，怎么突然就来了那么多不知来历的其他势力。而龙头大爷的亲兄弟，宁二爷，这种了不得的人物，就连九镇那场死伤无数的泼天大祸，都安然无恙，被他杀出了一条血路；现在回自己家，又怎么还需要遮着藏着，沦落到了要由自己这样一个小人物来接？

其实，自家那个兄弟比自己有能力，心中也有想法，这些年来也替帮里办了些漂亮事，渐渐入了帮内那些大人物的法眼，他多少知道一些消息，也曾经有意无意地给章芝龙提点过几句，可每到那时，章芝龙就总是装傻充愣地糊弄了过去，他并不想听，更不想知道。

他和兄弟不同，兄弟注定就是做大事的人，可章芝龙却从来就没有过这个想法，他一辈子念想就是把老婆疼好，把儿子养好，一家人其乐融融衣食无忧地活着就行了。

但是，偏偏自己的这个小兔崽子，一点都不像自己，反倒像他叔叔，灵泛是够灵泛了，就是心太野。做这行，心野又太灵泛的人，往往都活不长啊！当初龙头刚刚上位的时候，发生的那些血案不就是最好的证明吗？唉！

想到这里，章芝龙猛一转身，刚准备趁着船还没靠岸，找个岔子再狠狠骂自己儿子几句，好发泄一下心底的忧闷，却还没等他开口，就已经听到了儿子的话：

"爹，是他们吗？"

看着儿子两眼当中无比热切兴奋的光芒，不知为何，原本满腹不满的章芝龙顿时又心软了，微微一点头，拍了拍儿子肩膀：

"保仔，去告诉你小叔，二爷到了。"

"二爷！"

"章叔，好久没有看到了。"

船刚靠岸，宁爽文一个箭步跳上码头，异常亲热地拍了拍章芝龙的肩膀，回头指着陈骖说道：

"章叔，这就是我们九镇的新舵把子，陈骖陈香主，陈屠户家的儿子，你认识吗？不认识？没事，洪二，章叔也是我们排帮的老前辈了。当年跟在我哥身边都跟了好几年，要不是章叔自己不愿意，非要回九镇图清净不可的话，现在哪里还有宗宝的位置？我哥每次提起来，都还在惋惜呢！"

"二爷，你可千万莫要这样讲，宗宝大爷是什么样的好汉！我拍马也比不上的，这可真是折杀我了！"

章芝龙一句寒暄过后，刚想给陈骖行礼，却没想到，陈骖已经先行双手一拱，说道："洪二见过章叔，今后还要麻烦章叔多多提点指教。"

原本看着眼前这位过于年轻、像是书生一样斯文的新香主，章芝龙的心中还有着几分疑虑，如今九镇乱象丛生，暗流汹涌，迟早还会有一场腥风血雨，也不明白龙头是怎么想的，居然派来这样一个年轻后生掌舵，他罩得住吗？

可是，当香主客气礼貌到了几乎有些谦卑的说话声响起之后，章芝龙顿时就有了种受宠若惊的感受，他忙不迭地双手一拱，弯腰下去，恭敬回道：

"当不得，当不得！排帮镇山堂大幺章芝龙拜见香主！"

"章叔，我这个香主，是龙头大爷一时情急之下，看着我也是土生土长的九镇人，这才让我过来顶几天的，作不得数。我和爽文是兄弟，他喊你叔叔，我也得喊，有什么当不起的？你莫要太见外，别这样千万别这样，我才是当不起。"

陈骖快步上前，托着章芝龙的双手，无论如何都不肯让他将那一躬拜下去。

一时间，章芝龙心中感慨万千。

入帮近三十年了，当年那些也曾经和自己一起出生入死闯过天下的兄弟，只要没死没残的，如今个个都已经混出了名堂，像戴潮春、尹必达两人，更是都已经当上了独掌一方的内八堂堂主。只有他，天生一副散淡性格，混了多半辈子了，却依然只是外八堂下面一个狗卵都不如的幺满大爷。什么时候有人对他这么客气过？就连现在九镇堂口那个狗日的连铜匠，屁股还没真正坐上交椅呢，在兄弟们跟前就已经呼三喝四、人五人六了。

颇为感动的章芝龙满脸通红，努力地想要讲两句豪言壮语出来，给自己的这位新香主表表态，但左想右想，却怎么都想不出合适的话语，灵机一动，突然记起了方才见过的那个神秘北方人。

于是，他张开大嘴，刚想要和盘托出，身后的栈桥上，却传来了一连串急促的跑动声。

众人纷纷循声看去，一个壮实得像是小牛犊子一样的少年正朝着这边飞快跑来，正是章芝龙的那个灵泛儿子章保仔。

章芝龙满脸尴尬地看着三人：

"香主、二爷，这……这是我家的小畜生。你他娘的跑什么跑，赶丧啊？"

话一出口，章芝龙立马察觉到不对，赶紧又看了身边几位大佬一眼，语气也软了下来："不是让你去喊你小叔吗？人呢？"

转眼之间，章保仔就已经跑到了众人跟前，身子一扭，像是条泥鳅一般地躲过了章芝龙的抓扯，也不和自家老爹说话，径直跑到了宁爽文跟前，抬起双手，左手中指弯曲，右手食指弯曲，两手一拱，老气横秋地学着大人做了一个排帮独有的见面手礼，飞快说道：

"二爷，连香主他们一大帮人正朝着这边走过来了！我小叔也在。他向来眼尖，早看见我了，却只是轻轻摇了摇头，没有说话。我估摸着有些不对，就先过来通报下。"

陈骖扭头与严烟对望了一下，彼此眼中皆是惊异之色，显然都没想到这个看上去并不起眼的半大孩子，居然如此机灵。

宁爽文则是脸色如霜，看着章芝龙冷冷问道：

"章叔，连铜匠他们晓得我回来了？"

章芝龙心头一紧，回道：

"应该不晓得啊。这件事除了我和老二，还有这个小兔崽子，全九镇绝对再也没有其他人晓得。"

"好，我明白了。洪二，看来他们是早有准备，要打我们一个措手不及啊。你看怎么办？"

陈骖略作思考，拉着严烟掉头就走：

"这样吧，你先顶着，我和严烟先走。反正也是你负责场面上的事，我们先闪一个是一个。"

"行。"

话语中，两人飞快离去。

就在两人身影刚刚消失在码头另一端时，沿着震沅镖局门口一直通向码头前那片广场的大道上，黑压压一大帮人影赫然出现，气势迫人地朝着码头走了过来。

宁爽文饶有兴致地低下头去看着身前这位半大孩子：

"保仔，你入了帮没有？"

"入了，去年正月开的坛。"

"什么辈分。"

"铁印。"

"哈哈哈，你看对面，最小的估计也是辕门大爷，你一个不入流的小铁印，你怕不怕？"

"不怕。"

"那你帮我拿下家伙，跟着我一起去，敢不敢？"

章保仔闻言，兴奋至极，学着戏文里面的模样，口中一声长喏，一躬到底：

"二爷有命，小的岂敢不从！"

"哈哈哈哈……"

大笑声中，宁爽文举步前行，脸上依旧笑意如花，可是看向前方的两只眼睛里面，却不可克制地冒出了冰寒杀意。

身后，章保仔机灵至极地赶上前接过宁爽文手中那个狭长包袱，连望都没望自己老爹一眼，就已经亦步亦趋地跟在身后，扬长而去。

小小的码头上，只留下了章芝龙独自一人，默然而立，万分复杂地看着自家儿子越来越远的背影，嘴巴张了又闭，闭了又张，终归化作了一声喑然长叹。

码头另一边的暗巷里，陈骖、严烟静静地站在阴影之下，看着一大一小两个人昂首挺胸地走向了前来迎接的众多大佬，陈骖面带笑意：

"看来文伢子已经找到一个好帮手了，烟娘子，我们两个也要攒把劲了。"

严烟脸上也同样露出了难得的赞许之意，点了点头：

"这个小子不错。洪二，等下你准备去哪里？"

"我想去老师那里看看，一起吧？"

"我就不去了，你自己去吧。我先去见几个老朋友。"

"那好，晚点我们在爽文家见。"

二十二

随波逐浪

这是多么熟悉的感觉。

墙脚处蔓生而上的斑斑青苔，石阶中倔强成长的痕痕野草，乃至于脚板踏在那凹凸不平的青石板路上时，特有的硌脚触感，都是那般舒适而亲切。

曾几何时，就在这条路上，无论刮风下雨，不管酷暑寒冬，几乎每日，陈骖都是迎着朝阳而来，踏着暮色而去。不知不觉间，就从一个牙牙学语的幼童，长成了如今这个历尽沧桑的成人。

这条路上记录了他太多的回忆，承载了他太多的情感，这里的每一个人、每一栋房子、每一根树木，甚至是刻在石板上的每一句诗文，都已经融进了他的血肉，成为他生命的一部分。

可是，此时此刻，当陈骖再次踏上文昌阁那条走过千万遍的石板路面的时候，他却无比悲哀地发现，自己的血肉已经被剥离了。

路旁的民房门口，还是那些熟悉的面孔那些熟悉的人，坐在大同小异的木桌旁吃着大同小异的晚饭。当看见陈骖的时候，这些人的眼中也依然流露出善意和惊喜，脸上都显现着真挚的笑容。

然而，一切却还是变了，变得陌生而残忍。

人们再也不像以前那般，大大咧咧却又异常自如地对着陈骖招呼，喊着他，唤着他，问他今天又学会了几篇课文，是否又被老夫子痛骂了，要不要来自家吃上一碗。

如今，在那些情不自禁的亲热与惊喜背后，人们的眼神里面多出了一丝不经意的拘谨，和发自内心的惊惧与警惕。甚至就在陈骖想要主动表露出自己心中的热情与高兴时，他们往往都会颇为惶恐地低下头去，避开与陈骖的目光接触。

一切都变了！

那一场血流成河，终归还是彻底改变了这个古老而安详的小镇。

人言落日是天涯，望极天涯不见家。

落日余晖下，陈骖默默前行，独自穿过街道，走向了恩师家门，陪着他的，唯有脚下那道扭曲而孤单的影子。

他垂下眼帘，不愿再看周边的任何人和物。

因为，这一刻，他感受到了一种前所未有的寂寞。

就如同，他不在家，而在天涯。

当那座位于文昌阁中心、遍布着苍松翠竹的雅致小院刚刚映入眼帘的第一时间，陈骖却心头猛地一沉，停下了脚步。

远远看去，小院还是那个小院，别无不同。

只不过，就在小院的门口，正站着三个人，三个头戴毡帽的男人。

他们不闹不叫、不动不跳，甚至连眼珠都仿佛没有丝毫的转动，就像是三座塑像一样，默默站立在那里，沉稳而安静。

在普通人的眼中，这三人除了有些许的怪异之外，并没有表露出丝毫的攻击性和危险性，他们身边的路面上，也还有其他行人正在缓缓走过。

可偏偏就是在刚看见这三个人的一刹那，陈骖却感到自己浑身上下如同过电般一阵酥麻，每一块肌肉都瞬间紧绷了起来。

陈骖也没有动，然而，无论生理还是心理，他都已经做好了充分的战斗准备。

因为，陈骖并不是一个普通人。

现在的他，也已经变了。

他不再是以前那个穿梭于小巷中、无忧无虑的少年读书郎洪二。

他已经拔过了不止一次的刀，杀过了不止一个人。

石拱桥上那癫狂而悍勇的一战，早就已经传遍了全镇每一个角落。

陈骖得到了他并不想要的名气，这也正是巷子里面的那些街坊邻居惧怕他回避他的原因。

但是，同样也是这个原因，导致了他和那些普通百姓的不一样。

没有人不怕杀人犯，无论他是什么理由杀人；可是，也只有杀人犯，才能一眼就看得出另外一个杀人犯，无论他在如何伪装。

这三个男子，都杀过人，而且必定非常善于杀人。

因为，他们的身上都带着一种说不清道不明，却能感受到的莫名寒意，那是只有习惯了鲜血和死亡，习惯了视他人为俎上之肉之后，才会产生的寒意。

三人的手上无一例外，都拿着一个用棉布缠好的狭长包裹；陈骖的后背，不巧也正好背着同样的一个。

而且，他们并不是九镇人。

九镇的冬天很冷。但是，这里毕竟不是关外，不是塞北，并没有冷到需要戴上那种毛茸茸的皮制毡帽。

对于生活在这里的人而言，纵然要戴，那也是防风遮雨多过御寒，一顶斗笠或者一块布巾就已经足够。

只有北方人，才会戴那种皮毛帽子。

而九镇上，仅有的北方人，只有张广成他们！

梁老夫子为人尖酸古板，纵然满腹诗书却也自视甚高，出口极易伤人，在镇里，虽然谈不上人见人厌，可也向来都不是一个讨人喜欢的角色。

陈骖跟随梁老夫子学文，整整十五年光景。在这十五年间，陈骖从来没有见过任何一个外地客人来找过梁老夫子，就连镇上的街坊登门拜访梁家，在陈骖的记忆当中，也是寥寥可数。

但是现在，却有三个拿着兵器的北方人等在了老夫子家门前。

一别数月，陈骖并不知道老夫子在此期间曾经得罪过什么人，又发生过什么事。

他也不想知道。

他只是完全可以确定一点：不管是不是张广成，这三个人都万万不是梁老夫子能够惹得起的。确定了这一点，对于陈骖而言，就已经够了。

因为，无论如何，他都绝对不会让任何人伤害到老夫子半根寒毛。

梁老夫子惹不起，可他并不怕，他已经彻头彻尾地变成了一个靠着刀口舔血来吃饭的江湖人。

杀人，只是他的本分。

所以，略作停留之后，陈骖就再次举步，笔直地朝着书院走了过去。

正如陈骖一眼就发现了他们那样，那三个男子也很快就察觉到了陈骖的存在。

纵然此时的街面上依旧人来人往，但三人的目光却偏偏就毫无理由地落在了陈骖一人身上。三个人并没有做出任何动作，他们都还是岿然不动地站立在各自原本的位置上。

只不过，当彼此目光甫一接触的瞬间，冥冥当中某种神秘的直觉就已经让陈骖清楚意识到，他们也同样做好了战斗的准备。

陈骖用一种既不快也不慢的速度往前走着，一眼看去，和身旁其他行人并没有不同。

但是仔细观察之下，就能够发现，他两只自然下垂至腰侧的手掌，始终都在轻微地甩动着。然后，当距离越来越近，陈骖的脚步也随之变得越来越慢，双掌甩动的频率却相反，越来越快。

随着每踏出一步，陈骖就感到自己浑身上下的肌肉放松了一分；到最后，连他的双脚也开始以一种极为灵活的步伐，在石板上轻微而又快速地弹跳起来。

当彼此之间相隔在二十步左右的时候，陈骖反手解下了绑在后背的包袱。

与此同时，对面三个人的脚步也终于开始移动，以一个人为中心，其余两人左右散开，在并不宽敞的街面上，形成了一个短兵相交之时，攻击面最为广泛，也最易防守的三角状。

当距离来到十步以内，陈骖张口朝着三人说出了第一句话：

"请问，梁老先生是否在家？"

这句话，貌似随意，可陈骖并不是随口一说。

话语当中，陈骖已经表明了自己认识老夫子，如果对方是老夫子的亲友宾朋，那么完全能够意识到，这也许是一场误会。

就算是老夫子的仇家，听到这话，通常也会搭一句腔，敷衍一下，好把陈骖骗走。

可奇怪的是，那三人相互对望了一眼之后，却没有一个说话，依旧是如同猎豹一般，冷静警惕地看着猎物到来，只要陈骖一个不小心，就会立马将他撕成碎片。

陈骖心中最后的一丝侥幸也化为乌有。

他不再犹豫，手腕一翻，包袱散开一角，抬起右手握住了刀柄。

几乎同时，对面三人的手也同样抓住了各自包袱。

下一秒钟，陈骖右脚脚尖点地，后背弓起，整个人的重心向前放低，做出了俯冲之势。就在他整个人将动未动，局面一触即发的关键时刻，书院里，那两扇刷着红漆的木门却"吱呀"一声，被人打了开来。

猝不及防之下，大门外本就已经如箭在弦的四人，顿时全被吓了一大跳，"哐啷啷……"一连串的金铁交击声中，纷纷不由自主地兵刃出鞘，不约而同地将目标对向了书院门口。

一时之间，文昌阁上，刀剑如霜，周边路人纷纷尖叫闪避。

院门口，刚刚走出的两道人影见此状况，都如同泥塑一般呆在了原地。

陈骖打眼看去，就在一个手拿折扇的男子身旁，赫然正是老梁。

离去的时候，恩师虽然已经不再年轻，却依然还像是一颗煮不烂、锤不扁的铜豌豆。无论何时何地面对何人，他永远都是脊背笔挺、鼻孔翕张，一副动不动就要撸起袖子开干的样子。

那时，恩师胸中那股憋了几十年的锐气还在。

可是现在，恩师却好像真的老了。

几月不见，他鬓角两侧居然已经霜华涌现，白发丛生，一袭宽大的灰色棉袍披在身上，就像是挂在竹竿上的一面旗帜，空空荡荡，无着无落，让本就清癯的身子越发显得形销骨立。

更令人悲哀的是，恩师的腰板居然已经不再挺直，佝偻着背，在身边那位渊渟岳峙的男子衬托下，俨然一个干枯腐朽的耄耋老者，哪里还有半点当初那种激昂慷慨、叹天不公的书生意气？

看着眼前这幕，一时间，陈骖心中又悲又喜，鼻子一酸，一句已经到了嘴边的"先生"，竟是再也叫不出来。

就在这个时候，老梁的注意力也终于从门口三人的身上转移过来。

四目相对之下，老梁眼中先是不可克制地冒出了惊喜至极的亮光，然后，他那张沟壑纵横的脸上，几乎所有的肌肉都开始颤抖起来。

拿着折扇的男子显然是个极度聪慧之人，望望场上三人，又看了看陈骖和老梁的神态，转眼间也就猜出了一个大概。

男子手臂一挥，张嘴对着门外三人喝了一句，三人随即收刀回鞘，默默退到一旁，再也不看陈骖一眼。

男子所说的话，虽然很短，但发音却极为奇怪，完全不像是汉人说话。陈骖不仅从来不曾听过，甚至他都有些分不清，对方说的到底是话，还是只是打了一个暗语。

就算是在这样悲喜交加的情绪冲击之下，陈骖都还是忍不住看了男子一眼。

却没想到，下一秒钟，男子双手一抬，朝着梁老夫子抱拳为礼，深深一揖，用一口异常标准地道的常德府方言说道：

"今天打扰大哥了，弟弟这次会在这里住上几天，哪天大哥方便的话，我再来拜访。告辞。"

面对男子异常谦恭的态度，老梁只是从鼻孔里面发出了冷冷一声闷哼当作回答，连嘴巴都没有张一下，更别说回礼。

男子也不以为意，当下转身走下台阶，又转头深深看了陈骖一眼之后，径直离去。

街道上，安静无声，除开那些躲在紧闭的大门后面偷偷观望的街坊邻居之外，转眼就只剩下了陈骖师徒两人。

老梁默默盯着陈骖半晌，最终眼神还是落在了陈骖犹自提在手中的那把刀上。陈骖见状，赶紧将手中天王斩鬼刀往身后一藏，刚准备走上前去，梁老夫子的鼻孔里却再次发出了重重一声冷哼，也不说话，转身就走进了院门。

"先生……"

一句百转千回的先生刚刚呼唤出口，无穷无尽的悲伤与羞愧就淹没了陈骖，让他再也无法多说出半个字来。

就在他举手无措、不知道该如何是好的时候，院里赫然响起了一个苍老而干涩的声音：

"不争气的东西，还要老子请你进来不成？"

话语中怒气冲天，又好像隐隐还带着几分颤抖。

听在陈骖耳中，却如同天外仙音般，瞬间就驱散了他心中千般苦闷、万种自怜。

利落地将宝刀插入鞘内，陈骖一整身上衣衫，毕恭毕敬地走进了那扇熟悉的大门。

桌面上，摆着两个粗瓷盘子，一碟江河当中随处可捞的小鱼小虾，放在一起过油炸干，再佐以葱姜蒜末花椒回锅爆炒。

而另一碟，则是梁老夫子的独门绝技，也是陈骖深爱至极的豆腐乳。

和别家豆腐乳不同，老夫子除了在腌制腐乳之时，放入寻常人家也会放的八角、桂皮、胡椒、粗盐等物之外，他还加了一种只有九镇附近那些生活在山区里面的苗人才会用的独特作料。

这种作料本是从西洋传来，最早出现于东南沿海一片，非常容易栽种，往地上一放，就算不管它，来年也会发出红艳艳青灿灿的一大片。

而且，只要吃多适应之后，还会上瘾，可是沿海百姓口味清淡，这种东西入口极辣，向来不为当地人所喜。

不过，苗人世代居住深山，极其缺盐，唯有重油重辣才可以佐饭，所以，渐渐地这种东西也就一传十、十传百，在苗人当中彻底传播开来。

苗人们称呼它为"辣椒"。

曾经有一次，老梁苦闷日久，独自出门游山，不料迷了路，遇见一个苗人将他带到了苗寨，老梁一看山清水秀，也就在那里住了一段日子。

回来时，老梁就带上了一把辣椒，种在自己院子里，每天做菜都会放上一点。天长日久之下，随着老梁一起生活了大半年的陈骖也就同样吃上了瘾。

方才进门之后，老梁还是没有搭理陈骖，自己一个人不言不语地跑到厨房里捣鼓了半天，先是炒了一盘小鱼虾，一大碗冒着油光的蛋炒饭端了上来，想了想，还是怕自己的徒儿不够吃，转身又去夹了两块腐乳。

顿时间，陈骖感动得不行，直吃得满头大汗，恨不得高呼过瘾。

吃饭的过程中，老梁始终默默坐在旁边，目光深远地看着陈骖，也不说话，颇像是当初陈骖父母刚死之后，师徒两人相依为命的那段日子。

陈骖担心老师等久，三扒两咽，风卷残云一般地飞快吃完了桌上所有饭菜，按照往日习惯，他下意识地端起盘子就要去涮洗。

老梁却突然嘴巴一张，指了指凳子，说道：

"坐下！你现在人都敢杀了，我怎么还敢让你这么个绿林好汉洗碗？给我坐下！"

陈骖屁都不敢放一个，拿过凳子，双膝并拢，两手放在膝盖上，毕恭毕敬地在老梁身前坐了下来。

老梁一脸铁青，问道："你是不是和宁家混到一起了？"

陈骖微微一愣，想了想，还是老老实实地说道："是的，我入了排帮，是现在九镇堂口的香主。"

说这句话的时候，陈骖已经做好了被老梁破口大骂一通的准备。

没想到，话说完之后，老梁却丝毫没有要发脾气的意思，只是目光里面的神色更加灰暗深沉，长叹一声，说道：

"我这一生，不偷不抢，干净做人。自以为满腹诗书，是苍天不长眼才让我落到了今天这样。所以，我就开始教书，我自己完了，要是能够教出几个好学生，那也算是不枉费了几十年的寒窗苦读。结果呢，两个所谓的得意弟子，宁中跟了我八年，你跟了我整整十五年，先是一个当了匪，而今另一个居然又当了匪。看来，我这个书不教也罢。"

"先生……"

老梁眼中悲意更浓，摆了摆手：

"洪二，我宁愿那一晚你死在那座桥上，也不愿意看见你今天这样子。排帮的新香主，好大的气派。卿本佳人，奈何为贼？也没什么好说的了，你我师徒缘尽于此，饭吃完了，那就走吧。"

陈骖赫然抬头直视恩师，缓缓说道："先生，我没有做错！"

这是陈骖有史以来第一次顶撞老师，也是老梁有史以来第一次看见陈骖的这种眼神。

那是一种极致的冷淡，冷淡得仿佛带着一种发自骨子里面的凶狠和狰狞。

就像是最恐怖的噩梦里，那一双永远都在黑暗深处凝视着你、看透了你的魔眼。

"你也先坐下，就算走，也请恩师让我把话说完！"

老梁目瞪口呆地望着陈骖，涌上心头的怒气不知为何，却再发不出来，就连刚刚抬起的屁股，也不由自主坐了回去。

"这条街上卖布的、剃头的、磨豆腐的，每一个我都认识，我都喊叔伯。这个镇上，每一棵树、每一块石头、每一条水道，我都熟悉，都坐过、玩过、游过。可是现在，他们当中的很多人却已经死了。那天晚上，我出门的确是为了报仇。但是，最终呢？最终流在树底、石上、水中的，并不是只有我父母的血，九镇上的孤儿，也不是只有我陈骖一个。而先生，这一切，你都是亲眼所见，这个世界已经变了！"

"那你也不用自甘堕落，委身做贼。我教你这么些年，不是为了让你跑江湖当个草莽的。"

"先生，当初你教我念《庄子》的时候，里面有一篇说，凤凰非梧桐不栖，非醴泉不饮，而乌鸦只是喜欢吃腐肉，还生怕凤凰去抢。一直以来，我知道，先生希望我成为凤凰，我也这样希望。而现在，先生认为我和宁中都是那只没出息的乌鸦，只是为了一块腐肉。但我不是！

"有些东西，宁中想要，不见得我也和他一样想。先生，那天提刀的人并不是只有张广成一个。杀了张广成，还有李广成、王广成……只要这些人还在，就一定还会死掉刘骖的父母、马骖的父母……那么多的人，光凭我洪二一个，对付不来。"

"洪二，你想要做什么？"

"我想要九镇变成以前的九镇！我想让发生在我身上的悲剧，不再发生！让造成了这一切的人，付出该付的代价！可是，要想做到这些，我就需要更加强大的力量！先生，你还教过我，水本无质，随物赋形。洪二如今就是这一摊水，在羽翼丰满之前，流到什么地方就是什么形状。洪二所做的一切，都不过就是如此而已。先生，我错了吗？"

老梁震惊万分地看着陈骖，良久过后，方才喃喃说道：

"世道混乱如此，小小的九镇又逃得过去，变得回去吗？"

"不知道，但我想试试！九镇乱，就救九镇；世道乱，那我就让这个混乱的世道，再变得宁静起来。"

"洪二，你知不知道，你这是在玩火？"

陈骖微微一笑，眼神中的光亮也不再是那种极为瘆人的冷漠，电芒四射地看着自己的恩师，缓缓说道：

"自从父母走后，生活对我来说，本来就像是一池死水，温不起来，却也不那么刺骨，先生，你忍了一辈子，但是我却已经受够了！有把火玩玩，也未必不是好事。大丈夫，如能改天换地，就算烈焰焚身，那又何妨！"

屋内，一片寂静，两人相对而坐，谁都没有说话。

半晌过后，陈骖起身："先生，不管你怎么想我都不要紧，今天，洪二能够对着您，把心里所有的话都说出来，已经满足了。先生多多保重，洪二告辞！"

说完，陈骖稍稍等了两秒，看着老梁却依旧是双眼紧闭，没有开口的意思，这才扭头走向了门外。

可是，等他刚刚走到院子里面，身后屋内却传来了椅子挪动声，老梁的说话声再次响起：

"刚刚你来的时候，在门口见到的那个人，正是三十八年前，我为他替考的那位常德富家少爷。一时糊涂，我落得坐监入狱，潦倒一生；他倒是飞黄腾达，一步步地走到了金銮殿上，位列百官。他今天过来找我，是为了宁中，为了你们排帮！"

听到这句话，陈骖赫然转身。

屋内，老梁收拾着桌上碗筷，连看都不看陈骖一眼，径直说道：

"三十多年音信全无，他也算是神通广大，不知从何处得知宁中曾是我的学生。所以找上门来，希望托我的关系联系上宁中，想和你们排帮合作。你知道，他是怎么对我说的吗？"

陈骖迫不及待地走回房中，还没等他开口，老梁却已经端起碗筷，扭头走向了里面厨房。

屋内，只留下了一段苍老疲惫的话语：

"他说，若降大清，出将入相，指日可待；若是不降，大军南下之日，世间再无排帮！我碌碌一世，却也落个清净；他一生精明，反倒成了旁人走狗。孰优孰劣，洪二，你好自为之！"

二十三

风声鹤唳

世界上的事，有时候，确实很奇妙。

几个月前，张广成率难民起事造反，杀掉了那个留守在九镇的官老爷，从此之后，九镇上面就没有了衙门。

当然，这倒不算太奇怪，毕竟大明也亡了，皇帝都没了，天底下没衙门的地方多了去，不差九镇这一个。只是，其他没衙门的地方基本上都乱成了一锅粥，盗匪横行，惨剧丛生，不晓得多少人一夜之间或是倾家荡产，或是命丧黄泉。

而九镇却偏偏相反。转眼之间，好几个月过去了，镇子上不但没乱，治安反倒比起有衙门的时候还要更加太平。

其实，导致这种怪异局面的原因并不复杂。

现在镇上能够说得上话的，一共有三派：排帮、震沅镖局，还有张广成的团练。

这三派里面，单从台面上的势力来看，震沅镖局初来乍到，算是最小；排帮虽然发源于此，在九镇可以算是根深蒂固，但重心已经跟着龙头宁中一起转到了常德府，只能排第二。

势力最大的，就数张广成。

他得到了四川大西王朝的鼎力支持，手底下的人，又无一例外都是当初与

206

九镇百姓结下了血仇的外地难民，没有了张广成的庇护，三五个人想要单干，几乎是找死。所以，这一帮人也就格外团结，谁也不敢有二心。

但是，纵然如此，这三派之间的差距却也并不算大。至少，无论是哪一派，都没有压倒性的实力，来彻底一统江山。

于是，在这种异常复杂的形势之下，这三派人马之间的关系也就变得格外微妙起来。

首先，大家都是各守本分，严格遵循井水不犯河水的江湖规矩，不到万不得已的时候，绝对不愿意率先挑事，以免成为另外两家共同的眼中之钉。

其次，他们彼此之间，却又时时刻刻都在防范、牵制，决不允许出现任何两家携手，或者一家独大的情况。

这是大佬们的一致利益所在，也是目前对于各自生存最好的选择。

那么，如果想要维持这种状况，最好的方式就是稳定。

绝对的稳定。

水至清才能无鱼，水浑了，就到了摸鱼的时候。

谁都不想成为被别人摸走的鱼。

如此一来，九镇的世道也就相应跟着平缓了起来。

世道一平缓，余下那些有着小心思、小想法的蟊贼也就彻底没有了发展空间，只要有哪个不开眼的胆敢冒头闹事，就一定会遭受到三帮人马齐心协力的共同打压。

所以，种种因缘际会之下，在这天下大乱的时代里面，身处水道枢纽的兵家重地九镇，却反而呈现出了一片堪称奇迹般的平静。

就像是回到了大明未亡、天下未乱的时候，人们日出而作，日落而息，就连偷摸拐骗这种事情也在镇上渐渐销声匿迹。

直到最近，短短几天之内，九镇突然就发生了两件算不上太大，却也很有意思的事情。

第一件事情，发生在排帮。

约莫是半年之前，宁中应常德府里那位朱家大人物的邀约，去了常德，当了大将军，走的时候，也就将九镇总堂的得力干将们一并带着，去享荣华富贵去了。

留守在九镇堂口的，是当时的一个副香主，叫作连铜。

连铜在排帮的资历非常老，还是宁中之前那位龙头在任的时候，就已经当上了副香主，这些年来，虽然没有立过什么大功，却也从来不曾犯下大错。

按理说，反正现在的九镇总堂也就只剩下一个名义上的空壳，这一次，就给连铜一个徒有其名的清闲香主当当，让他守着九镇家门，过过独掌一方的瘾，也算是件顺理成章、成人之美的好事。

可宁中却偏偏没有这么干！

他硬是将连铜压在这个已经当了十多年的副香主位置上一动不得动，转而从常德府里另外派来了一个新香主。

说实话，宁中这样干，也不是不能理解，所谓一朝天子一朝臣。不是自己的人，当然也就不能放心去用，上位之人玩点权谋手段，这也没问题。

连铜真要怪，也只能怪自己命不好，入帮早了点，前一任龙头也死得快了点。

但问题是，连铜毕竟也在帮里混了几十年，当年他头上的、他底下的，和他并肩拜把子的，大多已经在帮中混得有模有样了。

连铜再怎么不济事，在帮内多少也还是有些资历辈分和人脉的。

宁中要真想派个自己信得过的人来掌舵，那至少也得有点分量，能压得住这些老狐狸。

就算胡云山、萧万年、韩龙这些大人物都不可能纡尊降贵地回到九镇，那么宁中身边的宗宝、小赵云、花和尚这几个得力干将，他们都跟着宁中鞍前马后地磨炼了那么多年，无论忠诚度还是办事能力都已经证明过了，现在外派出来分管一个堂口，于情于理，于公于私，都是绝佳选择。

再退一步，宁中现在要集中精力干大事，用人之际，这些人也脱不开身，那么，还有一个合适的人选——宁二少，宁爽文！

宁爽文向来是有些轻狂焦躁不懂事，可怎么说也是宁中的亲堂弟，是排帮正儿八经的二少爷，就凭这个身份，就凭着亲堂哥一言九鼎的余荫，回到九镇，又有谁敢不服？

可宁中却也没有选这位二少爷。

他偏偏选了一个不知道从哪块石头里面蹦出来的野猴子，就这样横空出世，成为连铜的顶头上司。

而且，更荒唐的"昏着"还在后头。

连铜人老成精，这些年来烟火气也被消磨得差不多了，心里就算有想法，或许还能忍着不表露出来；但是，宁中居然把宁爽文也一起派过来，还封了个什么狗卵不如，都要排在连铜后面的右副香主。

宁爽文是什么人？

那可是无风三尺浪，有风就可以浪三丈的混世魔王！

就算他和那个所谓的新香主陈骖之前关系不错，是什么狗屁兄弟，但是，在权力和利益面前，嘴上的一句兄弟又算是哪根葱？

宁爽文能咽得下这口气？

据说，几天前他们刚回九镇时，连铜带着堂口里的兄弟们去码头迎接，宁爽文直接就把陈骖给支使走了，自己一个人大摇大摆地去赴了接风宴。

直到第三天，在连铜的强烈要求之下，宁爽文方才点头答应，在重新开张的望月楼里面设下宴席，那个毛都还没长全的新香主，这才得以和手下们见了一面。

结果，果不其然，就在这次宴席上，闹出了事情。

听排帮那些当时在场的弟兄说，宴席气氛一开始还是挺不错的。

陈骖先来，连铜和下面另外一个镇山堂的堂主一起就推着他上了主位，连铜自己坐在了陈骖的右边，左边则给宁爽文空了一个位置。

结果，没想到，宁爽文来了之后，进场看见这样的情况，倒也没摆脸色，和兄弟们该寒暄的寒暄，该打招呼的打招呼，可始终就是默默站在那个空位置后面，无论谁说都装着没听见，就是不肯入座。

陈骖这个人倒还算是识相，一见状，立马就明白了，站起身坐到了左边位置上，非要把主位让给宁爽文不可。

宁爽文嘴里装模作样地稍稍推辞了一下，也就毫不客气地一屁股坐了下去。

接下来，开吃的时候，气氛也还算是融洽。

陈骖可能确实脾气比较好，从头到尾，话并不多，很少主动找人开口。但是兄弟们给他敬酒，只要来了，不管老的少的、什么辈分，他一概来者不拒，杯杯见底，对着连铜则是一口一个"连大哥"，叫得特别欢快。

至于宁爽文宁二少呢，还是一贯的那副轻狂样子，和谁都亲热，也和谁都没大没小。不管哪个上前敬酒了，都是一手拿着杯子，大大咧咧地往对方杯子上一碰就了事。遇到顺眼的人，更是一把搂过那个人的肩膀，或是一副语重心长的模样聊上两句，或是开几句没有油盐的玩笑话。

甚至有一次，在连铜主动起头，约着三位香主一起喝一杯的时候，宁二少还搂着连铜的肩膀，一边笑一边大声给另一旁的陈骖说起了连夫人与花和尚之间的那点丑事，惹得四周帮众不知道笑好，还是不笑好，只得一个个纷纷扭过头去，装作没听见。连铜倒也真是练就了一身好功夫，这样的情况下，都依然不动声色。只是可怜了旁边的陈骖，双手端着杯子，站在那里，一动不敢动，既不好真的听下去，更不敢出口打断，连眼睛都不晓得望哪里才是。

就这样，大家喝着喝着，渐渐就都喝得有点多了起来。

宁二少和一位兄弟拿着碗又干了一回之后，连眼睛都直了，却连声喊着"爽利"，还要继续喝。

连铜见状，赶紧好心上前，想要接过宁二少手里的碗，劝他就到此为止，回家休息。

没想到，宁二少不干了，对着连铜的胸膛猛地一推，"啪"的一声，就将瓷碗摔在了地上，当着那么多人的面，直接就说了这么一段话：

"连铜匠，我当你是前辈，要换其他任何一个人动手动脚，老子当场就要捶他！今天兄弟们高高兴兴，想和你喝个痛快。怎么，你们他娘的把老子饭碗抢了，现在还要抢老子的酒碗？"

连铜当时就有些下不了台，赶紧说：

"文伢子，文伢子，差不多，差不多了，我也不能喝了，再喝，就真的醉了，连回都回不去。"

"连铜，老子今天就想和你喝。醉？你醉了怕个什么卵子？你婆娘现在在常德府，在花和尚的被窝里呢！你急着回去睡他娘的冷被窝啊？"

本来在摔碗的时候，所有人就已经被吓到，安静了下来，宁二少的这句话说的声音又实在太大，话一出口，全场的兄弟们再也无法装作听不见，场面顿时就冷却下来。

就算是老练沉稳如连铜，此时此刻，也终于忍耐不住，拉下了脸。

就在这时，站在一旁的陈骖见势不对，碍着身份也实在躲不过去，只得站了出来，一手搭在宁二少的肩膀上，轻言细语地劝解道：

"文伢子，文伢子，可以了，可以了，别这个样子，连香主也是好心。"

没想到，陈骖的话刚说完，正在火头上的宁二少直接回过身，"啪"的一耳光就扇在了陈骖脸上，直接指着他就开骂了：

"你个狗杂种，没有老子，你算个什么东西！文伢子，他娘的现在也是你叫的？你还真以为你是香主了！老子告诉你，在老子跟前，你狗卵不如！老子今天揍死你……"

就这样，宁二少越骂越气，扑上去还要开打，吓得帮众们一拥而上，这才七手八脚地好不容易将已经彻底喝红了眼的宁二少拉了开来。

从头至尾，陈骖都是捂着脸，要笑不笑地站在原地，别说还手，连稍微重一点的话都没敢讲一句。

事到如此，那场宴会也就只能落得个不欢而散的下场，走之前，连铜搂着陈骖的肩膀，好言好语安慰了几句。

没想到，陈骖居然还能笑着连声说没事。

至于宁二少，确实是喝多了，当兄弟们刚刚抬着他下楼，还没出望月楼大门的时候，他就已经鼾声大起，昏睡了过去。

据说，第二天酒醒之后，宁二少似乎也明白自己闹过了，主动找到了陈骖、连铜二人道歉，两人也格外大度，纷纷表态没关系。

但是，不管怎么样，这一场闹剧，却在人们有意无意的传播之下，第二天就传遍了整个九镇，落到了很多有心人的耳中。

第二件事情，并不是发生在哪一个帮派内部，而是发生在向来井水不犯河水的震沅镖局和张广成之间。

据说，好像就是在排帮新香主陈骖和宁二少回到九镇的同一天，震沅镖局背后的金主八香会也派了一个大人物来到了九镇。

那位大爷听说是来自北方，论辈分比不上八香会的几位创会元老，但是论实权，却是八香会北边几个分堂的总扛把子，堪称是八香会中，除了总舵主之外，威权最重的二号人物。

大爷来了之后，也不知道是什么打算，对于都是在码头范围之内讨生活的排帮，他连照面都没有打。

但是第二天，他却直接用震沅镖局的拖货车，拉着大包小包好几车的货物，去了张广成设在镇外老君观的总部。

没人知道，在老君观里，这位大爷和张广成谈了什么，是不是达成了什么交易。

总之，等那位大爷从老君观里出来的时候，除了三个戴毡帽的随从，以及手中那把颇为精致的紫竹扇子，和几辆空车之外，身边就再也没有了其他的东西。

这件事发生当天，其实也没什么人知道。

真正让事情传开，并引起了排帮人重视的是，第二天，那位大爷居然也在望月楼设下了宴席，回请张广成。

自打暴乱那一夜，赶回九镇戡乱的排帮龙头宁中不知道为何在码头上放了张广成之后，至今为止，张广成本人就再也没有踏进过九镇一步。

但是，这一次，奇怪的事情发生了。

张广成居然破天荒地在十几个护卫的陪同下，光明正大地从西门进城，赴了八香会的宴。

那次宴会，和排帮齐聚一堂迎接新香主的宴会不同。

宴会上，只有震沅镖局的总镖头、八香会的那位大佬，以及张广成三人，就连张广成的得力干将兼亲堂弟张广茂，都被留在了门外守卫。

所以，宴席上，三人又到底谈了些什么，同样也没人知晓。

只不过，听望月楼里一个负责上菜送酒的小厮事后给人说，他去送菜的时候，看见就在那场宴会上，张广成居然也和宁爽文一样，摔过一次酒杯。

然后，第二天，张广成也派人给震沅镖局送来了两口箱子，而且来的人连镖局的大门都没有进，就直接在镖局门口打开了箱子。

这一下，真是让当时在旁边围观的老百姓们开了一次大眼界。

箱子里面，居然满满当当，装的全是银灿灿、亮闪闪的元宝！

而且，就在老百姓们又羡又妒，只恨自己没本事，不敢过去开抢的时候，张广成派来的那个手下却又当着无数人的面，朝着震沅镖局里头喊出了这么一段话：

"我们团练使说了，贵帮送的东西，我们要了。不过，不是收礼，是买！钱就在这里，从今往后，我们和贵帮银货两清，两不相欠！还有，贵帮的那几个外地客人，我们团练使给他们三天时间。三天之后，如果还在九镇，杀无赦！"

说完之后，张广成方面的人，直接就扬长而去，留下了满大街目瞪口呆的老百姓。

如果说，排帮和张广成之间偶尔发生点小摩擦小冲突，还并不算太奇怪。毕竟当初那场滔天的大祸事里面，双方本就是对头，手上都带着彼此的人命。

可是，震沅镖局和张广成，这实在是八竿子也打不到的关系。

一直以来，两帮人都是和平相处，私底下，各自帮众彼此看顺眼了，找个小馆子聚在一起喝酒的事，九镇百姓们也不是没见过。

但是今天，这是怎么了？

怎么突然之间，这两帮大爷，就这样像是泼妇骂街一般地公然撕破了脸？

一时之间，人们议论纷纷。

耿直的一些人就认为这两家是真的闹翻了。但大多数人呢，还是觉得，这很有可能是两家合起来演的一出戏，就为了麻痹排帮，台面下还不定在进行着什么样的阴谋呢。有着这种说法的人多了，人们也就越发深信不疑。排帮毕竟是本土帮派，帮里人也大多是乡里乡亲的熟人，虽然那次暴乱的时候，排帮人让乡亲们失望了，但比起八香会和张广成而言，总归还是要亲得多。

于是，那一天，全镇上下不知道有多少百姓，都开始在心里隐隐替排帮担心起来。

没想到，当天晚上，一件更严重更让人料想不到的事情猛然爆发出来，从而也彻底扭转了老百姓心中的想法。

张广成的人送去银子之后的几个时辰，天色刚刚转黑，八香会的那位大人物就再次跑去了老君观登门拜访。

只不过，这一次，他轻车简从，除了身边那三个也不知道是不是哑巴的古怪护卫之外，再也没有其他人。

张广成却连见都没有见他。

那位大佬前前后后在老君观里面，大约只待了一炷香的工夫，就一脸铁青地走了出来。

而且，走进城内的时候，很多人都看见，大佬只有孤身一人，那三个永不离身的护卫完全不见踪影。

那一夜，人们又开始纷纷猜测起了老君观里面发生的事，谈论着那三个护卫的离奇消失。

有人说，是喝醉，睡在了老君观；也有人说，是根本没去，还亲眼见到就在震沅镖局旁边的一家土窑子里面玩姑娘呢。

直到第二天清晨，真正的答案才水落石出。

第一个发现的，是负责清扫城门边街道的刘麻皮。

当时，天刚蒙蒙亮，他睡眼惺忪地走进西城门边一间小屋里，刚准备拿扫帚，却突然觉得头上滴了几滴水，可是天上明明没有下雨。最初刘麻皮骂骂咧咧地还以为是城楼上哪位相熟的团练兵在给他吐唾沫，随手擦了下，也没注意，就径直进房取了工具。

出来锁门的时候，脑袋上又被滴了几滴，这下，刘麻皮大怒，抬头就要骂人，结果，话还没出口，刘麻皮当时就被吓瘫在了地上，一看手掌心，居然殷红一片。

城楼上，赫然悬挂着三颗鲜血淋漓的人头。

全城轰动！

无论男女老少，纷纷前来围观，虽然已经没有了身体，但是人们却依旧认了出来，这三颗人头，正是八香会那位大佬身边的三个护卫！

而且，人们发现，没有了毡帽之后，这三人的脑袋顶上，居然都留着一种极其古怪丑陋的发型。

他们无一例外，全部都是将头发剃了个精光，唯在脑后剩下了小小的一撮毛，像姑娘一样结成了辫子。

闭塞而偏僻的山区小镇上，老百姓们哪里见过这样的打扮，纷纷对着三颗脑袋指指点点，幸灾乐祸地笑得极为开心。

直到天亮之后，也不知道是从谁的口中最先说了出来。

总之，在极短的时间之内，八香会勾结鞑子，满人铁蹄终于出现在九镇的传言，如同风刮一般传遍了九镇每一处角落。

人们恐惧、惊慌、痛恨之余，却也不禁对原本是恨之入骨的张广成产生了一丝不愿意承认，却又会时不时浮现在心底的新观感：

这个人坏是坏，恶是恶，但敢这样对鞑子，也算得上是条好汉。

只不过，在这些永远都被当权者牵着鼻子走，玩弄于股掌的愚民之外，在那些或是设局者，或是参与者的有心人之间，还流传着另外一种看法。

那就是，小小九镇上，维持平衡已久的天平，终于开始倾斜！

人都喜欢看热闹。

只要是和自己无关，热闹越大，那才越精彩。

但是，让九镇老百姓深感失望的是，自从那三个满人的头颅被挂上了城墙示众之后，震沅镖局和张广成之间的热闹居然就彻底偃旗息鼓了。

张广成还是一如既往，忙着招兵买马，四处收留那些南下的难民，丝毫看不出要继续抗清报国的意思；而震沅镖局更像是什么事都没有发生过一样，照常经营着自己的水陆镖行生意，别说找张广成复仇，就连半句狠话都不曾对外讲过，硬生生地把天大一个哑巴亏吞在了肚里。

至于排帮，那就更像是一个彻底的局外人，从头到尾都没见发出过任何声音。

然而，外人们并不知道，就在张广成杀掉八香会大佬的随从之后，排帮也曾经连夜召开了一次会议。

只不过，在这次会议上，又一次发生了严重的分歧。

宁爽文宁二爷向来就是一个胆大包天、眼中容不得沙子的人，按照他的意思，震沅镖局和张广成，一个都不能留在九镇。

现在，他们之间先干起来了，这当然是件好事，要趁着机会，主动出击，一举将名声已经臭了的震沅镖局赶出九镇。

结果没想到，就在这次会议上，连铜却大力反对，坚持认为排帮应该坐山观虎斗，才是更好的选择。

两方争执不休的时候，一向在宁二少跟前屁都不敢放一个的陈骁，不知道是想趁机联合连铜好夺权呢，还是想找回点那一耳光的面子，最后被两人逼急了之后，居然唯唯诺诺地说出了一句：

"还是稳当点好。"

这就几乎等于赞同了连铜的话，宁二少一下就疯了，当场就大发脾气，说什么别人不干，他自己干。

最后，闹得不可开交，逼得连铜连夜派人去了常德府，后半夜，人回来了，带来了龙头的一句话："一切由陈香主做主，谁不听，帮规伺候。"

龙头老大的命令一下，就连横行霸道的宁二少也不敢不从，事情这才算是勉强告一段落。

宁爽文百无聊赖地坐在椅子上，用手里两枚已经被磨到油光发亮的铜钱，有一下没一下地钳着脸庞两侧的胡子。

这是他的一个标志性动作，每当心里烦躁，或者需要思考的时候，他都会下意识地这么做。

这几天来，宁爽文一直都很烦。

刚回九镇的第一个晚上，他们兄弟三人曾经在宁爽文的家里开过一个秘密会议，当时，严烟提出了一个计划，大家都觉得可行，宁爽文还拍着胸脯说了大话，让严烟放心大胆地去干，排帮这边，他来负责。

结果这下可好，从当晚散会之后，一直到现在，对于计划进行程度，宁爽文不但一无所知，甚至连严烟的人毛都再也没有见过一根。

那也就算了，至少还有一个陈骖陪着他。

可是，自打前两天的宴会上，他与陈骖两人一唱一和演了那出兄弟阋墙的好戏之后，宁爽文突然发现，自己彻底变成了一个孤家寡人。

性格懦弱，靠着裙带关系上位的新香主陈骖，在当着那么多帮众的面，被宁二少一耳光打在脸上，彻底"架空"了之后，对于堂口里面的事情，也就干脆甩手不管了。

每天除了按时去帮里点个卯报个到之外，其他的时候，陈香主陈大爷到底去了哪里，在干些什么，就再也没有任何人知道。

只有宁爽文自己，时时刻刻都要装成一副乾纲独断的样子，任劳任怨地处理帮中大小事务。如果底下人真听话那也就算了，关键是以连铜为首的那帮老东西实在是成了精，虽然从来不和他发生正面冲突，但私底下，却又总是有意无意地给他下个绊子，穿穿小鞋。无论宁爽文想做什么，感觉都是拳拳打在棉花上，有力无处使。

更难受的是，他还得揣着明白装糊涂，继续扮演那个志大才疏的草包二世祖角色。

这一切，实在是把宁爽文郁闷坏了。

当然，生活中总也会有点好事。

比如，陈骖从老梁嘴里得知了八香会的那位客人是满人派来的之后，大家正想着怎么把这件事给它闹大，好趁机浑水摸鱼向八香会开刀，张广成却主动出了手，直接就把那三个鞑子的脑袋挂在了城门上示众。

这件事，确实是让人大喜过望，省了他们兄弟不少的手脚，他们剩下要做的就只是顺水推舟，借着章保仔的口，在码头上散播八香会和满人勾搭的消息。

果然，短短一天，事情就已经闹得满城风雨。

保仔这个小子确实不错，跟他小叔一样，机灵至极，什么事一点就透。

这段日子里，陈骖说什么要掩人耳目，不能过多往来。于是私底下，兄弟俩有什么事需要商量，都是靠着章家人来转达，实在是帮了不少的忙。

今天也是，宁爽文刚刚威风八面地处理完一起帮内兄弟内讧的事，连饭都没来得及吃上一口，保仔就悄悄跑过来告诉他晚上在家等着，陈香主找他有事。

想到这里，宁爽文实在是再也忍耐不住，连胡子都不想拔了。就在他一声接着一声的长吁短叹中，门外终于传来了陈骖的声音：

"文伢子，出来出来。"

宁爽文像是遭了雷击般从椅子上飞跃而起，一把抄起放在身边的管杀，三步并作两步跑过去把门打开，气呼呼地张口就说道：

"洪二，你不是说掩人耳目吗？今天怎么就不掩了？"

门外，陈骖一脸笑意：

"没关系，你宁二少的性格谁不知道，想起一出是一出？你今天心情不好，想找我陪陪，拿我这个便宜香主撒撒气，也是正常事。"

宁爽文一听，语气顿时变软了：

"洪二，你行行好，我们今天到底是干吗去？你和烟娘子到底是做些什么？你多少告诉我一点啊！我至少得知道需不需要抄家伙吧？烟娘子人呢？"

"抄什么家伙？你看我带着刀吗？"

"洪二……"

宁爽文幽怨地望了陈骖一眼，看对方完全没有继续往下说的意思，只得老老实实地转身将管杀放了回去。

"洪二，我求求你，你说一声，我们干吗去？"

"去找姑娘，你去不去？"

"洪二……去去去，去！"

二十四

各出手段

九镇有一句人尽皆知的老话，形容女人生孩子时候的艰险，叫作"儿奔生，娘奔死，只隔阎王一层纸"。

尘世间的每一种感情都值得尊重与珍惜。

但是，没有一种感情能够比父母对子女的爱更加纯粹、更加无私。

父母对孩子的爱，永远都超过孩子对于父母的爱。给孩子把屎把尿，牵着孩子蹒跚学步的父母到处都有；可替瘫痪的父母洗澡，带着老朽的父母散步的孩子，却并不多见。

不过，卫清明却是一个例外，他是一个大孝子。

关于卫清明对母亲的孝心，街坊邻居们一谈起来，没有谁不是举起大拇指，由衷地说上一句："这个伢子硬是要得！"

吃过晚饭之后，按照多年以来养成的习惯，卫清明陪着母亲聊了一会儿天，谈起了小时候，父亲还没死，一家人其乐融融的那些日子。

然后，他又烧了热水，帮母亲洗了脚，伺候母亲上床睡觉。

不到半个时辰，母亲的房间里面已经传来了隐隐的鼾声。

但是卫清明依旧衣着整齐，端端正正地坐在堂屋里，一瞬不瞬地看着身前桌面上一把寒芒闪耀的短刀，若有所思。

卫清明从来都没有忘记过几个月前的那次暴乱。

在暴乱发生之前，他曾经有过一份虽然发不了财，但在小小的九镇上来说，也算是衣食无忧的体面差使。

他是一个狱卒。

卫清明的父亲死了之后，母亲坚守妇道，独自抚养他长大，从来没有动过改嫁的心思。卫清明也争气，从小就对母亲极为孝顺，母亲说一，他从来不会说二。母子俩就这样相依为命，过着清苦平淡的日子。

直到二十二岁那年，卫清明孝感天地，被街道上的里正推荐给了当时还在世的官老爷，官老爷对母慈子孝的卫家大加赞赏，感念于母子艰辛，一纸令下，破例安排卫清明进衙门当差，做了狱卒。

在狱中，他被分在了老李和严烟那一班。

老李是班头，严烟虽然比卫清明小几岁，但入行更早，办事也极其利索，早就在狱卒当中建立起了威信，他们都叫严烟为"严头"。

暴乱那一天，正是卫清明所属的这班兄弟当差，李班头带了点酒菜，大家正在狱中吃喝聊天，听着外面不时响起的厮杀声，却没人真正引起注意，当时李班头还拍着胸脯说：

"那帮天杀的北方天亡鬼，也就是被欺负狠了泻泻邪火，我在公门当了几十年的差，还没见过谁敢在这里闹事。不碍事，咱们该怎么过还是怎么过。"

结果没料到，这话说了还不到半炷香的工夫，喝多的李班头尿胀，跑到房外方便，一泡尿没尿完，就被人割断喉咙，死在了自己的尿液里。

李班头的死状给了卫清明这帮兄弟太大的刺激。

那天，在严头的带领下，兄弟们没有一个怂的，个个都拿着佩刀和那帮畜生拼了起来。就连向来惜命、只想平平安安活着替母亲养老的卫清明，也好像都完全忘记了母亲，满脑子只想着要替李班头报仇。

大家杀啊杀，暴民却怎么也杀不尽，又战死了几个兄弟之后，剩下的人就跟着严头冲出牢房，一路杀到了镇上。

城门下高家酒铺里的群雄聚会，暗夜中冰冷长街上的亡命搏杀，城破之后奔向码头的九死一生……那一切，卫清明都是亲历者。

但是最后，眼看着就快要到码头的时候，他们突然又遇到了一帮暴民。严头和他的几个兄弟走在最前面，避无可避之下，只得与暴民展开了厮杀。而卫清明当时则与另外一个也在狱中当差，外号叫作小炮的同袍落在后头。

小炮受了伤，也寒了胆，一句话都没说扭头就跑了。

卫清明本来刀都已经提在手上，准备冲过去了，可是看着小炮跑走的背影，不知为何，他突然就想起了家里的母亲。

那一刻，他手里的刀再也提不起来。

转身离去时，卫清明回头看了一眼。

人群中，严头正将钢刀从一个人的肚子里面抽出来，那一霎，他刚好抬头看见了正要逃跑的卫清明。严头明显愣了一下，但是很快，他的脸上就似乎出现了一丝笑意，对着卫清明点了点头，半句话没说，转身冲进了战局当中。

那一天回到家里，卫清明抱着娘痛哭流涕，将一切都告诉了娘，娘还是像以往那样，不舍得骂他，但是，却也指着他的鼻子，说了一句：

"儿啊，你不应该！"

从此之后，卫清明就再也没有快乐过。

他唯一感到开心的是，第二天听人说，严头他们都活着逃出了九镇。

接下来的日子里，每天早上，卫清明起床之后，都会在祖宗牌位上多供一炷香，希望自己的祖宗也能保佑严头平安康泰、长命百岁。

但是，另一方面，卫清明却又不想再见到严头。

他实在是没有脸再见。

暴乱刚结束的一段时间里，张广成那帮人已经站稳了脚，难民们仗着势大，和九镇人之间还会时不时地爆发一些小规模冲突。

于是，为了弥补心底的那份愧疚和悔恨，当时的卫清明虽然已经没有了公差的身份，却依旧联络上了侥幸活下来的几个兄弟。兄弟们以他为首，自发组成了一支白役队。最开始只有十来个人，虽然没有力量保一方平安，但也日夜轮班巡逻值守，替街坊邻居们做了不少防火防盗防抢的好事。

慢慢地，加入进来的九镇本地人越来越多，尤其是暴乱时也曾经参战的另外一帮本地青壮，在一个叫作大猛的人带领下加入到白役队之后，白役队的人数更是达到了四五十人。

这一下，多少也是拥有了自己武装的九镇人，在难民面前，总算能够稍稍喘上一口气了。

再后来，日子渐渐太平了一些，兄弟们虽然都还是愿意像当初那样聚在一起，但毕竟各自都有家人要养，卫清明也给大家发不出工资，可是自发加入进来的新人却又越来越多，就在白役队快要无以为继之时，大猛找到了一条财路。

也不知道具体是怎么回事，大猛和新开的震沅镖局搭上了关系，震沅镖局给大猛拿出了一笔钱。

大猛用这笔钱在城外开了一间赌馆，盈利所得就成了白役队的日常开支，以及兄弟们的薪酬。

钱虽然来路有点奇怪，但终归不是张广成出的，也不算是卖身投敌。于是，穷疯了的兄弟们也就睁一只眼闭一只眼，任凭大猛做了主。

然而，接下来的事情就慢慢变了味。

最初还只是开赌场，一段时间过去了，也不知怎的，赌场里面就出现了姑娘。姑娘越多，赌场生意越好；赌场生意好，客人多，姑娘们也就相应更多。

日子一长，赌馆就彻底变成了一个藏污纳垢的腌臜所在，而白役队也越来越像是一伙占地为王的土匪恶霸。

卫清明曾经试图改变这种状况，但等他有所行动时，却已经太晚了。

大猛在白役队里的威望已经建立起来，除了当初同在狱中当差的八九个老兄弟之外，队里的其他人都已经吃人嘴短拿人手软，习惯了花那些流水钱。

于是，在大猛手下那帮小弟的强烈煽动之下，已经无力回天的卫清明索性也就不再管事，将白役队长的位置给大猛让了出来。

大猛倒是没有亏待卫清明，每个月还是按着队长的标准给他开一两纹银的饷钱，手下兄弟们也是一视同仁，每人每月一吊铜板。

这已经比当初在衙门里拿得还要多了。

所以，虽然心里有些不痛快，但卫清明和他的兄弟们左思右想，为了家里人考虑，也还是留在白役队里继续干了起来。

日子就这样一天接着一天地过着，每天出门赚钱，回家尽孝。纵然天下大乱，狼烟四起，却也不是卫清明这样的小人物能够操得上心的。

只不过，偶尔午夜梦回，辗转无眠的时候，卫清明却总是会想起当初严头脸上的那一笑，和母亲指着鼻子说的那句话：

"儿啊，你不应该！"

每当这个时候，卫清明都会在心底悄悄问自己，如果当时，自己拔刀冲上去了，现在是不是会活得更开心、更像个人？

卫清明从来没有想过这辈子还能继续和严头当兄弟，他更不会料到，严头居然一回九镇，下船后哪里都没去，就直接过来找了自己。

几天前，当他打开家门，看见向来严肃的严头难得一副笑模样，站在门外看着自己的时候，他差一点就晕了过去。

卫清明这辈子好像就只是在父亲死的时候，大哭过一场。

可是，那天，他却连话都还没有来得及说一句，就一把抱住了那个比自己还小两三岁的严头，趴在他的肩膀上号啕大哭起来，将屋内老娘都吓得够呛。

接下来的几天朝夕相处中，卫清明说不出是什么原因，但总是感觉严头好像和以前有某些地方不一样了。

人还是那个人，举止也还是那些熟悉的举止，但换作以前，卫清明还能偶尔和严头开开玩笑，调侃几句；可现在，也不知道是他心中有愧，还是严头真的更像是一个头，有时候，严头脸上明明满是笑意，卫清明心底也本想说几句打趣的话，却总是心里发虚，无论如何都说不出口。

所以，当严头提出来想让卫清明跟着他干的时候，卫清明半个不字都没说，立马就满口答应下来。

严头回来的第三天，卫清明主动做东，喊上了当初一起当差的那帮老兄弟，和严头喝了顿酒。

老兄弟们见到严头了，也同样高兴得不行，杯来盏往间，小炮喝多了突然谈起了老李的种种好处，结果弄得满桌大男人全忍不住哭了起来，就连严头的眼睛里，都有些发红。

然而，酒快喝到尾声的时候，严头借着敬酒的机会，提出了想和大家一起干的想法，却没有人说话了。

那一天，看着眼前的场景，卫清明心中说不出的别扭难受。

严头离开这么久，并不知情。

其实，大家还是把严头当兄弟，毕竟除了当初朝夕相处的那份感情之外，还一起流过血，提过刀，共度过生死的。

有些记忆，不是说忘就能忘。

只不过，时间已经过了这么久。这段日子以来，大猛这个人出手也大方，对手下确实算得上豪气，除了不能在场子里面赌钱之外，就连姑娘，每人每月都可以免费睡一次。

人毕竟都要生活，都还有着妻儿老小要养活，不得不为稻粱谋啊。

并不是兄弟们不义气、忘了本，只是如今严头刚回来，就凭着一句话，想要让兄弟们抛掉现在一切，从头再来，真的是太难了。

幸运的是，那天，严头见状，也就立马打住话头，该喝酒的喝酒，没有继续为难大家。

严头和兄弟们虽然都没有表现出来，但是卫清明知道，大家的心里其实都不好过。那次散席之后，卫清明一直都想找机会把这个心结打开，让兄弟们再回到当年那种无话不说、肝胆相照的记忆里。

可无论他左思右想，都想不出一个合适的办法。

直到两天前，事情出现了转机。

张广成突然出手，将三个鞑子的脑袋挂在了城门上，揭破了震沅镖局和满人勾搭的秘密之后，全九镇都炸了锅。

卫清明那帮兄弟更是感到了深深的耻辱，毕竟，他们都曾经吃过大明的饷，当过大明的差。

如今，皇帝尸骨未寒，天下人心未散，没想到他们兄弟居然就已经是忠奸不分，拿着不明不白的钱，替外人干起了事。

那几天，别说是一帮老兄弟个个牢骚满腹，就连白役队中，平时和卫清明玩得不错的几个同袍，也都明里暗里对卫清明说了很多不好听的话。

事发的第二天，严头再次上门找到了卫清明，让他出面，把那帮老兄弟叫到了家里。就在卫清明家中，那张由他父亲在世时亲手打造，已经用了几十年的老饭桌上，严头当着大家的面，拿出一个包裹摆在了上头。

十一个人，包裹里面就装着十一锭亮瞎了人眼的元宝！

那一刻，看着兄弟们目瞪口呆两眼放光的样子，卫清明突然想通，为什么自己会觉得严头有些不一样了。

原来，严头真的不再是以前那个严头！

这短短几个月间，严头真的已经遇上了一些他们永远都想象不到的神奇际遇，也正是这些际遇，让严头拥有了一些万万不是寻常人所能够拥有的东西。

那些东西，绝不只是此时此刻摆在桌面上的银子。

钱虽然已经足够震撼人心，可更让卫清明感到震撼的是，严头在拿出这笔巨款的时候，所表现出的从容和淡定。

只有当一个人内心充满着信心和力量，才能具有这样的表情，让人觉得魅力大增。就算一个相貌平凡之人到了高位，也会神采飞扬，而那些本就俊朗的，往往更会表现出意想不到的吸引力。

如果说，暴乱那一晚，严头所表现出的悍勇和无畏，只是让人佩服；那么现在的他，则是一骑绝尘，再也不是其他兄弟能够望其项背的了。

就在兄弟们心动神摇，久久不能自已之际，严头再次提出了一起干的要求，并且主动开口保证了大家的薪酬。

然后，严头说了这么一段话：

"李班头确是死在张广成手里不错，但是张广成怎么千里迢迢就跑到了我们九镇来杀人？如果没有那些鞑子祸害，这个大明又怎么会变成现在的大明，九镇又怎会成为如今的九镇？震沅的钱是钱，我的也不假！拿哪个不心亏，我知道，你们知道，地下的老李也知道。"

所有人面面相觑，一会儿看看银子，一会儿看看严头，明明眼神里都流露出了本能的欲望，却又没有一个人先动。

为了打破僵局，卫清明第一个伸手拿了钱，他本以为其他人也都会跟着拿。

不承想，这个夜晚，被现实生活所牵扯折磨的兄弟们，终于不再尿了，也终于解开了自打暴乱那一夜开始，就一直郁结在彼此心中的结。

最爱哭的小炮流着眼泪，猛然一拍胸膛，说：

"严头，当初我跑了，这些日子不好过！你和老李、清明哥，你们是好汉，我小炮也不是个草包！这个钱，我不要，我跟你干！"

接下来，涨红了脸的兄弟们纷纷起身，全都拍着胸脯满口答应下来。

那天，严头看着大家又笑了，就和当初看着卫清明的那一笑一模一样，轻松而又温暖。

当然，在严头的强烈坚持之下，钱还是分给了大家。

只不过，最后严头还说，想要让白役队的那帮人全部都跟着一起干，问大家能不能帮着办成。

所有的兄弟，包括卫清明在内，没有一个人敢接口。

大猛这个人，心细如发，极为聪明老到，既然是他从震沅拿的钱，赌馆里的那些皮肉生意又和震沅背后的八香会有着千丝万缕的瓜葛，那么大猛那帮人就未必不知底细。

那些人的心，并不会在严头这里。

当卫清明把所有的顾虑都告诉了严头之后，严头也没有再多讲。

但是，等到兄弟们都离去之后，严头却单独给卫清明交代了一个任务。

他让卫清明联系一下大猛，就直接说震沅和满人勾搭，他们不想干了，想请大猛吃个饭，谈一谈。

第二天，卫清明一到赌馆，就照做了。

饭局约在今天晚上，卫清明本来安排的是望月楼，可不知为何，大猛却坚决要求就在自家赌馆里。

这一整天，卫清明心里始终都隐隐约约地有些不安宁。

他总觉得好像有什么事将要发生，可到底什么事，是好还是坏，他却又无从得知。不过，当伸手拿起桌上那锭元宝的那一刻，卫清明就已经打定了主意，无论如何，不管严头做什么，他都不会再跑。

他不会再让娘指着鼻子说："儿啊，你不应该！"

几声鸟叫，从屋外清晰传来。

卫清明浑身一震，再次犹豫了两秒，一声长叹，终归还是伸手将短刀放入怀中，打开家门，走了出去。

门外的道路旁，站着一个脊背笔挺如枪的俊美男子。

看到卫清明之后，男子也不说话，微一点头，卫清明举步迎上，与男子并肩走入了漫长而又浓烈的黑夜当中。

大猛并不高大，相反，比起镇里大多数的成年男子而言，大猛都要矮上几分。

不过，从来都没有人敢小瞧大猛。因为，大猛真的很猛。

吃饭猛，做事猛，赌钱猛，喝酒猛，打架更猛！

大猛是个苗人。在他的身上，有着一个生活在九镇山区里的纯正苗人所应该拥有的一切特点：身材矮小、四肢粗壮、凶猛野蛮、刀不离身、微微的驼背……以及穷。

大猛实在是穷怕了。

人家都说靠山吃山，靠水吃水。

可是这句话对大猛来说，就是一个狗屁。

水永远都在流动，流动就能够带来一切：财富、机遇、粮食、商贸、文明……

但山却是封闭的。

没有真正在山区里生活过的人，永远都不会懂，那一重接着一重，绵延不绝，怎么都看不到尽头的大山，对于世世代代生活在里面的人而言，就是一座禁锢了一切的樊笼。

在这里面，没有新鲜的人，没有新鲜的事，没有任何值得惊喜的东西。每天张开眼，看见的只是破烂的木屋、遍地的泥泞，以及日复一日，可以把人逼疯的闭塞和贫穷。

在二十一岁那年下山来到九镇之前，大猛从来没有吃过盐。

而那次他之所以下山，是因为实在忍不住偷了土司家的一块猪肉，被土司抓住之后，斩断一根手指，赶出了寨子。

那也是大猛第一回吃猪肉。

一个来自深山的苗人，在九镇上，有了自己的赌馆，有了自己的房子，有了无数的女人，还有了手底下一帮毕恭毕敬的兄弟。

这些东西，大猛以前连做梦都没有想过。

但是，现在他却有了！

这不是菩萨保佑，也不是天意使然，而是大猛凭着自己的本事一个铜板一个铜板挣来的。他付出了常人无法想象的艰辛和努力，经过这么多年，才终于一步一步地熬出了头。

所以，大猛比任何人都更加珍惜自己的生活。

他过了很多年的苦日子，知道没钱有多么痛苦，也完全明白钱的威力所在。

对于手下的弟兄，大猛一向都很慷慨。

不过，这种慷慨，是建立在那些人能够帮他维护现在这种生活的基础上。

一旦这种基础崩塌，那么大猛就会摇身一变，成为这个世界上最斤斤计较、最睚眦必报的人。

没有人可以从他的手中拿走任何东西，女人、金钱、地盘、权力……通通都不行。

　　只要有人敢这样做，不管他是张广成、排帮，乃至八香会，大猛都会毫不犹豫地将那个人剁成肉泥，然后再混在辣椒里面，一口一口地吞下去。

　　当然，大猛并不想害人，害人不会让他过得更好，他只是想在这个世界上拥有更多而已。

　　只可惜，曾经的生活经历告诉他，活在这个世界上，每一个人都不容易。

　　很多时候，一个人有得吃了，另外一个人就注定会饿肚子。

　　所以，总有那么一天，想要霸占他东西的人终归会出现。

　　只不过，大猛还是没有想到，那个人居然会是卫清明。

　　卫清明并不是一个有野心的人。

　　不然当初他就不会那么轻易地将白役队拱手相让，送给大猛；也就更不会为了每月一两银子的饷钱，而继续留在大猛手下做事。

　　对于自己的这个判断，大猛一直深信不疑。所以，他从来不曾为难卫清明。

　　凭良心说，大猛真的已经拿出了最大限度的诚意，去对待这个人。

　　他知道白役队是卫清明组建的，可在他接手之前，白役队已经走到了穷途末路的地步，如果不是他大猛，那几十号兄弟只怕早就七零八落、穷困潦倒了。

　　他也知道在卫清明的心里，多少还是有些不痛快；他更加明白，迟早有一天，卫清明很有可能还是会走。

　　但是，他不懂，他真的不懂。

　　既然连到手的权力都能够放弃的话，那又何必还在乎一些虚头八脑、不着边际的东西？

　　要走就一个人走，为什么还要拉上那么多人一起去过苦日子？而那些人又为什么宁愿抛下现在这样丰厚滋润的生活，愿意跟着卫清明？

　　难道说义气、友情、尊严，就真的那么重要？比每顿都能吃上热乎乎、香喷喷、放了盐的猪肉还重要吗？

　　大猛整整想了一天一夜，连头都想疼了，却还是想不明白这个道理。

　　不过，他很愤怒。

　　白役队是他大猛的白役队，队里的每一个人也都是他大猛的人。

　　如果有一天大猛觉得不需要白役队了，他完全可以像每个月发出的那些银饷一样，慷慨大方地送给卫清明，送给小炮，送给任何一个人。

但是，他不送，别人就绝不能抢！

震沅镖局与满人勾搭的消息被揭露之后，白役队里的一些风言风语，大猛并不是不知道，他甚至都已经想好了，下个月所有人的薪酬全部翻倍。

可惜，没等到发饷的日子，卫清明就找上门来了。

昨天，当向来都和自己不太来往的卫清明，突然客客气气地跑到跟前，说想请大猛喝酒时，大猛就已经有了不好的预感。

果然，卫清明很快就说出了一些绝不应该说的话。

大猛并没有当场发作，他右手上那根断了半截的指头，早就让他明白了克制欲望有多么重要。

他笑嘻嘻地答应了卫清明的邀约。

不过，在他的心底却打定了主意。

他会尽量挽留。哪怕是留不住卫清明，只要他愿意自己单独走，大猛甚至还可以送他一笔足以安身立命过日子的钱当作交换。

可如果卫清明非要带着那么多人一起走不可的话，那么今晚的宴席过后，这个世界上就再也没有一个叫作卫清明的人。

当然，大猛不蠢，他也知道卫清明并不是省油的灯。

所以，为了以防万一，大猛坚持将会谈的地点定在了自己的地盘上。

而且，他已经做好了万全的准备。

他本来可以找震沅镖局帮忙，那样的话可能会更加稳妥。但仔细考虑一下之后，大猛还是打消了这个念头。

因为，他杀卫清明，是九镇人内部的事；一旦动用了震沅镖局的力量，就很有可能会适得其反，引起队里其他人不满。

更重要的是，他并不想在震沅镖局面前表现得太虚弱。

人一旦弱了，迟早就只能当狗。

大猛花了半辈子时间，才过上了人的生活，他不会再当狗，无论是谁的狗，他都不当。

其实，大猛的想法并没有错。他只是太自信，太要强。

而自信要强过度了，往往就会变得刚愎。

只可惜，这个道理，大猛却再也没有机会明白。

二十五

鹰隼试翼

从九镇东门出城，顺着通往常德府的那条官道走大约半里路，有一片地势稍高的小树林，林子边的空地上，曾经有着一座百人规模的小小军营。

天下大乱之后，驻扎在此的部队被抽调到了常德府，或者是更北的地方，更大的城里。像这样兵荒马乱的年头，这座军营也就彻底被人抛弃，失去了它本来的价值。

不久之前，有一帮人突然用木栅栏将那片空地围了起来，简单修缮了一下营房之后，在里面经营起了赌馆和土窑子的生意。

比起镇内码头上的那些烟花场子来说，这里虽然稍微远了点、偏了点，条件也没有那么好，但是，却有着镇上没有的优点。

首先就是方便。

能够深更半夜跑出城门来到这里的人，除了烂赌鬼，就是老嫖客。

在这里，你永远不会有迎面碰上熟人的尴尬，就算碰上了，大家也是抱着同样目的，会心一笑而已。

更重要的，这里离老君观更近。

老君观是张广成的地盘，里面住的全都是些没有老婆、没有家眷、没有顾虑，只有满腔精力无处发泄的外地人。

对于赌馆和土窑子而言，他们显然是一批远远要比本地人更加优良得多的客源。而且，这里的主人并不在乎所谓的恩怨情仇。

　　只要能够挣钱，他就百无禁忌。

　　虽然张广成严令手下不得无故入城游荡，但是没说过不许在城外找乐子。

　　所以，这座本该无人管理、日渐荒废的军营，如今不仅没有显露出半点破败样子，反而已经渐渐超过码头，成为全九镇最热闹繁华的所在。

　　每逢入夜时分，只要有人从官道上走过，就能够看见，在军营旁边的树林里，每隔一小段距离，就会挂着一盏红色的灯笼，星星点点地布满了整座山岗。

　　每一盏灯笼下面，若隐若现的暗处，都站着一个姑娘。

　　无论是赌赢了高兴，还是赌输了想要泻火，或只是路过一时性起，你都只需要花上三五个铜板，就能随便走到任何一盏灯笼之下，对着任何一个女人做任何想要做的事。

　　仅有的两个禁忌就是不能杀人、不能打脸。

　　如果说常德府内的丝瓜巷，温香软玉，丝竹声声，仿佛男人心中一个美梦的话，那么这里对于男人来说，就是一个解饿的肉包子。

　　它方便、便宜、触手可及，谁都花得起。

　　这里正是白役队的总部，九镇最大的赌馆，最便宜的窑子——一片林。

　　当宁爽文和陈骖并肩走进一片林的时候，宁爽文眼神发亮，四顾不暇；就连向来极为自制的陈骖也顿时涌起了一种别有洞天、开了眼界的新鲜感觉。

　　当初，陈骖和几个兄弟逃离九镇的时候，这里真的就还只是一片山林，就连一片林这个叫法都还没有出现。

　　然而现在，随着生意越来越红火，靠着一片林讨生活的人也就越来越多。

　　就在两人眼前的空地上，放利钱的、抬轿子的、拉皮条的……卖吃食的小摊上，除了南方常见的那些零碎小吃之外，甚至北方人喜欢的大饼、烤肉也都一应而足。

　　打眼看去，赫然一片人头济济、灯火通明，哪里看得出半点荒郊野外的偏僻模样？

　　两人刚刚步入一片林的那两扇木门之时，一个十五六岁，负责瞭高的半大小子就已经飞快地迎了上来。

所谓瞭高，是赌馆饭店以及窑子都会有的一种职业。

和木匠、铜匠、瓦匠这些不同，赌馆、饭店、窑子都属于"勤行"。做一个木匠，只要手艺练得比别人更好，自然就会有顾客找上门来，因为这东西就你做得最好，换了别人没法做。

可是勤行不同。

顾客可以到这家店里吃饭赌钱嫖妓，同样也可以去其他的店子，哪怕是这家店子的菜好吃点、姑娘漂亮点，归根到底却还是一个填饱肚子发泄欲望的事，只要不是太讲究的话，没什么不同。

那么，勤行想要吸引顾客，除了本身手艺之外，就必须靠更细致的服务、更殷勤的态度，以及更灵活的眼力。

瞭高的人就是凭着眼力吃饭。

他们常年等候在店铺门口，一个顾客进门了，厉害的瞭高人只要远远瞅上那么一眼，立马就能够判断出此人有钱还是没钱，应该上大菜还是推便餐，是带着去花子档上玩小钱还是进到里面厅里赌骨牌，或者只想脱了裤子开干还是需要找个才貌双全的女校书慢慢缠绵。

看得准了，服务就自然到位；服务到位，客人就会高兴；客人一高兴，银子当然就滚滚而来。

但是，真想要练到这种地步，除了后天的学习之外，还必须有天分，骨子里面就有股一点就透的机灵劲的人才行。

所以，但凡是能做瞭高这行的，无论老少，都绝不是笨蛋。

姜山就是一个聪明人。第一眼看见门口那两位年轻客人的时候，他就觉得有些奇怪。

这两人绝对不是赌鬼。赌鬼之所以是赌鬼，就是因为贪，想要赚快钱。

进来赌钱的客人，没有哪一个不是脚步匆匆，憋足了一股劲，像火烧了屁股般低着头就往里面冲。

他们也同样不是嫖客。

嫖客到了烟花地，只要看见了任何一个女人，都必定会忍不住仔仔细细上上上下下地打量一番，看看合不合心意，是不是自己想要的那款，毕竟本就是为了这个来的。可是，这两个人，脚步既不匆忙，神色也不猥琐。

面对着身边的灯红酒绿，一个就像是完全没看见，而另一个满脸大胡子的，虽然会偶尔朝着周边女人望上两眼，但也只是望而已，并没有过多停留。

乍一眼，他们就像是两个从来没有进过城的乡巴佬，正在逛庙会看稀奇一样地东张西望，不亦乐乎；但是细瞧之下，他们的衣着得体、气度从容，却又明明不像是没见过世面的人。

一时之间，很少走眼的姜山竟然完全猜不到这两个人的身份来意。不过，在职业习惯的驱使之下，他还是一声吆喝，迎了上去。

"两位大爷，里……"

姜山的话还没说完，突然又停了下来。

就在他身旁不远处的一间房子里，一个壮实男人正像拎小鸡般，拎着一个女孩出现在了众人眼前。

女孩软软地靠在男子胳臂上，脑袋无力地耷拉着，长发遮住了脸庞，凌乱的衣服上明显有着好些个黑色的脚板印，显然被打得不轻。

宁爽文踏前一步，刚想将瞭高的少年支开，却看见那个少年的脸色陡然一下就变得极为阴沉，看向了那位正被拖着从三人身旁穿过的可怜女子。

宁爽文和陈骖对看了一眼，两人默不作声，径直走到旁边一个卖羊肉的摊点前坐了下来。

摊子左边，有几辆大小不一的轿子，轿夫们正围在一起，操着尖腔高调的九镇方言一边聊天吹牛，一边等待着客人上门。

摊子右边，则有一群正在喝酒的嫖客，高谈阔论着哪个姑娘胸部大，哪个姑娘春水多。

摊子对面，一间专门玩花子的房子里，有个男人似乎想要透透气，走出来对着地上狠狠吐出了一口浓痰，伸了个懒腰之后，再次转身走了回去。

房子旁边，一个一看就是小厮模样的少年，默默蹲在墙角等着自家主人，目光与宁爽文接触之时，本想低下头去，却还是没忍住露出了略带羞涩的一笑。

宁爽文像是看怪物一般前后左右到处望，脸上表情似笑非笑，也不看陈骖，嘴里径直说道：

"哼哼哼，你和烟娘子真不是个东西，什么都不告诉我。和高壮形影不离的焦八怪来了，章芝龙、章芝虎兄弟俩来了，把老子唯一的手下都搞过来了，你说说，保仔这么个小屁股，你喊他来干什么？说，还有没有其他人是我没看出来的？烟娘子人呢？咦，洪二，你说话啊。"

宁爽文扭头看去，却发现陈骣一瞬不瞬，默默望着前方，似乎完全没有听见自己的话。

从记事开始，姜山就已经混迹在街头，无依无靠，天生天养。为了活下去，他偷摸拐骗抢，没有哪一件坏事是他没做过的。

虽然打小被人看不起，但是姜山根本就不在乎。如果一个人的肚子也像他那样饿过，就会明白，除了吃饱，其他一切都根本不值得去考虑。

外地难民血洗九镇的时候，姜山和街头的那帮小混混也一起跟着大猛参加了战斗，后来，大猛发达了，对他们也还算不错，他们也就都留在白役队里干了起来。

大猛看着姜山机灵，就让他在门口瞭高。姜山没有意见，无论如何，总比继续浪荡，就算死了也没人管要强。

这辈子，姜山以为自己也就这样了，混到头了，有一天大猛能够分间赌馆让他管，也就满足了。

直到一个月前，姜山遇见了小杏子。

小杏子是一个外地姑娘，送过来的时候就已经是遍体鳞伤。但是性子却非常犟，怎么都不肯听话。震沅镖局的那些人在调教小杏子的时候，姜山也在场，甚至为了讨大哥们的欢心，他也亲自动手打过小杏子两巴掌。

姜山是第一次见到这么倔强的人。

小杏子身上挨的毒打，要换作其他姑娘，早就屈服，老老实实地进林子里面去卖身了。

但是，小杏子却一直坚持了差不多半个月。后来虽然被打怕了，还是进了林子，可就算到现在为止，小杏子都还是经常被客人们告状。

因为，无论给多少钱，她都从来不对人笑，也不和任何人说话。

其实，小杏子只是一个花名，到现在为止，姜山连姑娘的真名都不知道。

他也很想问，却不敢。

昨天，小杏子又被打了，她来了月事肚子疼，不愿进林子，和带她的那位老大犟，被老大对着裤裆几脚就踢得晕死过去，身子下面流了一大摊血。

最后，姜山实在看不过，好言好语地帮着求了半天，这才将小杏子抱到床上，还连带着也被老大狠狠骂了几句。

今天，姜山本以为小杏子都已经伤成这样了，多少都会休息几天。

结果没想到，那个黑良心的畜生居然还是完全不顾死活地把人拖了出来。

姜山知道自己没本事，也没能力去管这件闲事，他只是白役队中谁都可以骂上几句的小跟班而已。

但是，不晓得为什么，看着小杏子那副绝望无助的模样，他就觉得自己应该管。

他冲上去，拦住了那个老大。

也不明白是情急之下，姜山的语气不好而激怒了老大，还是老大本来心中就有邪火要发泄。

这一次闹得很难看，姜山不但没有救下小杏子，反而还被老大当着那么多客人兄弟的面，死死摁在地上狠揍了一顿。

起来之后，姜山吐出了嘴里一颗断掉的门牙，看着小杏子被拖进林中的背影，他实在是恨极了。

但是姜山没办法，他还要生存。

于是，他揉了揉脸，还是转过身，赔着笑走向了方才那两位被冷落之后，一直都坐在旁边看热闹的奇怪客人。

等姜山刚刚走到两人身边，还没来得及张口，那个没留胡子的男人就主动开口说出了一句话：

"你想不想杀了他？"

讲这句话的时候，男人眼里闪着一种让姜山几乎都不敢对视的光芒，尖锐得像是两根针。别说姜山被吓到了，就连男子身旁那个大胡子也猛地回过头来，目瞪口呆地看向了自己同伴。

男子再问了一句："杀还是不杀？"

男子的语气异常平淡，但不知为何，姜山的心却狂跳起来。

凭着多年以来察言观色的本事，姜山极其敏锐地意识到，这个男人并不是在说大话。

此时此刻，只要他姜山点下头，那么，那个老大就必定会成为一具尸体，而小杏子也就终于可以逃出火坑。

可是向来伶牙俐齿的姜山，却偏偏口干舌燥，无论如何都说不出半个字。

几秒之后，这个男子的脑袋微微一点，朝着姜山说了最后一句话：

"不说话，那就是杀。"

说完，男子起身走向大门，大胡子紧随而去，只留下了心跳如擂鼓的姜山独自一人，站在原地。

越过两人背影，姜山看见，大门口又有一帮人走了进来，姜山下意识地刚想迎上去，却赫然发现，全都是白役队里的兄弟。

走在最前方的正是卫清明卫大哥。

卫大哥的身边，则是一个相貌俊秀如同女子般的英俊男子。

军营当中最靠里面的一间房子，现在已经被改成了大猛的住处。

今晚的饭局，就约在这里。

大猛昂首挺胸地坐在他最喜欢的那把楠木太师椅上。其实这把椅子并不舒服，木头质地太硬，大冬天的在上面坐久了，整块屁股又冷又疼。

当初，白役队接手这里之后，兄弟们发现了这把已经满是灰尘的椅子，本来要丢掉，但是大猛却将它留了下来。

因为，它是之前这座军营的主人——一位副将升帐的时候，所坐的帅椅。

每次只要坐在这把椅子上，大猛都会觉得自己也是个人物，也仿佛穿上了满身甲胄，正面对着满堂儿郎，威风凛凛地调兵遣将。

更奇妙的是，每当他坐在椅子上产生这种幻想的时候，他发现，手下那帮兄弟似乎也能察觉到什么，会对他表现出格外恭敬谦卑。

大猛喜欢这种感觉。

白天的时候，大猛亲自用蜡仔仔细细地将这把椅子擦了一遍，一直擦到每块木头上都隐隐发出了亮光。

大猛当然知道这把椅子并不能帮他解决这次危机，但是同样，穷过苦过的大猛也深深明白，一个人的外表有多么重要。

佛靠金装，人靠衣装。

而大猛，靠的就是这把椅子。

今天，他绝对不能让自己表现出半点弱小样来、他一定要让卫清明那帮人知道，谁才是这个房间里最有力量，最不能得罪的人！

当听见门外手下通报客人已到的喊声响起，大猛并没有马上搭话。他仔仔细细地再检查了一下椅子，用衣袖轻轻抹去了把手上的几处掌纹，直到木头再次光亮如新以后，大猛这才一张口，用一种类似于升堂般的悠长语气说道：

"进来——"

严烟和卫清明两人走进屋内的时候，大猛正一脸威严，如同入定般眼观鼻、鼻观心地端坐在上首主位。

然而，在他身前的桌面上，却并没有酒菜。

卫清明拱手上前："大猛，久等了。"

大猛鼻孔中发出了轻轻一哼，张开双眼瞟了卫清明一下之后，目光径直落在了严烟的身上，上下打量片刻，大猛问道：

"清明，你我之间，是咱们队里自己的事，怎么还有外人在场？"

卫清明正要回答，身旁严烟却脚步一动，大马金刀地在紧靠着大猛的一张椅子上坐了下来：

"因为肚子饿，听说孟老大白役队里面的伙食开得好，就想过来吃一口。"

一边说，严烟还一边顺手拉开了旁边椅子，朝依旧站着的卫清明说了声：

"你也坐。"

大猛不动声色地看着这一切，直到卫清明也坐下之后，这才说道：

"那看起来，清明，你放着好好的日子不过，突然提出来要走，是这位兄弟的原因咯？"

卫清明扭头看了严烟一眼，见到严烟并没有说话的意思，这才干咳一声，说道：

"大猛，我知道，这些日子以来，你对兄弟们都还不错，我们心里也有数，只是……"

"啪"的一声巨响，大猛一巴掌拍在了桌子上，怒目圆睁地看着卫清明，说道：

"你有数？你有数还他娘的要带那么多人走！卫清明，老子没有亏待过你吧。这段时间，你帮队里做过什么事？在老子这里进进出出的，每天想来就来，想走就走，哪怕是条狗也会吠两声，可你什么时候对我说过一句客气话？老子人前人后又可曾讲过你卫清明半个不字？每月的银子，我大猛可曾少过你一文？"

大猛突如其来的一番怒喝之下，卫清明顿觉理亏，一时之间，实在是无言以对，居然颇觉羞愧地低下头去。

旁边严烟见状，插嘴问道：

"听说，你是苗人？"

一听这个话，大猛更怒，以为严烟瞧不起自己的出身，飞快地扭过头去，面色狰狞地看着严烟说道：

"小杂种，老子是苗人怎么了？"

面对着大猛赤裸裸的挑衅与辱骂，向来一点就着的严烟竟然丝毫不以为意，自顾自继续说道：

"我记得苗人也是大明的子民，对吧？可是，现在好好的大明子民不当，怎么就去给满人当狗了？自己当还不行，一定要拖着其他人也当狗吗？"

听到这话，看上去像是已经气炸了肺的大猛，却突然奇迹般冷静下来，目光闪烁地对着两人看了半晌，阴恻恻地说道：

"卫清明，你还真是长了一副反骨啊，老子这样待你，你居然什么事都向外人说了。那咱们也就都别废话，说吧，你今天来到底什么意思？"

到了这一步，就算卫清明的性子再优柔，也不得不开口表态了，心一横，直视着大猛说道：

"当初，我之所以成立白役队，是因为看着外人横行霸道，咱们九镇的父老乡亲却备受欺凌，想帮着乡亲们做点事，保一方平安。你加入进来的时候，也清楚这一点。但是现在，大猛你看看，白役队已经成了什么样子？开赌馆我也就不说了，不是你大猛逼着人来玩，都是他们自找。但是林子里的那些姑娘呢？大猛，这些姑娘，哪一个是心甘情愿做这皮肉生意，让人糟蹋的？她们谁不是爹娘养的正经姑娘？八香会的人把她们拐到这里来，性子弱的还少受点苦，性子稍强就免不了几顿毒打，再强点连命都没了。这片林子里面，哪个月没有埋过人？咱们白役队里的兄弟又造了多少孽？大猛，你好好想想，这些该是我们白役队干的事吗？这和他娘的土匪有什么不同？还有，震沅这次被张广成杀掉的是什么人？是鞑子！咱们就这样心甘情愿地帮着他们做事，等着有一

237

天他们兵强马壮了再打到咱们九镇来，又像上次张广成那样，糟蹋咱们一回？大猛，这些事，你能做，给再多钱我也干不了！要遭天谴的！"

大猛脸上的阴笑越来越浓，任凭卫清明竹筒倒豆子般说了一大段之后，也不生气，说道："既然你卫清明这么清白堂正，那我问一句，就一句啊，卫清明，窑子开了也不是一天两天，之前的那些钱，你怎么就按时按月拿得那么稳当，从不说要走呢？"

这一下，卫清明被彻底问住了，满脸涨得通红，再也说不出话来。

"哈哈哈哈……"

一连串大笑声中，大猛也不再纠缠，话锋一转，说道：

"老子接手之前，兄弟们别说大米白面，连他娘的糠都快吃不起了。如今，跟着我，他们锅里有煮的，床上有捅的，走出去也没人敢看低咱们一眼，这种日子不好过吗？狗？给谁当狗？谁他娘的又不是当狗！什么卵子家国大事、仁义道德，卫清明，你跟我说那些都没用。老子好不容易到了今天，就想过点好日子，管不了那么多破事。既然你把靠山都喊来了，那我大猛也敞亮点，咱们买卖不成情义在，好聚好散。卫清明你要另谋高就，想走那就走。大家好歹也是兄弟一场，如果手头紧，只管开口，你说得出，我大猛就一定给得了！"

话到此处，大猛突然停了下来，语气变得极为阴沉，缓缓说道：

"但是，你只能自己一个人走，队里的人，谁都不许带！不然的话，卫清明，你就别怪兄弟翻脸不认人，下手太黑了！"

卫清明的气势已经被大猛完全压住，轻言细语地解释道：

"兄弟们自己要走，不是我逼的。道不同不相为谋，大猛，你强留也没什么意思。"

大猛手臂一挥："那我不管，总之，你只要敢带走白役队的一根人毛，卫清明，我就让你再也看不到明天的太阳。"

卫清明原本还试图好好解释一下，可大猛的话实在不留余地，一时之间，气氛僵持了下来。就在这时，已经半天没搭过腔的严烟终于再次开了口：

"不走！谁都不会走！我说了白役队的伙食不错，我们过来是想吃一口的，走了还怎么吃？不走，你放心，一个都不走！"

大猛闻言微微一愣，扭头望向严烟，用一种看傻子的眼神端详了半天，

238

问道：

"你的意思是，老子这里的饭，你要吃？"

直到这个时候，严烟的脸上才终于浮现出了一丝浅浅的笑意：

"嗯，吃！不只我吃，我还有两个兄弟，他们胃口更大，他们说，不但要吃，还要全吃，一点都不留给你。"

"哈哈哈哈哈……"

大猛像是听到了世界上最好笑的一个笑话般，再也克制不住，仰头大笑起来。笑着笑着，他就突然抬起右掌，在桌上的那盏灯前挡了三下。

这是大猛事先就和手下那帮心腹约好的暗号，灯光不变，那就什么事都没有，彼此都还是兄弟；可是只要灯光连续闪动三次，那么就代表事态已经发展到了最坏地步，凡是敢跟着卫清明的人，鸡犬不留！

办事的都是当初暴乱时和大猛一起，在尸山血海里面杀出来的人，他们的办事能力早就已经得到了验证；至于忠诚程度更不用说，这帮人个个都和大猛一样，穷疯穷怕了，早就已经死心塌地和大猛绑在了一起。而且他们心里都有数，今天只要大猛出了事，就算别人放过他们，震沅那边也必定不会善罢甘休。

要知道，他们做的可是八香会的生意！

二十六

道在人为

果然，几乎就在灯光刚暗之时，屋外猝然响起了人们的惊呼惨叫之声，随着光线明暗反复三次，惨叫痛呼声也接连传来，不绝于耳。

当大猛将手掌从灯罩上拿开的时候，屋外也再次恢复了宁静。

大猛饶有兴致地看着严烟，含笑问道：

"现在你告诉我，那句话是谁说的？"

严烟点了点头，将手指往口中一放，"咻"的一声哨子响起，房门打开，一个身上犹自带着血迹的男人出现在了门外，赫然正是先前宁爽文看到的那个吐痰男子！

大猛如遭雷击一般从椅子上跳了起来，脸色灰白地看着门口，哑声说道：

"章芝虎！是你！你……你怎么在这里？这跟你们排帮有什么关系！"

章芝虎极为冷漠地瞟了大猛一眼，却并不搭腔，脚步一挪，往旁边让开，在他身后，两个年轻男子犹如闲庭信步一般，走进了房内。

当中一人朝着大猛微微一笑，伸手指着自己，说：

"不是他，我说的。"

排帮声威太盛，大猛又已经在九镇上混了许多年，凭着他的经历，能够认

240

出大名鼎鼎的排帮二少爷宁爽文，这或许不算奇怪。

但是，当陈骖与宁爽文一起走入房中，说出上面那句话的时候，陈骖觉得大猛很有可能并不认识自己。

然而，大猛的反应却完全出乎了陈骖的意料。

这位片刻之前还顾盼自雄、信心满满的黑道大佬，此时此刻居然彻底呆住了，就那样傻乎乎地站在桌子旁，一瞬不瞬地看着对面二人，脸上肌肉剧烈抖动着，良久之后，这才一声长叹，整个人如同被突然倒空的米袋般往后一倒，瘫在了那把威风八面的太师椅上，两只眼睛再也不看来人，径直扭过去望着卫清明喃喃说道：

"宁二少、陈香主，难怪！难怪！卫清明，我真是小瞧你了，你好大的手段，居然不声不响就请动了排帮来对付我。"

可怜卫清明虽然被人说到了这种程度，自己却也同样是一头雾水，一会儿看看大猛，一会儿看看严烟，一会儿看看陈骖，一会儿又看看宁爽文，两眼当中满满都是掩饰不住的惊疑之色：

"洪……洪二哥，宁二爷，你们……你们怎么也……严头，这是怎么回事？"

"清明，莫急，等下再让严烟给你细说。"

陈骖走到卫清明身旁，亲昵地拍了拍他的肩膀，径直拖开一把椅子坐了下来，看着大猛说道：

"真没想到，你个黑了良心的狗杂种，天天窝在这里，居然还认得我。不过，这个功夫肯定不是你下的，是震沅的人吧？"

大猛满脸晦气，有气无力地说道：

"陈香主，既然晓得我和震沅的关系，你这样做，就不怕排帮和八香会之间闹出大事？"

陈骖鼻子里一声冷哼，极为不屑地看着大猛说道：

"大猛，你把自己看高了，你就是一条狗而已，为了一条狗和排帮开战？八香会还不至于蠢到这种地步。还有，也不怕告诉你，你又猜错一次，这件事实在是和排帮没任何关系，要吃白役队这碗饭的人，就是我，我本人！你干不干？"

大猛脸上一片铁青，恨意滔天地看着陈骖说道：

"陈香主背靠大树，仗势欺人打上门来，还由得我干不干？"

陈骖哑然失笑：

"我仗势欺人？那外面的那些姑娘呢？谁欺的她们？大猛，和你这种杂碎也没什么好多讲，我就是欺定你了！实话和你说，从我走进这间房子的那一刻开始，这里的一切都不再属于你了，包括你的命。如果换作是外地人，今天你必死！不过，看在你也是九镇出身的分上，现在我给你最后一个机会，马上走，再也不要回来！"

大猛也确实有种，在这种形势下，虽然绝望，却完全看不出半点胆怯，居然还敢直视着陈骖的目光，冷冷说道：

"老子搞了半辈子，才有了今天。陈骖，你想拿，那就最好拿彻底，但凡还给老子留下一口气，总有一天，老子将你千刀万剐，宁中都保不住你！"

听到大猛这满含怨毒的话语，陈骖嘴巴往下一撇，没好气地瞥了他一眼之后，仿佛是看笑话般朝着身边卫清明摇了摇头，说道：

"难怪这个人什么伤天害理的事都敢做，确实心狠。而且太蠢了点，什么该说什么不该说都弄不明白。那就是谈不拢咯！谈不拢就算了，清明，我们走！"

话一说完，陈骖居然真的一把将卫清明拉了起来，屋子里面，宁爽文和严烟也二话不说同样站起。

大猛彻底傻了，和他一样傻的还有卫清明，两个人一站一坐，却都是丈二和尚摸不着头脑，被陈骖兄弟仨的奇怪举止弄昏了头。

就在这个诡异万分的局势之下，已经从紧靠大猛的那张椅子上完全站起的严烟，双手撑着桌面似乎正要转身离去，却突然腰板一扭，整个人已经闪电般地站在了大猛跟前。

"哇……"

那一瞬间，大猛只感到自己脑海当中仿佛有一面巨大的铜锣被骤然敲响，震得他整颗心都猛地沉了下去，正当他刚刚意识到大事不妙之时，只见严烟手里寒芒一闪，顺着大猛的脖子轻轻挥了一下。

一道殷红的鲜血飞溅而出，溅在了桌面灯罩之上，烛光摇曳中，大猛猛地一下从位子上弹了起来，双手捂着喉咙，青筋暴出的脸上嘴巴大张，似乎想要说话，发出的却只有一连串瘆人至极的诡异咕噜声。

然后，大猛腿脚一软，再也支持不住，顺着桌子倒了下去。

当屋内所有人都已经走出了房门后，大猛的四肢却依然在地面上剧烈抽搐着，渐渐地，越来越慢，越来越慢……彻底停止的那一刻，大猛的右手笔直伸向了他最喜欢的那把太师椅子，被擦到油光发亮的楠木椅脚离他只是一步之遥。

可惜，这辈子，他却再也无法触到。

走出房门时，卫清明依然浑身都在微微颤抖。

他并不是一个胆小如鼠的人，也不是没有见过生死，暴乱那一晚，他浑身上下挨了三刀，死在他手上的难民，至少也有五个。

但是，这一刻，卫清明却感受到了一种前所未有的巨大恐惧，死死缠裹着他，让他胸膛里面又憋又闷，几乎喘不过气来。

卫清明做梦也没料到严头居然就那样像是宰猪般将大猛割了喉，这并不是他今夜带着严头来到这里的目的。他从来没有想过要杀大猛！彼此之间虽然有着很多不一样的看法，就算是要抢白役队，那也不至于非要弄到这种地步不可。

他昏昏沉沉地跟在众人身边，才刚出门两步，脚下一个不注意，绊在了某样软绵绵的物体上面，如果不是身旁陈骖及时挽扶，差点就摔了一跤。

卫清明下意识地低头看去，顿时间，他倒抽一口凉气，连连后退，终归还是双膝一软，坐在了地面上。

他的脚下，是一具已经毫无生气的冰冷尸体，而就在那具尸体周围，赫然还横七竖八地躺着好几个同样已经一动不动的人。

再仔细一看，这些人无一例外，全都是白役队中，跟随大猛的忠心骨干。

如果说，几秒之前，卫清明的恐惧当中还多少有着一点怨气；那么，这一霎的他，已经连那少许的怨气都没有了。

他的心中，只剩下了无边无际的敬畏与后怕。

看着地上的那些尸体，个个手上犹自紧握尖刀。

原来大猛也同样做好了杀他的准备，如果不是严头几个兄弟，只怕此时此刻躺在地上的那个人，就已经换成了卫清明自己。

一只手再次伸过来扶起了卫清明，在他的耳边，响起了陈骖温和的说

243

话声：

"清明，从今天开始，白役队和这片地方，就都是你的。掌舵就要有掌舵的样子，失魂落魄的不像话。"

卫清明大惊失色："不，我不要！"

陈骏有些奇怪，问道："你做主之后，白役队可以变成以前的白役队，这些姑娘也都能够跳出苦海，你为什么不要？"

卫清明犹豫片刻，终于还是狠下心来，牙关一咬，说道：

"洪二哥、宁二爷，严头，我谢谢你们的抬举。但是，我真的不要，我只想好好伺候老娘，送她终老。求三位大哥念在往日也曾同生共死的情分上，放我一马。"

听到卫清明的话，陈骏三人脸上皆是一片古怪之色，一时没人搭腔。

良久之后，陈骏微微一叹：

"清明，你怕我们？你看我们下手太狠，怕终有一天，也会这样对你，是吗？"

卫清明汗如雨下，唯唯诺诺地不敢开口。

陈骏再次一声长叹，说道：

"清明，事已至此，我说再多也没有用，我们是什么样的人，只有留待日后再看。不过，我现在可以告诉你一点，在如今这个群魔乱舞、恶人横行的世道上，假如想要替大街上那些无辜的百姓、林子里可怜的姑娘做点事，那么就必须这样做。恶人自有恶人磨！大猛这个人已经没救了！不杀他，今后就一定还会有第二个一片林、第二个白役队。大猛对你们不错，但是那些埋在林子里的姑娘，她们的冤魂又到何处申冤？清明，我没有做错，唯有雷霆手段才能改变这一切，我希望你能够了解。"

看着卫清明依旧嘴巴紧闭不肯作声的样子，陈骏两眼当中神色转冷，松开了抓着卫清明的手：

"今天的事，明天就会传遍江湖。如果没有排帮，没有我陈骏，卫清明你想想，当震沅的人找上门来，你和你的那帮兄弟将会是什么下场？何去何从，你好生考虑。"

说完，陈骏再也不理卫清明，转身走向了空地。

一阵绝望涌上心头，卫清明面如死灰，无助地看向了唯一留在自己身旁的严烟。

月色之下，严烟眼中居然流露出了一种从未见过的淡淡忧伤，语气苍凉地说道："清明，我记得你娘是习过字、念过书的？"

听到严烟突如其来的古怪问话，卫清明一愣，老实回答道：

"对。"

"我还记得，有次兄弟们在狱中闲谈的时候，你曾经说过，一直以来，你娘都是把一位古人当作她的榜样，并且从小就要你学那个人的儿子。你还记得吗？"

卫清明浑身剧震，两眼大睁，嘴巴剧烈嚅动半天之后，却半个字都说不出来，只得低下头去避开了严烟的凝视。

卫清明从来没有忘记过，他怎么能够忘记？

小时候，当母亲每一次帮卫清明洗澡时，都会抚摸着他的后背，给他说同样的一句话："儿啊，要不是娘的字不好看，又心疼你怕你疼，娘真想也像岳母一样，在你的后背刺上精忠报国四个字。"

一直以来，娘都视岳母为终身楷模，她学着岳母的勤劳节俭，学着岳母的深明大义。在那些遥远的记忆中，她时不时就会告诫卫清明，要有一腔男儿热血，要有一副肝胆忠心，要学岳飞岳武穆那般，当一个顶天立地的人。

这些年来，为了苟延残喘地在这个世界上活下去，母亲的那些训诫，早已经不知不觉从卫清明的脑海里渐渐淡去，而母亲也越来越少提起。

然而，这一刻，在严烟的点拨之下，那些被深埋在心底的回忆却突然变得鲜活起来，一幕一幕不断闪现在卫清明的脑海里。他突然意识到，这些年的自己究竟已经变成了什么样？又到底让母亲有多失望？

正当卫清明心动神摇，陷入沉思之际，耳旁再次传来了严烟的说话声：

"我和大猛那帮人没有私仇，但不管是他们对那些姑娘做的事，还是与八香会之间的关系，我都不后悔杀他，再来一次，我还是会这样干。九镇，是九镇人的九镇；天下，是大明的天下。将来有一天，如果你卫清明敢帮外人，我也会照杀不误！

"但是除此之外，清明，你不用多想。记住我今天的话，无论未来严烟会做什么，我们都是兄弟，我都决不降清！"

事态被控制在了以大猛房间为中心的一小片范围之内。

杀戮刚起之时，动手的人主要是以章氏兄弟和焦八怪为首的排帮会众，严烟当初的那帮同袍则和章保仔等人一起守在外围，阻挡了无关人等的进入。

再加上赌徒嫖客们正是玩得性起，专心致志的时候，外界发生何事，根本就没人关心。

所以，当陈骖等人再次回到大门前的那块平地之时，除了已经被控制在一旁，胆战心惊的白役队成员，以及少数警觉的客人发现不对，开始悄悄撤退之外，一片林大体上还是一副灯红酒绿的老样子。

看着严烟和卫清明两人并肩赶到了自己身前，陈骖顿时松了一口气，脸上不禁露出了一丝发自内心的真诚笑意，对卫清明说道：

"清明，感谢你的信任，洪二此生，必不负你。"

卫清明闻言大吃一惊，又感动又惶恐，赶紧双手一拱，弯腰连声说道：

"洪二哥言重了，洪二哥言重了。"

陈骖也不过多客气，昂然受了卫清明这一礼之后，指着被押在平地边上的那帮白役队员："清明，这都是你们白役队的，怎么处理，我不管，你来做主。只不过，我希望你记住一点，除恶务尽！"

平地边上，姜山跪在众多白役队员当中，默默看着眼前正在发生的一切。

当姜山察觉到那个被人唤作"洪二哥"的男人的视线已经笔直投到自己身上时，他产生了一种分不清是兴奋还是恐惧的奇怪感觉，他明明想要低下头去避开那个人的目光，却又不知为何，他的头颅却始终高昂着，就像是一个接受国王巡视的士兵。

男人对着姜山走了过来，每接近一步，姜山的心跳就加剧一分，当男人走到姜山跟前，居高临下地俯视着他时，姜山的整个人都忍不住一阵接着一阵地微微战栗起来。

眼前黑影一动，男人居然双膝一弯，蹲在了姜山身前，还是用那种像钉子般尖锐凌厉的眼神看着姜山说道："那个姑娘是你的女人？"

姜山摇了摇头。

"她受了很多苦？"

姜山成长于街头，在他生活的那个世界里，从来都只有尔虞我诈、弱肉强食。在那里，容不下善良，善良会让人软弱，而软弱的唯一下场，就会被人连皮带肉吃得连骨头渣子都不剩。

姜山一直都认为自己是条硬汉。从很小很小开始，他就时刻提醒自己要心狠，要手辣，要狡诈，要油滑。这些年来，他本以为自己早就没有了怜悯，没有了同情。

可是，这一刻，听到男子那句话的时候，硬汉姜山却不知为何突然就红了眼睛。他努力地睁开双眼，克制着不让泪水流出，他以为自己能够做到，只可惜，点头那一刻，泪水却还是如同决堤般顺着脸颊淌了下来。

男子扶起了姜山，对他说："去，去把那个姑娘抱过来。"

姜山飞快地跑进了树林，林子当中旋即响起了几声嫖客的喝骂。片刻之后，姜山手中抱着一个只剩下亵衣的女孩，回到了众人跟前。

男子脱下身上棉袍，披在女孩身上，扭头朝着跪在人群中的一个壮汉指了指：

"把他带过来！严烟，借下你的刀。"

壮汉丝毫不敢反抗，被焦八怪一把拎起，押到众人身边时，满脸惶恐至极，哪里还有半点先前痛殴姜山的那副凶狠气派？

"杀不杀？"

男子又一次说出了这句要命的问话，姜山汗流浃背还没回答，旁边一男一女两道声音却已经同时响了起来：

"杀！杀了他！求求你们，杀了他，杀了这个畜生，杀了他啊！"

"不要！大爷，求求你们！不要！求你们饶我一条狗命，求求你们……"

喧闹的喊声当中，男子深深看了姜山最后一眼，反手一刀深深扎入了壮汉心窝。

"来世好好做人！"

说完这句话，男子再不停留，率领众人转身而去。

在他身后的平地上，一道如同怨鬼般的女声，号啕大哭起来，哭得百转千回，凄凉至极。

姜山魔怔一般呆望着男子离去的背影，直到对方彻底消失在大门外后，他这才转身看向了怀中的小杏子，将小杏子轻轻放到了地上：

"你多多保重！"

语毕，姜山朝着前方那人的身影飞奔而去，跑向了门外那片广阔的天地。

九镇码头边上，有一座石拱桥，几个月前，曾经有一位普普通通的九镇男儿在这座桥上，用自己的生命为代价，做下了一件义薄云天的大事。

桥的一端，有一栋在岁月的洗礼当中已经泛出了玄黑色的木质吊脚楼，这里，曾经是排帮龙头宁中的产业。

宁中去了常德府之后，这栋楼就成为宁二爷宁爽文的住所。

此时此刻，夜已深，天地间一片宁静，除了不知从何处传来的偶尔几声小儿夜啼之外，就唯有那波光粼粼的沅江，在天上明月的映照之下，亘古不休滚滚东去。

桥面上，三个形象各异，却又无一例外丰神俊朗的年轻人，肩并着肩，踏着月色波光，走向了那栋吊脚楼。

走到桥中心时，三人心有灵犀地同时停下了脚步。

陈骖伸出手来轻轻抚摸着桥上栏杆，触手之处，石头粗糙冰凉，就像是一个经历了无数沧桑变幻的老人，早已不为尘世间的诸事烦扰。

陈骖举目远眺，眼神深远绵长，悠悠说道：

"要是老高还在这里，该有多好。"

身后，严烟、宁爽文纷纷举步上前，与陈骖一起靠在栏杆上看着远处江面，没有一个人说话。

只是，彼此的神色之间，却越发显出了几分说不出的悲怆沉郁。

良久过后，夜空中再次响起了陈骖的声音：

"外将擅领私兵，自古以来都是君王大忌。我们今天做的这些事，帮里的人迟早都会发现。爽文，众口铄金，如果有那么一天，中哥会不会有想法？"

又是一片压抑而凝重的沉默过后，宁爽文突然扭过头来，看着身旁陈骖，两眼当中波光流转，全无半点平日里装傻充愣的戏谑狡猾之意，缓缓问道：

"你想过要杀我哥取而代之，或者叛出山门另立堂口吗？"

陈骖目不斜视地依旧望着远处，脸上显出了一丝若有若无的浅笑，举重若轻地回答："你说呢？"

宁爽文严肃至极地看着陈骖，渐渐地，脸上笑意也越来越浓，当笑意终于彻底绽放的那一刻，他一拍胸膛，伸出双手，搂住了两位生死相交的好兄弟：

"那就没事，老子来扛！"

正当兄弟三人心怀渐畅，欢声笑语开始接连响起，随着江风四处飘散之时，桥面上，再次传来了一连串细碎的脚步声。

众人闻声看去，连铜一身烟火，面带风霜，正从宁爽文的住所那端飞快地朝着三人跑了过来。

三人对视一眼，强烈的不祥感涌上了各自心头。

走到跟前之后，行色匆匆的连铜居然没有立马说话，看着三人，似乎是仔细斟酌了片刻，这才沉声说道：

"走，上船，马上去常德。"

三人皆是一愣，连铜的第二句话已经响了起来：

"龙头出事了！"

"噼啪……"夜月如盘的冬夜中，仿佛凭空炸开了一道霹雳，炸在兄弟三人头顶，让他们浑身上下的每一根毛发都似乎竖立起来。

恍惚之间，陈骖隐约听见自己的声音传来：

"怎么回事？中哥……中哥出什么事了？"

"去朱府赴宴，归来途中，猝然遇袭，身中八刀，小赵云当场战死，宗宝、花和尚两人舍命施救，方才将龙头救了出来，至今生死难料。"

"啊……"

撕心裂肺的狂吼声中，宁爽文已经拔开双腿，疯了一般飞奔向码头；严烟二话不说，紧随而去。

桥面上，陈骖一把扯住连铜：

"是谁干的？"

连铜迫不及待地挥手推开陈骖，转身追向前方二人。

夜空中，传来了他的一句回答：

"常德八香馆新任堂主，穿天猴！！"

（第一部完）

享讀者

WONDERLAND